SCHEDL / ZUR THEOLOGIE DES AT

T3-BNJ-841

In memoriam

*Wenige Wochen vor Fertigstellung dieses
Buches starb P. DDr. Claus Schedl CSsR am
19. Juni 1986 im 72. Lebensjahr an den
Folgen eines Verkehrsunfalls.
Seit vielen Jahren ist der Verlag mit
Professor Schedl in besonderer Weise
verbunden, da er dessen „Logotechnische
Methode" bzw. deren Anwendung auf Altes
und Neues Testament und auf den Koran in
mehreren Publikationen verlegerisch betreut
hat. Es war Prof. Schedl nicht mehr vergönnt,
das fertige Buch in die Hand zu nehmen.
Wir sind sicher, daß er es „von drüben her"
mit allen guten Wünschen begleitet.
Möge dieses Buch die Erinnerung an den
bedeutenden Wissenschafter und engagierten
Seelsorger lebendig erhalten!*

Claus Schedl

Zur Theologie des Alten Testaments

DER GÖTTLICHE SPRACHVORGANG

HERDER
WIEN · FREIBURG · BASEL

BS
1192.5
.S24
1986

Das vorliegende Buch ist aus den Vorlesungen zur „Biblischen Theologie" an der Karl-Franzens-Universität Graz entstanden. Der Charakter von Vorlesungen wurde beibehalten. Eine umfassende Darstellung der Theologie des Alten Testaments konnte bei der verfügbaren Zeit nicht unser Ziel sein. Wir versuchten vielmehr, unter dem Aspekt des Göttlichen Sprachvorganges in Schöpfung und Geschichte einen neuen Zugang zum besseren Verständnis der alttestamentlichen Offenbarung zu erarbeiten.

Graz, am 2. 11. 1986   Der Verfasser

© Herder & Co., Wien 1986
Alle Rechte vorbehalten / Printed in Austria
Satz und Druck: Plöchl-Druck Freistadt
Umschlaggestaltung: Erich Baumann
Bestellnummer: ISBN 3-210-24.828-1

INHALT

6

8

12

Vorwort: ZUR STANDORTBESTIMMUNG

Der Umfang der alttestamentlichen Theologie ist derart groß, daß in einer Vorlesung nur Umrisse geboten werden können. Das erreichbare Arbeitsziel dieses Kollegs kann daher in keiner Weise die vollständige Entfaltung des gesamten Stoffes mit allen darin gegebenen Fragestellungen sein. Wir müssen uns also beschränken. Auf welche Grundrisse soll man sich aber beschränken? Es gibt schon viele Grundriß-Entwürfe zur atl. Theologie; jeder hat seine Eigenwerte, aber auch seine Mängel. Bei unserem Entwurf wird es nicht anders sein. Ich glaube aber, daß die in der Bibel selbst vorgegebenen Leitworte WORT und BUND ein sicherer Führer zum besseren Verständnis des AT sein könnten, weil dadurch *Biblische Theologie als göttlicher Sprachvorgang in Kosmos und Geschichte* faßbar wird.

1) Wie Biblische Theologie betreiben?

Das „Buch", das wir einfachhin BIBEL nennen, beansprucht, von Gott gesprochene Worte, also „Wort Gottes", zu übermitteln. Desgleichen beansprucht es aber auch, Berichte über die von Gott in Kosmos und Geschichte gewirkten Werke, also über die „Taten Gottes", zu bringen. Durch *Worte und Taten* werden jeweils neue Epochen des Bundes Gottes mit dem Menschen abgegrenzt.

Danach könnte man meinen, daß es Aufgabe der Biblischen Theologie sei, „Worte und Taten Gottes" nachzuerzählen, um so allmählich an das Wesen dessen heranzuführen, was unter „Bund" gemeint ist. Doch eine bloß *nacherzählende Theologie* läuft Gefahr, den fragenden und forschenden Verstand des Menschen, der auch vor der Wirklichkeit Gottes nicht einfach anbetend verstummen kann, mit dem Verweis zu beschwichtigen, daß Gott eben unfaßbar ist. (E r z ä h l u n g : Augustinus und der Knabe am Meeresstrand: „Mit der Schale deines Verstandes wirst du das Meer Gottes nicht ausschöpfen können"). Aber selbst die Erkenntnis, daß Gott für den menschlichen Verstand nicht faßbar ist, muß philosophisch für den Verstand faßbar sein. Wie soll man also über den unfaßbaren Gott in faßbarer menschlicher Sprache sprechen?

a) „W i s s e n d e   U n w i s s e n h e i t " (d o c t a   i g n o r a n t i a): Es gibt viele Philosophen, die das theologische Denken richtungsweisend beeinflußt haben, von Aristoteles und Platon gar nicht zu sprechen. Mein persönliches Denken hat vor allem NICOLAUS CUSANUS angeregt; daher ein kurzer Hinweis auf seinen theologischen Grundentwurf:
Das Ergebnis seines Nachdenkens über Gott und Kosmos faßt er in dem Satz zusammen: s c i o   o m n e   i d ,   q u o d   s c i o ,   n o n   e s s e   D e u m ,   e t   o m n e   i d ,   q u o d   c o n c i p i o ,   n o n   e s s e   s i m i l e   e i ,   s e d ,   q u i a   i p s e   e x s u p e r a t ,   D e u s   e s t   s u p r a   n i h i l   e t   a l i q u i d   − „Ich weiß, daß, was ich wissenschaftlich erfassen kann, nicht Gott ist; und daß all das, was ich in Begriffe einengen kann, ihm nicht ähnlich ist; vielmehr ist Gott der, der alles überragt, über dem Nichts und über dem Sein stehend."
In seiner Wesensart ist Nicolaus Cusanus ein Wanderer; was er ergreift, entschwindet ihm unter den Händen. Doch gerade dadurch greift er ins Unendliche, ins Verborgene. Die wahre Wissenschaft von Gott ist nach ihm die „d o c t a   i g n o - r a n t i a ", d. i. „die gelehrte Unwissenheit", oder „das wissende Nichtwissen", die

wissenschaftliche Erkenntnis also, daß Gott durch rationale Wissenschaft nicht faßbar ist; denn Gott ist größer — Deus semper maior![1]

b) „Nüchterne Trunkenheit" oder „berauschte Nüchternheit"
Während Cusanus gleichsam am Abgrund des göttlichen Mysteriums wissend/unwissend stehenbleibt, läßt sich PHILO von ALEXANDRIEN von der durch den Verstand erkannten Wahrheit zur Schau (theōria) der göttlichen Geheimnisse hinreißen. Theologie ist für ihn kein nüchterner, rein wissenschaftlicher Vorgang; wer Theologie betreibt, muß von der Leidenschaft des Göttlichen erfaßt sein. In seinem Werk „Über die Weltschöpfung" (§ 71) schreibt PHILO: „Indem der Verstand (voũς) der Liebe zur Wahrheit als Führerin folgt, schreitet er über die ganze sinnlich wahrnehmbare Welt hinaus und strebt nach der rein geistigen; und wenn er hier die Urbilder und Ideen der sinnlich wahrnehmbaren Dinge, die er dort gesehen, in ihrer außergewöhnlichen Schönheit betrachtet, ist er von einer nüchternen Trunkenheit (methē nefalios) eingenommen und gerät in Verzückung wie die Korybanten, und, erfüllt von anderer Sehnsucht und besserem Verlangen, wird er zum höchsten Gipfel des rein Geistigen emporgetragen und glaubt, bis zum Großkönig selbst vorzudringen".

2) Die Vielfalt in der Einheit

Die Einheit der Bibel sub specia divina zugegeben, steht ebenfalls fest, daß sich die Selbsterschließung, also die Offenbarung Gottes, im Ablauf der Zeit geschichtlich vollzogen hat. Daher kann es gar nicht anders sein, als daß man das AT mit der Vielfalt seiner Bücher und Aussagearten auch sub specia humana aufschließen muß. Ohne den Glauben an die gottmenschliche Veranlagung des AT bleibt das innerste Heiligtum dieses Buches verschlossen; denn die Tôrah, d. i. Gott „spricht in der Sprache des Menschen" (Talmud, Berakôt 31b).

Wenn man aber darangeht, das AT menschlich zu erschließen, kommen alle Methoden der Geschichts-, Text- und Literarkritik, der Archäologie und der Religionswissenschaft zum Einsatz. Überblickt man das Feld der Forschung, zeichnen sich für den Entwurf einer alttestamentlichen Theologie zwei Möglichkeiten ab:

a) Nur Teilentwürfe möglich: Da die Quellenschriften von verschiedenen Autoren verfaßt, in weit auseinander liegenden Zeiten entstanden, und nicht aufeinander hin entworfen, sondern nur zufällig zu einer Buchsammlung vereinigt wurden, könne man keine einheitliche, alle Quellenschriften bestimmende Theologie erarbeiten. Wissenschaftlich verantwortbar sei daher nur, etwa die Theologie des Jahwisten, des Elohisten etc. zu erarbeiten. Man erhalte dadurch zwar einzelne markante Bausteine, die sich aber nicht zu einem einheitlichen Bau zusammenfügen lassen. Was man erreichen könne, seien nur verschiedene religionsgeschichtliche Teilentwürfe.

b) Ganzheitliche Methode: In bezug auf die Richtigkeit der literarischen Quellenschriften des Pentateuchs (J - E - D - P) wurden in letzter Zeit immer mehr Zweifel angemeldet. Es handle sich dabei doch nur um Hypothesen und nicht um exakt bewiesene Thesen oder gar um geoffenbarte Dogmata. — Sicher haben die

---

[1] Zusammenfassende Würdigung des Nicolaus CUSANUS im Lexikon: *Die Religionen in Geschichte und Gegenwart,* Bd. IV, 1960³, unter dem Schlagwort: Nikolaus von Kues, Seite 1490—92.

Bücher eine literarische Entwicklung durchgemacht. Diesen literarischen Werde-gang zu erforschen, etwaige Quellenschriften und Vorlagen herauszuarbeiten, ihren „Sitz im Leben" festzustellen, und anderes mehr, ist und bleibt Aufgabe der bib-lischen Literaturwissenschaft; doch diese literarischen Vorstadien sind eben Vor-stufen und noch in keiner Weise Bibel. Daher wird immer stärker der Ruf nach ganz-heitlicher Exegese und Theologie erhoben. Wann ein Buch zeitlich entstanden ist, sei für die Theologie völlig unbedeutend (irrelevant), entscheidend sei der Inhalt der Aussage.

c) K a n o n : Die biblische Literatur ist eine Literatur ganz eigener Art. Sie wird von einer religiösen Gemeinschaft (Synagoge, Kirche) nicht bloß getragen und weiter überliefert, sie wurde vielmehr erst durch Annahme und Aufnahme in die religiöse Gemeinschaft zur B i b e l (Sozialeffekt!). Es hábe doch im alten Israel viel mehr reli-giöse Literatur gegeben, als in der Bibel steht. Zu einer bestimmten Zeit muß ein Ausleseprozeß stattgefunden haben, am wahrscheinlichsten in der religionsge-schichtlichen Achsenzeit um 500 v. Chr. Dabei wurde das alte religiöse Schrifttum nicht einfach übernommen, sondern neu bearbeitet, und erlangte dadurch erst seine vollendete kanonische Form (Kanonbildung im AT). – Nur diese endgültig vorlie-gende Textform kann sichere Basis für den Aufbau einer alttestamentlichen Theolo-gie sein; denn die verschiedenen Quellenschriften sind noch nicht Bibel!

Zur gleichen Erkenntnis kommt auch Kardinal Joseph RATZINGER: „Die Glau-bensregel, heute wie gestern, wird nicht von den Entdeckungen über die biblischen Quellen und Schichten begründet, sondern von der Bibel, wie sie ist und immer in der Kirche gelesen wurde, – von den Vätern angefangen bis heute".[2]

3) Warum die Bezeichnung „Sprachvorgang"?

Beim Hören des Wortes „Sprachvorgang" dürften wohl die meisten vermuten, daß unsere Arbeit auf der neueren Methode der Linguistik unterschiedlicher Prägung aufbaut. Dies ist aber nicht der Fall! Unsere Arbeitsmethode ist viel älter und auch viel einfacher. Bereits Irenäus von Lyon (gestorben um 202 v. Chr.) erklärte die Weltschöpfung als göttlichen Sprachvorgang. In seinem Werk *„Entlarvung und Widerlegung der lügenhaften Gnosis"*, kurz „Schrift gegen die Häretiker" *(Adversus haereses)* genannt, nimmt er die damals stark verbreiteten gnostischen Systeme kri-tisch unter die Lupe. Dabei stellt er jeweils dem „falschen Logos" den „richtigen Logos", also der falschen Deutung die richtige gegenüber. Irenäus hat nur die „falsche" Gnosis verworfen. Was aber an der Gnosis „richtig" war, hat er mit einigen Korrekturen übernommen. Jedenfalls stimmt er mit seinen Gegnern darin überein, daß Weltschöpfung ein *Sprachvorgang* ist. Hierfür verwendet er das Wort e k - p h ō n ē s i s , „Aus-Sprache", also Welt als Aussprache Gottes! Da Gott das Wort, also den Logos, ausspricht, muß die Struktur des Wortes in der Schöpfung ausgeprägt sein. Daher geht Irenäus näher auf die Gliederung des griechischen Alphabetes ein, und bringt dafür die Aufgliederung in 7 klingende, 8 halbklingende und 9 stumme Buchstaben (Adv. haer. I, 14,1. und 5). Daraus und aus anderen Texten folgt, daß der Sprachvorgang mit Zahlen verbunden ist.

Auch in der altjüdischen Literatur wird Weltschöpfung als Sprachvorgang gedeu-tet. Der wichtigste Zeuge hierfür ist das Büchlein S e p h ä r j ᵉ ṣ î r a h , „Buch der

---

[2] Osservatore Romano, deutsche Ausgabe, 14. Jahrgang, Nr. 48 (1984), Seite 10.

Schöpfung"[3], auf das wir in den Untersuchungen öfters verweisen werden: „In 32 wunderbaren Wegen der Weisheit hat Gott seine Welt ausgehauen, geschaffen und geformt" (I,1). Diese „32 wunderbaren Wege der Weisheit" werden darin auf das hebräische Alphabet zurückgeführt, das in die 3 „Mütter" (Urbuchstaben), 7 doppelte und 12 einfache Konsonanten gegliedert und mit den Zehn Urworten erhöht wird $(22 + X = 32)$.

Damit soll nur gezeigt werden, daß die Alten in Zahlen dachten; diese waren für sie mehr als bloße Ziffern oder Ziffern-Kombinationen, sie galten als Welt-Elemente und damit als Bausteine des Kosmos. Die Welt wurde ja „nach Maß und Zahl" entworfen, heißt es schon im Buch der Weisheit (11,20).

Ist einmal die „Leidenschaft des Göttlichen" erwacht, wird man auch an der minutiösen Kleinarbeit der Textanalyse „Geschmack" finden. Denn die Kenntnis der „Baupläne des Wortes" ist nicht nur für den Hebräisch-Kundigen, sondern für jeden Bibliker notwendig, der wissen möchte, nach welcher „Architektur" jene Texte gebaut sind, die er für den Bau seiner Biblischen Theologie verwendet.

4) Zur logotechnischen Methode:

In unserem Buch: *Baupläne des Wortes. Einführung in die Biblische Logotechnik* (Herder 1974; abgekürzt LogT) haben wir versucht, auf die eigenartigen Strukturgesetze biblischer Texte hinzuweisen. Im Laufe der Untersuchung hat es sich gezeigt, daß auch Texte mit freier Fügung von Sätzen und Wörtern, die gewöhnlich als Prosa bezeichnet werden, streng nach „Bauplänen" (Modellen) durchkomponiert wurden. Dadurch wird aber der Text aus seiner literarischen Isolierung herausgehoben und mitten in das altorientalische, antike und biblische Weltbild hineingestellt; denn die Pläne, nach denen der Text gebaut ist, wurden nicht erst vom Künstler erfunden, sie waren ihm in seiner geistigen Umwelt bereits vorgegeben.

Für diese Art literarischen Schaffens haben wir aus dem Neugriechischen die Bezeichnung l o g o - t e c h n e i a = „Wortkunst" übernommen; denn Material des Formens und Gestaltens ist das Wort, das nach den vom Künstler „geschauten" Ideen, Plänen und Modellen sichtbare Gestalt annimmt. Die Formungsgesetze eines biblischen Textes zu untersuchen, ist an sich nichts Neues, hat sich doch die formgeschichtliche Methode schon bemüht, den Werdegang – also die Formung und das allmähliche Wachsen eines Textes – zu erforschen. Diese Formgeschichte ist primär am Vorher des Textes interessiert und versucht daher auf die Frage: Wie ist der jetzige Text entstanden? eine Antwort zu geben. – Im Gegensatz hierzu konzentrieren wir uns auf die Erforschung jener Gesetze, die den jetzt vollendet vorliegenden Text durchformen. Um unsere Arbeitsweise von der bisherigen formgeschichtlichen Methode abzuheben, haben wir dafür die Bezeichnung *logotechnische Methode* gewählt. –

Nach dem biblischen Schöpfungsbericht wurde der Mensch als Nachbild (d e m û t) des Urbildes (ş ä l ä m) Gottes geschaffen (Gn 1,26). – Das Buch Exodus schildert zuerst in einer Vision auf dem Berg die Baupläne (t a b n î t) des Stiftszeltes, das dann als Abbild des Geschauten von Moseh nachgebaut wurde (Ex 25 ff; 26 ff). Dazu sagt PHILO: „Es scheint also gut, ein hochheiliges Werk zu bauen, ein

---

[3] *Sefer Jeşîrah. Das Buch der Schöpfung.* Hebräischer Text mit deutscher Übersetzung von Lazarus GOLDSCHMIDT, Neudruck Darmstadt 1969. – Kritische Ausgabe von Ithamar GRUENWALD: A preliminary critical edition of Sefer Yezira. Israel Oriental Studies (1971), 132–177.

Zelt, über dessen Errichtung Moseh durch göttliche Wahrzeichen auf dem Berg unterwiesen wurde, wo er für die künftige Herstellung der körperlichen Gegenstände körperlose Bilder im Geiste schaute, nach denen, wie von einer urtümlichen Zeichnung und von reinen geistigen Mustern (a r c h e t y p o s) , sinnlich wahrnehmbare Nachbildungen verfertigt wurden" (*Leben Mosis* II (III), § 74).

Daraus würde folgen, daß irdisches Schaffen und Gestalten wesenhaft Nachbilden und Nachformen vorgegebener Formen und Gestalten ist. Die Brücke zwischen beiden bildet die Schau (t h e ō r i a) durch den Architekten: „Die Form des Urbildes prägt sich im Geiste des Propheten wie ein Siegel (s p h r a g i s) ein, unsichtbar, stofflos in sichtbaren Ideen sich in ihm nachgestaltend und abformend; und nach dieser Form wurde der Bau ausgeführt, wobei der Künstler (t e c h n i t ē s) (Techniker) jedem Gegenstand sein Siegel aufprägte" (*Leben Mosis* II (III), § 76).

Die Errichtung eines Bauwerkes aus Holz oder Stein ist demnach Verwirklichung des im Geiste geschauten Archetypos, – oder, nüchtern gesagt – Ausführung des Bauplanes. Baupläne sind aber in Skizzen und Zahlen faßbar. Aber woher wurden die Leitwerte genommen? – Ein antikes Werk galt nur dann als vollkommen, wenn seine irdischen Maße den am Himmel vorgegebenen Maßen entsprachen. Damit wird man notwendig auf die Bedeutung der ZAHL im antiken Denken verwiesen.

In unserem Buch LogT haben wir einen kurzen Leitfaden zur Bedeutung der Zahl in der biblischen Umwelt gebracht: die Zahl als Weltformel in der griechischen Philosophie: Vorsokratiker, Schwur des Pythagoras, Plato – altjüdische Zahlenmystik – babylonischer Ursprung – Zahl in der frühchristlichen Epigraphik.

Hierbei stößt man immer wieder auf die gleichen Planzahlen und Baumodelle, die aus den drei Bereichen: Raum (k o s m o s) – Zeit (c h r o n o s) – und Wort (l o g o s) genommen sind. Als beste literarische Einführung in diese Art des Denkens gelten die Werke des PHILO von Alexandrien, eines Zeitgenossen Jesu. Hier sieht man, daß das Denken in Zahlen nicht als bloße Spielerei geübt wurde, sondern den Versuch darstellt, Unfaßbares auf eine kurze Formel zu bringen.

Unsere Entdeckung – wenn man das so nennen darf – besteht in der Beobachtung, daß nicht bloß Bauwerke aus Holz und Stein, sondern auch literarische Werke, aus Worten/Wörtern gefügt, nach den Modellen von Raum, Zeit und Wort „gebaut" wurden. Auf die Bauart der einzelnen Modelle gehen wir bei deren Auftauchen in der Textanalyse jeweils näher ein. Wenn dann bei öfterem Vorkommen so manches wiederholt wird, dürfte dies dem Verständnis besser dienen als ein bloßer Rückverweis auf die erste Stelle.

Die grammatikalische Strukturanalyse dürfte auf den ersten Blick nur für den Philologen interessant erscheinen; doch bei fortschreitendem Lesen wird man wahrnehmen, daß hier das ganze antike Weltbild greifbar wird. Sicher wird jeder kritische Leser die skeptische Frage aufwerfen, wie ein solches literarisches Schaffen nach Plan-Modellen überhaupt möglich sei? Unsere Aufgabe ist es aber nicht, zu beantworten, *wie* etwas möglich sei, sondern aufzuzeigen, *was wirklich sichtbar wird*.[4]

5) Zur Strukturfindung nach der logotechnischen Methode:

a) A b s c h n i t t s - E i n t e i l u n g :
Die kritische Forschung nimmt auf die in den Handschriften und auch in den Druck-

---

[4] Claus SCHEDL: *Als sich der Pfingsttag erfüllte.* Erklärung der Pfingstperikope Apg 2,1–47. Herder - Wien 1982, 20–22.

ausgaben vorliegende Abschnitts-Einteilung meist keine Rücksicht. Ihr Interesse ist es vor allem, vom jetzt vorliegenden und abgeschlossenen Text so schnell wie möglich auf das Vorher des Textes zurückzustoßen. Wir hingegen übernehmen die Abschnitts-Einteilung des uns jetzt vorliegenden Textes in den am besten bezeugten Handschriften. Als solche gelten *CODEX LENINGRAD* B19ᴬ: Pentateuch, Prophets and Hagiographa,[5] und *THE ALEPPO CODEX*, geschrieben von Aaron BEN-ASHER.[6] (Der für unsere Untersuchung wichtige Text des Pentateuchs in Cod Al ist leider zum Großteil verbrannt, die Handschrift beginnt erst mit Dt 28,17). In der Wertung der Abschnitts-Einteilung hat sich in den letzten Jahren eine „kopernikanische Wende" vollzogen. In seiner Einführung zu Codex Aleppo kommt M. H. GOSHEN-GOTTSTEIN zu der Erkenntnis: „The striking fact is that . . . there exists a considerable unity of tradition as to the place of a section, that is to say, where to leave some empty space to mark a textual subdivision" (BA 42 (1979) 154).

Die Handschriften gliedern den Text in „offene" (p ᵉ t û ḥ a h) und „geschlossene" (s ᵉ t û m a h) Abschnitte. Als „offen" gelten jene Abschnitte, die mit einer neuen, voll ausgefüllten Zeile beginnen, als „geschlossen" jene, wo entweder innerhalb der Zeile ein s p a t i u m freigelassen ist und der nächste Abschnitt dann in derselben Zeile fortfährt, oder, wenn in derselben Zeile kein Platz mehr ist, in der nächsten Zeile fortfährt, aber dann im Schriftbild eingerückt wird. Das Problem der „offenen" und „geschlossenen" Zeilen wurde ausführlich von Josef M. OESCH: *Petucha und Setuma. Untersuchungen zu einer überlieferten Gliederung im hebräischen Text des Alten Testaments.* (Universitätsverlag Freiburg/Schweiz 1979) untersucht. Er gelangt zu der Erkenntnis, daß die Abschnitts-Einteilung nicht erst in einem späteren Stadium der Tradition eingeführt wurde, sondern daß sie mit der Endfassung des Textes zusammenhängt. Durch die Analyse der Handschriften aus Qûmran wurde dieses Ergebnis nur noch bestätigt (ders.: *Textgliederung im Alten Testament und in den Qumranhandschriften.* [In der Zeitschrift HENOCH, vol. V (1983), 289–321]. – Diese Ergebnisse sind für die Exegese von größter Bedeutung. Man darf sich nicht mehr damit begnügen, bloß nach eigenem Gutdünken Abschnitte abzugrenzen und zu erklären, man muß vielmehr die schon vorhandene Abschnitts-Einteilung einbeziehen, da auch diese zum „Text" gehört. – An sich überrascht es in keiner Weise, daß die antiken und altorientalischen Schriftsteller ihr literarisches Werk nach Abschnitten verfaßten und ordneten. Untersuchungen von babylonischen Keilschrifttexten haben sogar ergeben, daß bereits im 2. vorchristlichen Jahrtausend Texte durch Zwischenstriche in kleine Einheiten abgegrenzt wurden [vgl. M. HUTTER: *Äußere Textgliederung und innerer Textzusammenhang.* BZ 28 (1984), 90–100].

Die Gliederung des Textes nach „offenen" und „geschlossenen" Abschnitten kann als Grundmarkierung bezeichnet werden. Eine weitere Gliederung tritt in Sicht, wenn man auf die „literarische Art" des Textes achtet. Der biblische Verfasser bringt ja nicht bloß erzählenden Bericht (B), vielmehr werden in diese Berichte durch die stereotypen Einleitungsformeln (E:) mit dem Verbum ' a m a r , „sagen/ · sprechen" direkte Reden (R) eingebaut. Gerade diese direkten Reden können für sich eine Struktureinheit bilden.

---

5 *CODEX LENINGRAD B 19ᴬ: Pentateuch, Prophets and Hagiographa.* The earliest complete Bible Manuscript. With an Introduction by David S. LOEWINGER, 3 vols. MAKOR-Publishing, Jerusalem 1970.

6 *THE ALEPPO CODEX,* provided with massoretic notes and pointed by AARON BEN ASHER; the Codex considered authoritative by Maimonides; Jerusalem 1976, at the Magnes Press, the Hebrew University, ed. by Moshe H. GOSHEN-GOTTSTEIN.

b) Aufnahme des Satz-, Wort- und Buchstabenbestandes:
Hat man die Texteinheiten klar abgegrenzt, beginnt das Werk der Textanalyse. Hier richten wir uns einfach nach der hebräischen Syntax. Am besten schreibe man mit eigener Hand seinen Text — an sich sollte jeder Schriftgelehrte „seine" Bibel selbst geschrieben haben —, und zwar Zeile für Zeile untereinander, nach den vorkommenden *Satzfügungen* (SFü), die da sind: Hauptsätze (HS), Nebensätze (NS); beide können verbal oder nominal sein. Die Nebensätze gliedern sich in solche mit Einleitungspartikel und in einfache Partizipal- und Infinitivsätze. — Ist dann das Werk des Abschreibens vollendet, zähle man durch, wieviele HS, NS usw. im Text vorkommen. Wenn der Text tatsächlich nach einem bestimmten Bauplan durchkomponiert ist, wird schon an der Endsumme dieser Zählung eine Strukturzahl sichtbar. Doch die Endsumme allein erlaubt noch nicht den sicheren Schluß auf das Vorhandensein eines bestimmten Bauplanes; es müssen auch die Teilwerte des entsprechenden Baumodells nachweisbar sein.

Wie findet man aber die Teilwerte eines Modelles? Nehmen wir als Beispiel das bereits erwähnte Modell der „32 wunderbaren Wege der Weisheit", das in die Teilwerte des hebräischen Alphabets (3+7+12) plus dem Erhöhungswert des X Urworte aufgegliedert wird. Manchmal sind diese vier Teilwerte bereits in der Versfolge erkennbar; wo dies nicht der Fall ist, muß man ein anderes Teilungs-Kriterium vermuten. Besonders häufig entscheidet einfach die Satzstruktur: die HS können den einen, die verschiedenen NS die anderen Teilwerte ausprägen. Bei den von uns in diesem Buch analysierten Texten geben wir daher immer das Teilungskriterium an. Gerade an der Wahl eines bestimmten Kriteriums, das im Text verschlüsselt vorliegt, zeigt sich die Gestaltungskraft des Autors.

Ist die Satzanalyse abgeschlossen, kann man darangehen, auch den *Wortbestand* zu erfassen. Am besten schreibe man die Summen des hebräischen Wortbestandes der einzelnen Satzfügungen gleich an den rechten Rand. Hier gilt dann das gleiche Prinzip wie bei der Analyse der Satzfügungen. Es tauchen aber höhere Zahlenwerte auf, die dann ebenso in ihre Teilwerte aufgelöst werden müssen.

In theologisch besonders wichtigen Texten wird man die Mühe nicht scheuen dürfen, auch die *Buchstaben* durchzuzählen: denn bereits der Talmud [Qiddušîm 30a] erklärt das Wort s ô p h e r in zweifacher Art: entweder mit „Schriftgelehrter" oder mit „Zähler" (von Sätzen, Wörtern und Buchstaben).

Aus dem hier Gesagten geht hervor, daß die Zahlen und Modelle nicht von außen in den Text hineingetragen werden dürfen, sie müssen sich vielmehr aus dem Text, dem Bestand seiner Sätze, Wörter und Buchstaben von selbst ergeben.

Auf die Vorausnahme der in diesem Buch vorkommenden Baumodelle verzichten wir hier. Der Einstieg in die logotechnische Methode kann besser gelingen, wenn die Arbeitsweise an einem bestimmten Text studiert werden kann. — Analysen griechischer Texte des Neuen Testaments und arabischer Texte des Koran haben ebenfalls das Vorhandensein von Bauplan-Modellen ergeben.[7]

---

[7] Nach der logotechnischen Methode wurde in den folgenden Büchern gearbeitet:
Claus SCHEDL: *Rufer des Heils in heilloser Zeit.* Der Prophet Jesajah. Kapitel I—XII, logotechnisch und bibeltheologisch erklärt. Schöningh-Paderborn 1973.
Ders.: *Muhammad und Jesus.* Die christologisch relevanten Suren des Koran, neu übersetzt und erklärt. Herder - Wien 1978.
Ders.: *Als sich der Pfingsttag erfüllte* (siehe Anm. 4).
Ders.: *Zur Christologie der Evangelien.* Herder - Wien 1984.

ERSTER TEIL

Der göttliche Sprachvorgang in der Weltschöpfung

Urstandstheologie

Erster Abschnitt
DER SCHÖPFUNGSBERICHT
Gn 1,1–2,3

Vorfragen zum Stand der Forschung

Unseren Lagebericht beginnen wir mit folgenden zwei Autoren:
Claus WESTERMANN: *Genesis 1–11*. Erträge der Forschung, Darmstadt 1976
(abgekürzt mit *West.*).
Albert HÖFER: *Lebensfragen – Glaubensfragen*. Handbuch und Vorlesungsbuch für
den Religionsunterricht in der achten Schulstufe. Otto Müller Verl. Salzburg
1971, Bd I, 56–57 (abgekürzt „*Handbuch*").

1) Zur literarkritischen Methode: Nach WELLHAUSEN gehört der Schöpfungsbericht Gen 1,1–2,4a zur sogenannten Priesterschrift (P). Diese wird im „Handbuch" folgendermaßen charakterisiert:

a) Literarische Herkunft: „P enthält sehr viel altes Traditionsmaterial. Vor
allem stellt sie eine Sammlung und Bearbeitung von älteren Gesetzen, kultischen
Ordnungen, Genealogien und Listen dar; in ihr finden sich zahlreiche, ursprünglich
selbständige Gesetzessammlungen. Mit der Sammlung wurde wohl schon in Prie-
sterkreisen im Exil begonnen, ihren Abschluß fand sie nach dem Exil (Ende 6.–5. Jh.
v. Chr.)".

b) Literarische Eigenart: „Der Stil dieser Quellenschrift ist auffallend
unkünstlerisch und pedantisch, nüchtern und abstrakt. Charakteristisch für diese
Gemeinschaftsarbeit von gelehrten Männern ist die Verbindung von Geschichtsdar-
stellung und Gesetzesbestimmungen. Mit Vorliebe wird das Offenbarwerden neuer
kultischer Ordnungen von Epoche zu Epoche und ihr Herauswachsen aus der
Geschichte erzählt. P war weithin Grundlage für den Kult der nachexilischen
Gemeinde."

c) Theologische Absicht: „Im Gegensatz zum Jahwisten geht es P mehr um
Gott und was von ihm kommt: seine Worte, Satzungen und Ordnungen. Ihr Gottesbild ist von den Propheten geprägt und hat Gottes Gerechtigkeit und Barmherzigkeit, seine Majestät und Souveränität zum Inhalt. Zugang zu Gott gibt es nur über
Priester und Kultus! Daß Sabbat und Beschneidung in dieser priesterlichen Überlieferung solche Bedeutung gewonnen haben, hängt mit der Entstehung der Schrift
im Exil zusammen, da diese alten Bräuche zu Unterscheidungs- und Bekenntniszei-
chen in einem Land ohne Altar für JHWH geworden waren. Wir können P eine
„kultische Programmschrift" nennen, mit der Tendenz, im Laufe der Geschichte
gewordene kultische Ordnungen durch Rückprojektion in die Zeit der Schöpfung
und des Moses zu legitimieren und als in der Mosestradition stehend zu erweisen.
Die Priester sind die Künder und Verwirklicher dieser Ordnungen" (Handbuch
56–57).

Contra:

a) Hinter der Bezeichnung „Priesterschrift" steht seit WELLHAUSEN ein rein schematischer Pristerbegriff. Jeremiah und Ezechiel waren Priester und haben nicht bloß Listen-Wissenschaft geboten. Auch Schriftgelehrte konnten für Sabbat und Gesetz eintreten.

b) Die literarkritische Aufteilung des Textes führte zu einer Unzahl von Aufgliederungsvorschlägen. „Es stellte sich heraus, als all diese Lösungsversuche kaum noch zu überblicken waren, daß eine allgemein überzeugende Lösung nicht gefunden war. Mehrere Forscher kamen zu dem Schluß, daß die literarkritische Fragestellung für die Lösung der nach der Quellenscheidung verbleibenden Probleme nicht ausreichend war" (West. 14).

2) Zur traditionsgeschichtlichen Methode:

Die Lösung der Probleme wurde in das vorliterarisch mündliche Überlieferungsstadium verlegt. „Bei Gn 1,1–2,4a wird nicht mehr nach zwei oder mehr literarischen Schichten, etwa den Wortbericht und den Tatbericht, gefragt, sondern nach den dem Verfasser vorgegebenen Überlieferungselementen, die er verarbeitet hat. Diese werden nicht flächenhaft als eine gegenüber P ältere literarisch fixierte Schicht gesehen, sondern als Elemente einer Überlieferungsschicht, die sich von P aus weit in die Vergangenheit zurückerstreckt.
– Daraus folgt, daß man dem jüngeren Schöpfungsbericht Gn 1,1–2,4a nicht mehr einen sogenannten älteren Schöpfungsbericht, wie er im Paradiesesbericht vorzuliegen scheint, gegenüberstellen kann; beide gehören selbständigen Überlieferungslinien an" (West. 14). Diese Überlieferungen weisen zurück auf israelitische und auch außer-israelitische Traditionen. Daher müssen die Schöpfungsdarstellungen und Schöpfungsmotive in der ganzen Menschheit einbezogen werden. Daraus ergeben sich folgende Postulate:

a) D i e T a g e s z ä h l u n g sei erst nachträglich hinzugekommen, die Kosmogonie selber sei älter. Die ursprünglich 8 Schöpfungswerke seien in das Schema der 7-Tage-Woche hineingezwängt worden.

b) D a s S c h e m a d e s W o r t b e r i c h t e s sei mit dem Schema des Tatberichtes „und Gott machte" schlechterdings unvereinbar. Beide müßten verschiedener Herkunft sein. Der Sprecher scheint erst durch P in den Text hineingekommen zu sein. „Der Schöpfungsbericht von P hat mindestens eine, tatsächlich aber mehrere Vorstufen hinter sich" (West. 17). – „Damit war die Arbeit an Gn 1 deutlich an dem Punkt angelangt, an dem erkannt war, daß die literarkritische Methode nicht ausreiche, das Werden von Gn 1 in seiner jetzigen Gestalt zu erklären" (West. 18).

Contra:

Nach der traditionsgeschichtlichen Methode verliert sich alles im Ungewissen der Vorgeschichte. Man kann zwar kollektive Überlieferungsströme nachweisen, für die schöpferische Persönlichkeit eines Dichters und Gestalters bleibt aber nach dieser Methode zu wenig Raum.

3) Zur religionsgeschichtlichen Methode:

Diese ist nur ein Teilaspekt der literar- und traditionsgeschichtlichen Methode. Bei Entdeckung der babylonischen Schöpfungsberichte meinte man vorschnell, eine literarische Abhängigkeit der Bibel von Babel postulieren zu müssen (Delitzsch). Doch statt direkter Entlehnung nimmt Gunkel an, daß P eine ältere Erzählung vorgefunden habe, die damals bereits eine längere Geschichte hinter sich gehabt haben muß (West. 20).

S c h l u ß f o l g e r u n g : „An Stelle des flächenhaften Vergleichens zweier literarischer Texte ist eine Sicht getreten, die sowohl im AT als auch außerhalb des AT nach der Geschichte der Schöpfungstraditionen fragen muß. Es ist dann vorauszusetzen, daß P in einer weiträumigen und weitverzweigten Geschichte der Tradition von vielerlei Schöpfungsdarstellungen steht" (West. 21).

4) Zur bibeltheologischen Deutung:

Die Exegese habe ein schweres Erbe zu verarbeiten, da vom Anfang des Christentums bis in die Reformationszeit herauf Gn 1 „wortwörtlich" verstanden wurde. Mit dem Aufkommen der Naturwissenschaften kam es zum Bruch zwischen Bibel und Wissenschaft. Die Exegeten zogen sich auf symbolische Deutung zurück. Man meinte, es komme nur noch auf den religiösen Gehalt des Schöpfungsberichtes an, während das Weltbild zeitbedingt und überholbar sei. –

Sicher ist die Erkenntnis des *genus literarium* für die Deutung des Schöpfungsberichtes von großer Wichtigkeit; doch ob damit allein die Fülle des Schöpfungsberichtes ausgeschöpft ist, steht zur Frage. „Eine theologische Deutung der Schöpfung, die dem Text in seinem eigenen traditionsgeschichtlichen Zusammenhang entspricht, steht noch aus" (West. 23).

Obwohl das oben zitierte „Handbuch" die Quelle P als „kultische Programmschrift" bezeichnet, und WESTERMANN auf P als eine wissenschaftlich gegebene Tatsache hinweist, muß man sich dessen bewußt bleiben, daß die Hypothese von einer selbständigen literarischen Quelle P sehr stark ins Wanken geraten ist. In welche Richtung die Forschung geht, kann man u. a. an dem Artikel von G. LARSSON: *The Chronology of the Pentateuch* sehen, der zur Schlußfolgerung kommt: „Die Quelle P hat als unabhängiger Text vor der Hauptredaktion nicht existiert" („... the source P never existed as an independent text before the main redaction"). [Journal of Biblical Literature 102 (1983), 409]. – Bei dieser unsicheren Lage der Quellenforschung scheint es wohl am besten zu sein, den Text selbst sprechen zu lassen.

Hier setzt nun unsere *logotechnische Methode* ein, die nicht nach den Vorstadien fragt, nicht auf unpersönliche Traditionen aufbaut, sondern mit der klar ausgeprägten Persönlichkeit jenes Theologen und Dichters rechnet, der den jetzt vorliegenden Text endgültig geformt und geprägt hat.

Erstes Kapitel
BAUPLÄNE UND MODELLE DES SCHÖPFUNGSBERICHTES

Es ist die Aufgabe der biblischen Theologie, genau auf den vorliegenden biblischen Text hinzuhören, um zu erkennen, ob die vielen Einzelaussagen sich zu einem geordneten Gesamtbau zusammenfassen lassen. Im folgenden bringen wir daher zuerst den Text des Schöpfungsberichtes Gn 1,1–2,3 in neuer Übersetzung; dabei haben wir auch die Satzfügungen (SFü) genau nach der hebräischen Vorlage in Cod-Len wiedergegeben. Hauptsätze werden als Hauptsätze (HS) und Nebensätze als Nebensätze (NS) übersetzt.

Der besseren Übersicht halber haben wir die NS im Schriftbild etwas eingerückt. Da der Text das Schöpfungswerk in 7 Tage und X Schöpfungsworte aufgliedert, wurden auch diese Gliederungselemente durch die Schreibung sichtbar gemacht: die Tageszählungen sind GROSS geschrieben, die Zählung nach den Schöpfungsworten wird durch Strophengliederung angezeigt. Damit an der Schreibung des Textes gleich zu sehen sei, wieviele HS und NS vorkommen, haben wir diese am linken Rand durchgezählt. Als NS gelten Relativ- und Bedingungssätze, aber auch Partizipal- und Infinitivsätze. Bei der Strukturanalyse kommen wir auch auf den Wort- und Buchstabenbestand des hebr. Textes zu sprechen, der aber in der deutschen Übersetzung nicht genau nachvollzogen werden kann; der Bauplan der SFü ist jedoch auch an unserer Übersetzung nachprüfbar.

Schöpfungsbericht
Gn 1,1–2,3

Vss	HS	NS	
(1)	1.		Im Anfang schuf GOTT die Himmel und die Erde
(2)	2.		Und die Erde war Tohu und Bohu
	3.		Und Finsternis (war) auf den Flächen der Tiefe
	4.		Und der Geist Gottes (war) schwebend auf den Flächen der Wasser

Erstes Wort

(3)	5.		Und GOTT sprach:
	6.		Es werde Licht!
	7.		Und es ward Licht
(4)	8.		Und Gott sah das Licht
		1'	daß es gut!
	9.		Und GOTT schied zwischen dem Licht und der Finsternis
(5)	10.		Und GOTT nannte das Licht Tag
	11.		Und die Finsternis nannte ER Nacht
	12.		Und es ward Abend
	13.		Und es ward Morgen: TAG EINS

Vss HS   NS

Zweites Wort

(6)   14. Und GOTT sprach:
       15. Es werde ein Firmament inmitten der Wasser
       16. Und es sei scheidend zwischen Wasser und Wasser
(7)   17. Und GOTT machte das Firmament
       18. ER schied zwischen den Wassern
              2' die unter dem Firmament
           Und den Wassern
              3' die ober dem Firmament
       19. Und es ward so
(8)   20. Und GOTT nannte das Firmament Himmel
       21. Und es ward Abend
       22. Und es ward Morgen: ZWEITER TAG

Drittes Wort

(9)   23. Und GOTT sprach:
       24. Sammeln sollen sich die Wasser
           Unter den Himmeln an einem Ort
       25. Und es werde das Trockene sichtbar!
       26. Und es ward so
       27. Und GOTT nannte das Trockene Erde
       28. Und die Ansammlung der Wasser nannte ER Meere
       29. Und GOTT sah
              4' daß es gut!

Viertes Wort

(11)   30. Und GOTT sprach:
       31. Es grüne die Erde von Grünem
              5' von samentragenden Kräutern
              6' von fruchtbringenden Fruchtbäumen nach ihrer Art
              7' die ihren Samen in sich haben auf Erden
       32. Und es ward so
(12)   33. Und die Erde brachte Grünes hervor
              8' samentragende Kräuter nach ihrer Art
              9' und fruchtbringende Bäume
              10' die ihren Samen in sich haben nach ihrer Art
       34. Und GOTT sah
              11' daß es gut!
(13)   35. Und es ward Abend
       36. Und es ward Morgen: DRITTER TAG

Vss   HS   NS

Fünftes Wort

(14)   37. Und GOTT sprach:
       38. Lichter sollen werden am Firmament des Himmels
           12' um zwischen Tag und Nacht zu scheiden
       39. Und sie sollen zu Zeichen und Zeiten werden
           Zu Tagen und Jahren
(15)   40. Und sie seien zu Leuchten am Firmament des Himmels
           13' um über der Erde zu leuchten
       41. Und es ward so.
(16)   42. Und GOTT machte die zwei großen Leuchten
           Die große Leuchte zur Herrschaft des Tages
           Und die kleine Leuchte zur Herrschaft der Nacht
           Und die Sterne
(17)   43. Und GOTT gab sie an das Firmament des Himmels
           14' um über die Erde zu leuchten
(18)   *15'* und zu herrschen über Tag und Nacht
           16' und zu scheiden zwischen Licht und Finsternis
       44. Und GOTT sah
           17' daß es gut!
(19)   45. Und es ward Abend
       46. Und es ward Morgen: VIERTER TAG

Sechstes Wort

(20)   47. Und GOTT sprach:
       48. Die Wasser sollen wimmeln von lebendem Gewimmel
       49. Und Vögel mit Flügeln sollen fliegen über die Erde
           Über die Fläche des Himmelsfirmaments
(21)   50. Und GOTT erschuf die großen Meerungeheuer
           Und alle lebenden Wesen
           18' die sich regen
           19' von denen die Wasser wimmeln nach ihren Arten
           Und alles Geflügel mit Flügeln nach ihren Arten
       51. Und GOTT sah
           20' daß es gut!

Zusatz-Wort

(22)   52. Und GOTT segnete sie
           21' sprechend: (hebr. Infinitiv!)
       53. Seid fruchtbar
       54. Und mehrt euch
       55. Und erfüllet die Wasser in den Meeren
       56. Und der Vogel soll sich auf Erden mehren

(23)   57. Und es ward Abend
       58. Und es ward Morgen: FÜNFTER TAG

Vss   HS   NS

Siebentes Wort

(24)   59. Und GOTT sprach:
      60. Es bringe die Erde lebende Wesen nach ihren Arten hervor
          Vieh und Kriechtiere und wilde Tiere nach ihren Arten
      61. Und es ward so!
(25)   62. Und GOTT machte die Landtiere nach ihren Arten
          Und das Vieh nach seiner Art
          Und alle Kriechtiere des Ackers nach ihren Arten
      63. Und GOTT sah
          22' daß es gut!

Achtes Wort

(26)   64. Und GOTT sprach:
      65. Lasset uns den Menschen machen
          Nach unserem Urbild als unser Abbild
      66. Und sie sollen gebieten über die Fische des Meeres
          Und die Vögel des Himmels und über das Vieh
          Und über die ganze Erde und über alles Kriechende
          23' das auf der Erde kriecht
(27)   67. Und GOTT schuf den Menschen nach seinem Urbild
      68. Nach dem Urbild GOTTes erschuf er ihn
      69. Männlich und weiblich erschuf ER sie

Neuntes Wort

(28)   70. Und GOTT segnete sie
      71. Und GOTT sprach zu ihnen:
      72. Seid fruchtbar
      73. Und mehrt euch
      74. Und füllet die Erde
      75. Und unterwerfet sie
      76. Und gebietet den Fischen des Meeres u. den Vögeln des Himmels
          Und allen Lebewesen
          24' die auf Erden sich regen

Zehntes Wort

(29)   77. Und GOTT sprach:
      78. Siehe ICH gebe euch alle Kräuter
          25' samentragende
          26' die auf der Fläche der ganzen Erde
          Und alle Bäume
          27' an denen eine Baumfrucht
          28' samentragend
      79. Für euch seien sie zur Speise

Vss HS   NS

(30)　　　Und für alle Lebewesen der Erde
　　　　　Und alle Vögel des Himmels und für alles
　　　　　29' was sich auf Erden regt
　　　　　30' das Lebensodem in sich hat
　　　　　Die grünen Kräuter zur Speise

(31)　80. Und es ward so!
　　　81. Und GOTT sah
　　　　　31' alles was er gemacht
　　　82. Und siehe (es war) sehr gut!
　　　83. Und es ward Abend
　　　84. Und es ward Morgen: SECHSTER TAG
(2,1)　85. Und vollendet wurden die Himmel und die Erde u. ihr ganzes Heer
　(2)　86. Und GOTT vollendete am siebenten Tag sein Werk
　　　　　32' das er gemacht
　　　87. Und ER ruhte am 7. Tag von all seinem Werk
　　　　　33' das er gemacht
　(3)　88. Und GOTT segnete den siebenten Tag
　　　89. Und ER heiligte ihn
　　　　　34' weil er an ihm von all seinem Werke ruhte
　　　　　35' das GOTT geschaffen hatte
　　　　　36' zum (Nach)machen

89 HS + 36 NS = 125 SFü = 5^3

Zum biblischen Schöpfungsbericht gibt es eine reiche Literatur. Kommentare und Einzeluntersuchungen haben sich bemüht, die Rätsel, die dieser verhältnismäßig kurze Text aufwirft, zu lösen. Claus WESTERMANN widmet in seinem Genesiskommentar (*Biblischer Kommentar AT,* I. Teil, Gen 1–11, Neukirchener Verlag 1974, 104–224) dem Schöpfungsbericht Gen 1,1–2,4a gleich 120 Seiten. Der „Tisch des Wortes" ist also reichlich gedeckt. Trotzdem sind einige Brosamen übriggeblieben, die – nach rabbinischem Sprachgebrauch – gleichsam als „Nachtisch" (E p i k o m i o n) aufgelesen werden müssen. WESTERMANN bringt zwar Ausführungen über Weltschöpfung durch das Wort, beschränkt sich aber etwas einseitig auf religionsgeschichtliche Vergleiche. Auf die Struktur der ZEHN WORTE, die in der jüdischen Mystik und der Kabbalah eine so entscheidende Rolle spielen, geht er überhaupt nicht ein. Aber das Denken begann ja nicht erst mit der Aufklärung; schon vorher haben sich Generationen über den Schöpfungsbericht Gedanken gemacht. Der wichtigste Leitsatz der altjüdischen Schöpfungstheologie wird im Talmud, Traktat Abôt (V, 1), den Vätersprüchen, überliefert:

Durch *zehn Worte* ward die Welt erschaffen! –
Welche Lehre liegt in diesem Spruch?
Konnte sie nicht durch ein einziges Wort erschaffen werden?
Es geschah nur, um die Frevler zu bestrafen,
die die Welt verderben,
die durch *zehn Worte* erschaffen ward,
und um reichen Lohn zu geben den Gerechten

die die Welt erhalten,
die durch *zehn Worte* erschaffen ward.
(Übersetzt und erklärt v. Claus SCHEDL: *Talmud-Evangelium-Synagoge.*
Tyrolia - Innsbruck 1969, 187 ff)

Damit haben wir einen aufregenden Komplex der Grenzgebiete der Wissenschaft angeschnitten. Wieso kann man in Hinblick auf den Schöpfungsbericht von „zehn Worten" sprechen?

I. GROSSAUFRISS NACH TAGEN UND WORTEN

1) Das Modell der „Sieben Tage":

Daß der Gott der Bibel die Welt in 6 Tagen erschuf und am 7. Tag ruhte, ist eine Weisheit, die vielfach nicht verstanden, und daher Anlaß zum Streit zwischen Bibel und Naturwissenschaft wurde. Tatsache ist jedoch, daß der Schöpfungsbericht den ganzen Kosmos in das Sieben-Tage-Modell eingefangen hat. Dadurch erhielt das alte Schöpfungsbild seine feierliche Monotonie, die schon von früheren Erklärern bewundert wurde: zuerst Gottes Befehl „Es werde!"; hierauf die Feststellung, daß der Befehl wörtlich ausgeführt wurde: „Und es ward so"; und schließlich die Namensgebungen und Sendungen. Dann besieht Gott sein Werk und findet es „gut" bzw. „sehr gut". „Welche Gelegenheit hätte da der Verfasser gehabt, die bunte Menge des Lebens zu schildern, und den Schöpfer des Alls zu preisen, wie es etwa in Psalm 104 oder bei Job 38,4 geschieht. Diesen unerschöpflichen, wundervollen Stoff hat der Verfasser (des Schöpfungsberichtes) verschmäht und aus der Fülle nur wenige einfache Hauptstücke herausgegriffen. Eine ausführliche Schilderung hätte sich im Einzelnen verlieren können; hier werden nur Umrisse gegeben, die umso nachdrücklicher wirken. Der Stil hat etwas von lapidarer Größe, namentlich in den berühmten Worten „Es werde Licht! Der Schriftsteller redet hier, indem er schweigt." [H. GUNKEL, *Genesis.* Zitiert in: Cl. SCHEDL, *Geschichte des Alten Testaments* I. (1964²) 217].

Die gleiche Klarheit atmet auch der innere Aufbau des Schöpfungsberichtes, der das Gepräge wissenschaftlicher Nüchternheit trägt. Zuerst werden die Räume erschaffen: Licht - Himmel - Erde - Meer, dann die einzelnen Wesen, die diese Räume erfüllen. So geht der Weg von der Unordnung zur Ordnung, dann vom Niederen zum Höheren. Die Schöpfungswoche macht den Eindruck größter innerer Geschlossenheit; jedes Wesen hat den ihm allein zustehenden Platz bekommen. Die Welt — ein Kosmos, ein Wunderwerk Gottes.

„Mit der wissenschaftlichen Nüchternheit verbindet sich ein feierlicher Ton. Von diesem Ton sind die Wiederholungen getragen, die dem Ganzen eine einförmige Würde geben. Der Ton steigt gegen das Ende hin; die letzte Schöpfung ist die höchste: der Mensch. Feierlich erschallen die Segnungen der letzten drei Tage. Und würdig gemessen klingt die Erzählung mit der Ruhe Gottes nach der Arbeit aus [H. GUNKEL: *Genesis.* Zitiert wie oben].

Das Siebener-Modell ist im Text klar ausgeprägt und für jedermann erkennbar, da die sieben Wochentage durchgezählt werden. Nun handelt es sich hierbei um einen altorientalischen Text, wahrscheinlich aus der religionsgeschichtlichen Achsenzeit um 500 vor Chr. Daher könnte man weiter fragen, was in dieser geistig überaus fruchtbaren Zeit die Zahl 7 bedeutete. Man würde auf kosmische und musikalische Werte stoßen, die bei Philo in seinem Werk „Über die Weltschöpfung" ausführlich behandelt werden. – Unser Ziel ist aber nicht der Siebener, der offen zutage liegt, sondern der verborgene Zehner.

2) Das Modell der „Zehn Worte":

Es fällt doch auf, daß das Grundgesetz vom Sinai ein Dekalog genannt wird – im Hebräischen ^{c}a s̆ ä r ä t d ^{e} b a r î m, die „Zehnheit der Worte". Man könnte fragen, warum gerade die Zahl Zehn als Grundmaß für das Gesetz Gottes genommen wurde. – Für die Alten war Zahl nicht bloß Mittel zum Zählen der Dinge des alltäglichen Lebens, sondern Symbol der kosmischen Wirklichkeit, ja geradezu Ausdruck des Seins einfachhin. In meinem Buch „Baupläne des Wortes. Einführung in die Biblische Logotechnik (Herder 1974. – abgekürzt mit LogT) bin ich diesen Spuren nachgegangen und habe versucht, das Denken über Zahl und Kosmos, ausgehend von Philo v. Alexandrien bis zurück zu den Vorsokratikern und Pythagoreern, so wie in der altjüdischen Mystik, zu erfassen; dazu wurden noch die Ergebnisse der frühchristlichen Archäologie eingearbeitet. In diesem Buch sprach ich die Vermutung aus, daß nicht Griechenland sondern Babylonien das Ursprungsland des Denkens in kosmischen Zahlen sein dürfte. Die Zeit des babylonischen Exils bildet für das Alte Testament doch jene Wende, in der die Bibel erst eigentlich zur Bibel geworden ist. Nach dem Verlust des Tempels in Jerusalem haben die Männer der großen Synagoge – wie die Überlieferung berichtet – einen geistigen Tempel aus Worten für den unsichtbaren Gott geschaffen. Die Baupläne eines Tempels oder einer Kathedrale sind meist nur den an der Bauhütte Beschäftigten einsichtig. Der Leitfaden zu einem Bauplan wurde meist von einer späteren Generation verfaßt.

EXKURS: Das „Buch der Weltformung"

Als richtungweisenden Leitfaden für antikes Denken in Zahlen möchte ich das vielfach verkannte Büchlein Sephär j e ṣîrah betrachten. [Auch heute noch am meisten verbreitet ist die Ausgabe von Lazarus GOLDSCHMIDT: Sepher jeṣirah, Das Buch der Schöpfung. 1. Aufl. 1894, Neudruck Darmstadt 1969. – Vgl. dazu die textkritische Ausgabe von Ithamar GRUENWALD: A Preliminary Critical Edition of Sefer Yezira, in: Israel Oriental Studies I (1971), 132–177]. Sein Titel wird gewöhnlich mit „Buch der Schöpfung" übersetzt, wörtlich bedeutet er aber „Buch der Formung (von Kosmos, Zeit und Wort)". Dieses Büchlein wurde früher meist in das Mittelalter datiert. Die Forschungen von G. SCHOLEM [ich verweise hier nur auf das bahnbrechende Werk: Ursprung und Anfänge der Kabbala. Studia Judaica, Berlin III (1962), S. 20 ff. – Weiterführende Literatur in LogT 44] haben m. E. hinreichend erwiesen, daß es sich um altes Überlieferungsgut aus der jüdischen Gründerzeit, d. i. der Zeit zwischen den beiden römisch-jüdischen Kriegen 70 und 135 n. Chr. handelt. Neuere Arbeiten beweisen, daß das System selbst noch viel älter sein muß.

Weltformung durch Zahlen – was soll das? Wenn man fragte, was überhaupt existiere, erhielt man zur Antwort: 1. Punkt – 2. Linie – 3. Fläche – 4. Raum [PHILO von Alexandrien: Über die Weltschöpfung (16) 49. Ausgabe: Die Werke in deutscher Übersetzung, herausgb. v. L. Cohn u. a., Bd I, Neudruck, Verl. W. de Gruyter, Berlin 1962, Seite 43. – vgl. auch LogT 40]. Die Pythagoreer ließen ihre Novizen bis VIER zählen, dann sagte der Magister: „Genug! Du hast das Geheimnis des Kosmos ausgesprochen". – Alles, was über VIER hinausgeht, ist nur Weiterentfaltung. Zählt

man die Zahlen von 1 bis 4 zusammen, erhält man ZEHN, jene Zahl, die auch die
Zahl der Panteleia, der Allvollkommenheit, genannt wird.

Nun beginnt das Büchlein *Sephär jeṣîrah*, das „Buch der Weltformung", mit dem
lapidaren Satz: „In 32 wunderbaren Wegen der Weisheit hat Gott seine Welt
ausgehauen, gebildet und geformt".

Die 32 Wege werden aufgegliedert in X Worte b ᵉ l î m a h , „ohne was", und in die
22 Buchstaben des hebräischen Alphabets. Der Ausdruck „ohne was" könnte wieder
an Nicolaus Cusanus erinnern, der schreibt: *Deus est nihil creaturae*, „Gott ist Nichts
aus der Schöpfung". Die X Worte „ohne was" beziehen sich also auf Gott allein, sind
ein innergöttlicher Vorgang. Alles Geschaffene aber ist Formung nach den 22 Elementen des Alphabets. Bei den X Worten „ohne was" = X Urworte handelt es sich
nicht um Zahlen im gewöhnlichen Sinn, sondern um lebendige Zahlenwesen: „Ihre
Erscheinung ist wie ein Blitz-Licht und ihr Ziel ohne Ende. Sein Wort ist in ihnen,
wenn sie (von IHM) kommen und wenn sie zurückkehren. Auf seinen Befehl eilen
sie wie ein Sturmwind, und vor seinem Throne werfen sie sich nieder". Sie sind die
„Tiefen" aller Dinge: „Die Tiefe des Anfangs und die Tiefe des Endes, die Tiefe des
Guten und die Tiefe des Bösen, die Tiefe des Oben und die Tiefe des Unten, die
Tiefe des Ostens und die Tiefe des Westens, die Tiefe des Nordens und die Tiefe des
Südens, und ein einziger Herr, Gott, der treue König, herrscht über sie alle von seiner heiligen Wohnung her" (Vätersprüche, Abôt I, 5.6. – Vgl. SCHOLEM, l.c. 23 –
und LogT 44).

Wenn man mit diesem Elementarwissen ausgerüstet an den Schöpfungsbericht
herantritt, erlebt man seine Überraschungen; Voraussetzung jedoch ist, daß man
mit der logotechnischen Methode arbeitet, die schlicht und einfach Wörter und
Sätze zählt, wobei dann Zahlen aufscheinen, die auch Zufallsprodukte sein könnten,
vielfach jedoch Modellcharakter aufweisen. Das Zählen gehört notwendig zur
Arbeit des Schriftgelehrten; daher wurde das hebräische Wort für Schriftgelehrte,
s ô f ᵉ r î m , auch mit (Wort- und Buchstaben-)„Zähler" verdeutlicht. Analog heißt
auch der Randapparat der hebräischen Handschrift m a s ô r a h , was nach neueren
Untersuchungen wieder nichts anderes als „Zählung" bedeutet. Wir befinden uns
also in einer guten alten Schule, wenn wir die Methode des Zählens aufnehmen
[ENCYCLOPAEDIA JUDAICA, Band XVI (1971), S. 1418].

Die 7 Wochentage des Schöpfungsberichtes werden fortlaufend durchgezählt.
Dies liegt aber bei der ständig wiederkehrenden Schöpfungs-Formel „Und Gott
sprach" nicht vor. Daher muß man sich die Mühe machen und den Textbestand
gewissenhaft ausheben. Hierbei entdeckt man, daß quer durch das ganze *Siebener-
Schema* das *Zehner-Schema* durchgezogen wird, das als solches schon ungewöhnlich
und abstrakt wirkt. Auf die Frage, wie der Kosmos geschaffen wurde, antwortet der
Text selbst: durch die X Worte „ohne was" – und X Urworte –, die nicht von der
Schöpfung, sondern von Gott ausgehen.

10mal heißt es im Text: w a j j o m ä r E l o h î m , „Und Gott sprach". Alles was exi-
stiert, hat daher Wort-Charakter, angefangen vom „Es werde *Licht*" bis hin zum
„Lasset uns den *Menschen* machen". *Schöpfung ist daher ein Sprachvorgang.* Der
Urgrund der Existenz ist das Gesprochensein durch Gott, also „Ich wurde gespro-
chen, darum bin ich"; nicht „Ich bin ins Dasein geworfen" vom Schicksal, sondern
„Ich bin ein Gesprochener". Sprechen und Rufen kennzeichnen eine Person. Wenn
also der Kosmos Wort-Charakter hat, ist er zugleich *„personierend"*, wie Teilhard de
Chardin sich ausdrückte.

Nach diesem biblischen Denkansatz steht der Mensch also nicht einem unheimlichen Urgrund gegenüber, der ihn ständig im Sein bedroht, sondern dem sprechenden, personalen Gott, der sich selbst im Kosmos ausspricht. „Im Anfang war das Wort ... und alles ist durch das Wort geworden ..." – der Kosmos als Selbst-Aussprache Gottes. Was Johannes im Prolog zu seinem Evangelium formulierte, ist nicht griechisches Denken, sondern gestraffte Zusammenfassung des Schöpfungsberichtes der Genesis.

Oben haben wir gesagt, daß alles, was im Kosmos existiert, auf die VIERHEIT zurückgeht. Die nächste Entfaltung der VIERHEIT ist die ZEHNHEIT. Der Schöpfungsbericht bringt nun 10mal den Satz: w a j j o m ä r, „Und Gott sprach", also die 3. Person Imperfekt des Verbum. Diese Zehnerreihe wird einmal (Vs 22) durch den Infinitiv l e m o r, „z u s p r e c h e n " unterbrochen [in der Übersetzung (S. 28) NS 21' durch „sprechend" verdeutlicht].

Die verschiedene grammatikalische Form des Verbum ist zugleich ein Hinweis auf die Struktur. Der dazwischen geschaltete Infinitivsatz hat die Funktion, die Teilung der X w a j j o m ä r „Und Gott sprach", in VI + IV zu markieren, was exakt dem pythagoreischen Teilungsschlüssel entspricht. – Doch der zwischengeschaltete Infinitiv l e m o r, „zu sprechen", ist kein strukturfremdes Bauelement. Diesen Infinitiv mitgerechnet, verwendet der Schöpfungsbericht das Verbum ' a m a r, „sprechen", 11mal: X Imperfekt + I Infinitiv = XI. Der gleiche Bauplan findet sich in den XI Tôledôt-Überschriften des Buches Genesis: „Das sind die Tôledôt..." [mit „Entstehungsgeschichte, Stammesregister" übersetzt: Gn 2,4; 5,1; 6,9; 10,1; 10,11; 11,27; 25,12; 25,19; 36,1.10 (zweimal Esau); 37,2]. Auch hier bringt der Grundentwurf nur X Tôledôt, die XI-te dagegen ist nur Wiederaufnahme oder Wiederholung (daher Esau/Edom zweimal). Das Zehner-Modell erreicht also durch den XI. Wert seine Erhöhung. Dieser XI. Wert kann, wie im Schöpfungsbericht, die Teilung des Zehner-Modells markieren, er kann auch, wie im Dekalog, am Anfang stehen, oder wie in den Tôledôt-Überschriften an einer scheinbar willkürlichen Stelle aufscheinen; immer aber hebt er sich durch seine eigenwillige Formung von der übrigen Zehnheit klar ab. Obwohl im Dekalog strukturmäßig ein ELFER vorliegt, spricht die Bibel doch nur von der „Zehnheit der Worte" (Ex 34, 28). Dies berechtigt uns, auch im Schöpfungsbericht von der *Zehnheit der Schöpfungsworte* zu sprechen, was schon in der altjüdischen Schöpfungs-Theologie bezeugt wird.

II. BAUPLAN DER SATZFÜGUNGEN

Nachdem der „Großaufriß nach Tagen und Worten" einen klar ausgeprägten Bauplan anzeigte, ergibt sich die Frage, ob das Planen nach Modellwerten damit erschöpft ist, oder ob der Text auch im kleinen, also in seinen SFü nach bestimmten Plänen ausgerichtet wurde. Um den Bauplan der SFü zu finden, dürfen wir nicht in irgendwelche Zahlenspekulationen ausweichen; die vorhandene Satzstruktur genügt als Wegweiser. Wir verwenden eine sehr schlichte Arbeitsmethode: wir fragen zuerst nur, wieviele HS und NS im Text vorkommen. In unserer Übersetzung haben wir diese daher durchgezählt, die NS der besseren Erkennbarkeit halber etwas eingerückt.

Am Schluß der Übersetzung vermerkten wir die Summe: 89 HS + 36 NS = 125 SFü. Nach welchen Kriterien kann ein Bauplan erschlossen werden? Es legt sich der sehr einfache Arbeitsschritt nahe, die 125 SFü in HS *mit* NS und in HS *ohne* NS zu sondern. Das Ergebnis ist überraschend.

1) Struktur der HS mit NS:

Es kommen HS mit nur einem NS, aber auch solche mit mehreren NS vor. Um ein langes Suchen in der Übersetzung zu ersparen, heben wir die entsprechenden SFü aus:

Lauf-Nr. (= HS mit NS)	HS-Nr.	Nr. des NS
1. Und GOTT sah	(8.)	1' daß es gut (kî)
2. Und ER schied zwischen den Wassern		2' die unter dem Firmament ('ašär)
und den Wassern	(18.)	3' die ober dem Firmament ('ašär)
3. Und GOTT sah	(29.)	4' daß es gut (kî)
4. Es grüne die Erde	(31.)	5' samentragend (Ptp)
		6' fruchtbringend (Ptp)
		7' die ihren Samen in sich haben ('ašär)
5. Und die Erde brachte Grünes hervor	(33.)	8' samentragend (Ptp)
		9' fruchtbringend (Ptp)
		10' die ihren Samen in sich haben ('ašär)
6. Und GOTT sah	(34.)	11' daß es gut (kî)
7. Leuchten sollen entstehen	(38.)	12' Tag und Nacht zu scheiden (Inf)
8. Und sie seien zu Leuchten	(40.)	13' um über ... zu leuchten (Inf)
9. Und GOTT gab	(43.)	14' um zu leuchten (Inf)
		15' um zu herrschen (Inf)
		16' um zu scheiden (Inf)
10. Und GOTT sah	(44.)	17' daß es gut (kî)
11. Und GOTT erschuf	(50.)	18' die sich regen (Ptp)
		19' von denen die Wasser wimmeln ('ašär)
12. Und GOTT sah	(51.)	20' daß es gut (kî)
13. Und GOTT segnete sie	(52.)	21' zu sagen (Inf)
14. Und GOTT sah	(63.)	22' daß es gut (kî)
15. Und sie sollen gebieten über	(66.)	23' das ... kriecht (Ptp)
16. Und gebietet über	(76.)	24' die ... sich regen (Ptp)
17. Siehe ICH gebe euch ...	(78.)	25' samentragend (Ptp)
		26' die ... der ganzen Erde ('ašär)
		27' an denen eine Frucht ('ašär)
		28' samentragend (Ptp)
18. Für euch seien sie zur Speise	(79.)	29' was sich regt (Ptp)
		30' das Lebensodem hat ('ašär)
19. Und GOTT sah	(81.)	31' was er gemacht ('ašär)
20. Und GOTT vollendete	(86.)	32' das er gemacht ('ašär)
21. Und ER ruhte	(87.)	33' das er gemacht ('ašär)
22. Und ER heiligte ihn	(89.)	34' weil er ... ruhte (kî)
		35' das Gott geschaffen hatte ('ašär)
		36' zum (Nach)machen (Inf)

Summe: 22 HS + 36 NS = 58 SFü

a) Das Alphabet-Modell in den 22 HS:
Wir haben schon bei den „X Schöpfungsworten" auf das kleine „Buch der Welt-formung" (sefär jeşîrah) verwiesen. Dort wird auf die Gliederung der 22 Buch-staben des hebr. Alphabets in die drei „Mütter" (Ur-Buchstaben) + 7 „doppelte" + 12 „einfache" Buchstaben verwiesen. Wenn also die *22* HS mit NS tatsächlich nach dem Alphabet-Modell ausgerichtet wurden, müßten auch die Teilwerte dieses Modells in der Struktur der Sätze sichtbar werden. Aber nach welchem Kriterium?
Wir haben den Gottesnamen Elohim = GOTT groß geschrieben, desgleichen auch ER, wo es sich auf GOTT bezieht.
Nur *3 HS* verwenden ER als SUBJEKT (Lauf-Nr. = HS + NS: 2. 21. 22.). Soll dies ein Hinweis auf die 3 „Mütter" sein?
7 HS beziehen sich auf die Schöpfung: Erde, Himmel, Mensch (4. 5. 7. 8. 15. 16. 18.). –
Es verbleiben noch 11 HS mit dem Namen GOTT (im Text leicht zu erkennen), und 1 HS mit dem ICH Gottes (17.). Diese zusammen geben *12 HS* – den Wert für die 12 „einfachen" Buchstaben. – Daraus folgt, daß die 22 HS mit NS tatsächlich nach dem Modell der 22 Buchstaben des hebr. Alphabets durchkomponiert wurden.

b) Der Bauplan der 36 NS:
Unsere Bestandsaufnahme zeigt, daß von den 22 HS gleich 36 NS abhängen. Um aber zu sehen, ob nur die HS nach einem Bauplan ausgerichtet wurden, und die NS dem Zufall überlassen sind, muß auch die Struktur der NS auf ihre Konstruktion hin näher untersucht werden.
Es werden 3 Arten von NS verwendet:
   7 Begründungssätze mit kî:
      6mal: daß es gut (1' 4' 11' 17' 20' 22')
      1mal: weil er ... ruhte (34')
Damit wird das Siebener/Wochen-Modell sichtbar:
   6 Tage Arbeit + 1 Tag Sabbat = *7 Tage*

   12 Rel.-Sätze mit 'ašär:
Sie sind nach dem kosmischen Dreieck Platons mit Seitenlängen von 3 + 4 + 5 gegliedert:
      3 Rel.-Sätze im Nominativ: die unter dem Firmament (2')
                                 die ober dem Firmament (3')
                                 die auf der Fläche der Erde (26')
      4 Rel.-Sätze mit Präpositionen:
         die ihren Samen *in* sich (7' 10')
         an denen eine Baumfrucht (27')
         das Lebensodem *in* sich hat (30')
      5 Rel.-Sätze mit Verbum:
         von denen wimmeln (19')
         was er gemacht (31' 32' 33')
         das Gott geschaffen hatte (35')

   7 Infinitiv-Sätze:
Achtet man auf den Verbalstamm der Infinitive, tritt folgende Gliederung in Sicht:
      3 Inf. im Grundstamm (Qal):
         zu herrschen (15') – zu sprechen (21') – zu machen (36')
      4 Inf. im Ursachstamm (Hiph^{c}îl):
         zu scheiden (12' 16') – zu leuchten (13' 14')

Also nochmals das Siebener-Modell, aber hier nach dem Zeitbeginn gegliedert; denn die Zeitweiser Sonne, Mond und Sterne wurden erst am 4. Tag erschaffen. Daher die Gliederung:

3 Tage vor der Zeit + 4 Tage mit der Zeit = 7 Tage

10 P a r t i c i p i a :
Bei der Gliederung der X Schöpfungsworte sind wir schon auf die pythagoreische Gliederung der Dekade in 4 + 6 gestoßen. Liegt diese auch hier vor? Das Zünglein an der Waage ist das Adjektiv k o l , „alle, alles", das 6mal je einem Ptp vorangestellt ist. In unserer Übersetzung haben wir die Ptp in Rel.-Sätze aufgelöst:

alle, die sich regen   (18') − alles, das auf Erden kriecht (23')
alle, die sich regen   (24') − alle Kräuter, samentragend (25')
alle Bäume, samentragend (28') − alles, was sich regt   (29')

Die noch verbleibenden Ptp verwenden kein k o l , „alle, alles": (5' 6' 8' 9'). Damit gilt auch hier die Teilung der Dekade in 4 + 6 als bewiesen.

c) Z u s a m m e n f a s s u n g d e r H S u n d N S :
Die Teilanalyse hat nun ergeben, daß nicht bloß die HS, sondern auch die NS nach Modellzahlen ausgerichtet sind. Mit musikalischen Begriffen ausgedrückt könnte man sagen, daß in den NS Begleitmotive zum Motiv der jeweiligen HS aufklingen. Daher wollen wir nun beide zusammenfassen.

Wir erhielten *22 HS + 36 NS = 58* SFü. In dieser Summe wird eine, das Ganze übergreifende Symbolzahl sichtbar; denn die Zahl 58 entspricht dem Zahlenwert der Erscheinungsherrlichkeit JHWHs: k^ebôd JHWH (k b w d − J H W H = (20 + 2 + 6 + 4) + (10 + 5 + 6 + 5) = *32 + 26 = 58*). Von der Zahlentheologie her gesehen würde dies bedeuten, daß sich die Herrlichkeit Gottes in der Schöpfung widerspiegelt und ausprägt. Schießen wir mit diesem Theologumenon nicht weit über das Ziel hinaus? Ist die Zusammenfassung der SFü in 32 + 26 überhaupt berechtigt? Aber wir haben den Text nicht willkürlich gegliedert! Die Satzkonstruktion selbst war Kriterium für die Findung der Baustruktur. Im einzelnen erhielten wir folgende Werte:

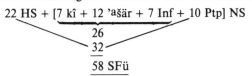

22 HS + [7 kî + 12 'ašär + 7 Inf + 10 Ptp] NS
            26
          32
          58 SFü

Bei Baudenkmälern gibt es meist einen bestimmten Punkt, von dem aus man die beste, umfassendste Perspektive durch den Raum und in die ganze Anlage gewinnt. Ein solcher, zentraler Punkt ist in diesem Fall das Wissen um das *Modell 58*, auf das hin die mit den NS konstruierten HS entworfen wurden. Die folgenden „Blickrichtungen" sind zu beachten:

1) Grundriß: 22 HS nach dem Alphabet-Modell, also nach den Bauelementen des Kosmos ausgerichtet.

2) Erhöhung durch die 10 Ptp., die den X Schöpfungsworten entsprechen; hierdurch wurde das Modell der „32 wunderbaren Wege der Weisheit" erreicht, das dem Zahlenwert von k ^{e} b ô d (32), der E r s c h e i n u n g s h e r r l i c h k e i t (Gottes) entspricht.

3) Verbindungen mit den 26 NS, in denen der Zahlenwert des Namens JHWH (26) ausgeprägt ist.

4) Krönung: alle Elemente zusammenfassend wird der Durchblick auf die E r s c h e i n u n g s h e r r l i c h k e i t J H W H s (32 + 26 = 58) offenbar.

Weltschöpfung erscheint demnach als Widerspiegelung, als Abglanz der Erscheinungsherrlichkeit Gottes.

2) Struktur der HS ohne NS:

Die Bestandsaufnahme ergab insgesamt 89 HS, davon 22 mit NS konstruiert; es verbleiben demnach 89 − 22 = *67 HS ohne NS*. Nun ist 67 eine derart ausgeprägte Symbolzahl, daß es sich hierbei kaum um einen Zufall handeln kann; so mußte z. B. das Siegeslied Moseh's am Schilfmeer immer in 67 Zeilen geschrieben werden! Auch bringt die Verbots-Tafel des Dekalogs genau 67 Wörter (vgl. Cl. SCHEDL, LogT 165−176). Es handelt sich um das *Modell der erhöhten Tetraktys:* 32 + 23 + XII = *55 + XII = 67*, d. i. um die Zahl der kosmischen Vollkommenheit (55), bezogen auf Chronos/Zeit (XII). Wenn die 67 reinen HS kein Zufall sein sollen, müssen diese Teilwerte in der Konstruktion der Sätze ausgeprägt sein.

Wir gehen hier mit den gleichen Kriterien an die Aufschlüsselung heran, wie oben bei den HS m i t NS. Vielleicht sind auch hier die Sätze, in denen GOTT namentlich genannt ist oder durch ER ersetzt wird, das Kriterium. (Hier numerieren wir die HS nach ihrer Durchzählung im Übersetzungs-Text S. 26 ff).

Die Formel „Und es ward Abend − Und es ward Morgen" kommt 6mal vor; dies gibt XII HS, die als Erhöhungswert betrachtet werden können. Somit verbleiben 67 − XII = *55 HS*, die Zahl der Tetraktys.

Ein weiterer Wegweiser ist die *10mal* vorkommende Einleitung:
„Und GOTT sprach" = die *X Urworte*. Dazu noch:
12 HS mit dem Namen GOTT:
Und GOTT schied (9.) − GOTT nannte (10.) − ... machte (17.)
... nannte (20. 27.) − ... machte (42. 62.) − ... schuf (67.)
... segnete (70. 88.) − ... schuf (1.) und: nach dem Urbilde GOTTes,
erschuf er ihn (68.)
3 HS mit ER anstelle des Namens GOTT/ELOHIM:
Die Finsternis nannte ER Nacht (11.) −
Die Ansammlung der Wasser nannte ER Meere (28.) −
Männlich und Weiblich erschuf ER sie (69.)
Untersucht man den weiteren Text nach dem Vorkommen eines klar ausgeprägten Siebeners, stößt man auf die
7 Imperative im Plural:
Seid Fruchtbar! (53. 72.) − mehrt euch! (54. 73.) −
erfüllet die Wasser/Erde! (55. 74.) − macht untertan! (75.)
Damit erhalten wir die Teilwerte der einen Hälfte der Tetraktys nämlich der „*32* wunderbaren Wege der Weisheit":
3 ER + 12 GOTT + 7 Imp. + X Urworte = 22 + X = 32 HS.
Die verbleibenden *23* HS ohne NS, die den spiegelbildlichen Gegenwert zu 32 bilden, wurden ebenfalls klar durchkomponiert: Meist wird die Summe 23 über das Alphabet-Modell 22 mit den Teilwerten 3 + 7 + 12 erreicht, die um 1 Wert erhöht werden. Der Erhöhungswert ist hier wohl in dem nur *1*mal vorkommenden Imp. Satz in der 1. Ps. pl: „Laßt uns den Menschen machen" (65.) ausgeprägt.
Den 3 „Müttern" entsprechen die *3 Nominalsätze* ohne Verbum finitum:
Und Finsternis (war) ... (3.)
Und der Geist Gottes (war) schwebend ... (4.)
Und siehe (es war) sehr gut (82.)

12 HS verwenden das Verbum h a j a h − sein, werden −:
Es werde Licht (6.) − Und es ward Licht (7.) −
Es werde das Firmament (15.) − Und es sei scheidend (16.) −
Und sie sollen zu Leuchten werden (39.) −
Und die Erde war Tohu und Bohu (2.) −
Und es ward so (19. 26. 32. 41. 61. 80.)
Es verbleiben noch *7 HS* mit 6 Jussiven + 1 Perfekt (= Siebener-Modell):
Und Vögel sollen fliegen (49.) Und der Vogel soll sich mehren (56.)
Und das Trockene werde sichtbar (25.) Es bringe die Erde ... hervor (60.)
Sammeln sollen sich die Wasser (24.) Die Wasser sollen wimmeln (48.)
Und vollendet wurden Himmel und Erde (85.)

Ergo: Aufgrund der angewendeten textinternen Kriterien folgt, daß die verbleibenden 23 HS nach dem erhöhten Alphabet-Modell gebaut wurden:

$$\underbrace{1\text{ HS Imp. 1. Ps. pl.}}_{1} + \underbrace{3\text{ Nominalsätze} + 12\text{ hajah} + 7\text{ Jussiv-Perf.}}_{22} = 23\text{ HS}$$

$$\underbrace{\phantom{1\text{ HS Imp. 1. Ps. pl.}}}_{1} + \underbrace{\phantom{3\text{ Nominalsätze}+12\text{ hajah}+7\text{ Jussiv-Perf.}}}_{22} = 23\text{ HS}$$

Zusammenfassung des gesamten Satzbestandes:

22 HS mit 36 NS = 58
67 HS ohne NS = 67
89 HS + 36 NS = 125 SFü = 5²

3) Perspektiven durch die 89 HS

Wir haben die 89 HS getrennt analysiert: H S m i t N S − und H S o h n e N S, und sind in beiden Arbeitsgängen auf klar ausgeprägte Modellwerte gestoßen. Nun fragt es sich, ob ein auf beide Abschnitte übergreifendes und zugleich zusammenschließendes Kriterium feststellbar ist.

Da das Vorkommen des Gottesnamens sich für die Aufschließung der Textstruktur beider Abschnitte als wesentlicher Faktor erwiesen hat, könnte das gleiche Kriterium auch für die Gesamtsumme 89 HS gelten.

a) D i e 3 2 H a u p t s ä t z e m i t E L O H I M (G O T T): Auf den Stil des Schöpfungsberichtes haben wir schon verwiesen. Der Verfasser geht mit dem Wort sehr sparsam um. Die sakrale Monotonie, die seinen Stil kennzeichnet, wird vor allem in der Verwendung des Gottesnamens ELOHIM/GOTT greifbar. Bei flüchtigem Lesen könnte man den Eindruck gewinnen, daß bei jedem Satz, der sich auf Gott als handelndes Subjekt bezieht, auch der Gottesname ELOHIM verwendet wird. Dadurch kommt es geradezu zu einer Häufung dieses Gottesnamens. Warum aber fehlt er in Vs. 7b „Und ER schied", 2, 2b „Und ER ruhte"? Hier dürfte doch bewußte Planung vorliegen; denn *der Schöpfungsbericht arbeitet mit 32 HS mit dem Gottesnamen ELOHIM.* In der Verwendung der Verba wird zudem noch die Teilung nach dem Modell der „32 wunderbaren Wege der Weisheit" in die X Urworte + die 22 Buchstaben (3 + 7 + 12) erkennbar:

*10*mal: Und GOTT sprach (HS 5. 14. 23. 30. 37. 47. 59. 64. 71. 77.)
*7*mal: Und GOTT sah (HS 8. 29. 34. 44. 51. 63. 81.)

$12\begin{cases}\text{3mal: Und GOTT nannte (HS 10. 20. 27.)}\\ \text{3mal: Und GOTT machte (HS 17. 42. 62.)}\\ \text{3mal: Und GOTT schuf/Im Anfang schuf GOTT (HS 1. 50. 67.)}\\ \text{3mal: Und GOTT segnete (HS 52. 70. 88.)}\end{cases}$

$3\begin{cases}\text{1mal: Und GOTT schied (HS 9.)}\\ \text{1mal: Und GOTT gab sie (HS 43.)}\\ \text{1mal: Und GOTT vollendete (HS 86.)}\end{cases}$

<u>32 HS</u>

Das zehnmalige „Und Gott sprach", sowie das 7malige „Und Gott sah" tragen ihr Symbolzeichen sozusagen an die Stirn geschrieben. Daß nun 4 Verba je dreimal verwendet werden, ist derart auffällig, daß die Ausrichtung auf die Zahl 12 mit Händen zu greifen ist. Daß schließlich ausgerechnet drei Verba nur einmal mit dem Gottesnamen Elohim verwendet werden, kann ebenfalls kaum als Zufall erklärt werden.

Daher legt sich der Schluß nahe, daß durch die Setzung des Namens ELOHIM/ GOTT in den 32 HS tatsächlich das Modell der „32 wunderbaren Wege der Weisheit" nachgeformt wurde, wie es in S e f ä r j e ṣ î r a h in abstrakter Kürze skizziert ist. Doch die zeitliche Priorität kommt dem *biblischen* Schöpfungsbericht zu. Daher ist auch der theologische Entwurf der Weltschöpfung als Sprachvorgang in der Formung des biblischen Textes vorgegeben. Wir tragen also keineswegs altjüdische Wortmystik an den Text heran. Schon die Satzstruktur weist nüchtern den Weg zum tieferen „mystischen" Verständnis des Textes.

b) D i e 7 H S m i t E R a l s S u b j e k t :
Auch dieser Arbeitsgang ist an einer guten Übersetzung nachvollziehbar. Wir haben uns zum Ziel gesetzt, jene HS zu erfassen, in denen Gott als sprechendes, schaffendes und handelndes Subjekt aufscheint. Bisher haben wir die HS erfaßt, in denen der Gottesname ELOHIM ausdrücklich angeführt wird. Es verbleiben noch 7 HS, die sich zwar auf Gott als Subjekt beziehen, aber den Namen ELOHIM nicht anführen:

	HS-Nr.
Und ER nannte ...	11.
Und ER schied ...	18.
Und ER nannte ...	28.
ER schuf ihn ...	68.
erschuf ER sie	69.
Und ER ruhte ...	87.
Und ER heiligte ihn ...	89.

Die auf Gott/Elohim bezogenen HS ergeben also die Gliederung:
32 HS mit GOTT + 7 HS mit ER = 39 HS, die Gott als Subjekt haben.
Auch hier scheint bewußte Planung vorzuliegen; denn die Zahl 39 ist die Symbolzahl für Israels Credo an den EINEN JHWH: $'hd + JHWH = (1+8+4) + (10+5+6+5) = 13 + 26 = 39$.

Ergo:

Schon die Untersuchung des Satzbaues, die nicht unbedingt Hebräisch-Kenntnisse voraussetzt, sondern auch an einer genauen Übersetzung durchgeführt werden kann, hat also derart auffallende, in die Tiefe der Schöpfungstheologie weisende Ergebnisse gezeigt, daß sich die Erweiterung der Untersuchung auf den Wort-, ja sogar auf den Buchstaben-Bestand empfiehlt; denn hier dürften nicht bloß mathematische sondern auch theologische Erkenntnisse faßbar werden.

III. DER KOSMOS ALS ENTFALTUNG DES ALPHABETS

Das gesamte Material der im alten Judentum zuerst mündlich überlieferten und dann in Talmud und Midrašîm schriftlich fixierten Schrifterklärung wurde in dem z. Z. bereits 29 Bände umfassenden Monumentalwerk (nur hebräisch!) erfaßt: *BIBLICAL ENCYCLOPEDIA, Torah šelemah säbᵉcal päh* (Die vollständige Torah nach mündlicher Überlieferung), New York (abgekürzt *BiblEnc*). Die Belege für die Erklärung des Schöpfungsberichtes Gn 1,1–2,3 füllen den ganzen I. Band (1949) und den Anfang des II. Bandes (1951) mit zusammen 200 Seiten. In unserem Zusammenhang (zu Vers 1) sind die Hinweise auf Weltschöpfung durch die X Worte und die 22 Buchstaben eine noch zu wenig ausgeschöpfte Fundgrube: u. a. der Bericht über den Streit der Buchstaben darüber, mit welchem Buchstaben Gott die Weltschöpfung hätte beginnen sollen (I,17), Belege für die Deutung der X Worte (I,38), für die Aufgliederung der Buchstaben in 3 + 7 + 12 = 22, ab I,44 ff).

Das Sprechen Gottes ist unfaßbar, es sprengt jeden Rahmen; daher wird es als „ohne was" bezeichnet. In der Schöpfung verleiblicht sich aber das Wort in der Gestalt der 22 Elemente oder Buchstaben. *Sefärjeṣîrah* teilt die Buchstaben folgendermaßen auf: in die 3 „Mütter" oder Urlemente, die 7 doppelten und die 12 einfachen Konsonanten (BiblEnc I,2). Dieses Modell kann in der Anzahl der Sätze sowohl als auch der Wörter oder auch der Buchstaben eines Textes verschiedentlich ausgeformt sein.

1) Die Einleitungssätze mit „sprechen" (22 Wörter)

Zählt man nun im hebräischen Text des Schöpfungsberichtes die Wörter der elf mit dem Verbum „sprechen" gebildeten Einleitungssätze zusammen, erhält man exakt die Summe von 22 Wörtern, die sich auf Grund der grammatikalischen Konstruktion in 3 + 7 + 12 aufgliedern lassen. Dies setzt voraus, daß dem Verfasser des Schöpfungsberichtes das „logische Denken", also das Denken nach den „Baugesetzen des Wortes" so geläufig war, daß er sogar die Wörter und Sätze danach formte.

Um eine genaue Kontrolle unseres Gedankenganges zu ermöglichen, heben wir den Wortbestand der mit „sprechen" gebildeten *Einleitungssätze* zu den direkten Reden aus:

Wörter

I. Wort	(Vss 3–5):	Licht –	Und Gott sprach ... 2	
II. Wort	(6–8):	Firmament –	Und Gott sprach ... 2	
III. Wort	(9–10):	Ozeane –	Und Gott sprach ... 2	12
IV. Wort	(11–13):	Pflanzen –	Und Gott sprach ... 2	
V. Wort	(14–19):	Gestirne –	Und Gott sprach ... 2	
VI. Wort	(20–21):	Wasser- und Lufttiere	Und Gott sprach ... 2	

XI.*	(22–23):	Segen	sprechend (Infinitiv) 1*	

VII. Wort	(24–25):	Landtiere –	Und Gott sprach ... 2	
VIII. Wort	(26–27):	Mensch –	Und Gott sprach ... 2	7
IX. Wort	(28):	Segen: wajjomär	Und Gott sprach zu ihnen ..... 3 (!)	
X. Wort	(29–31):	Speiseangebot –	Und Gott sprach ... 2	

Wortsumme der Einleitungssätze mit „sprechen": $\underline{12 + 7 + 3 = 22}$

Daß nun diese mit „sprechen" gebildeten Einleitungen zusammen 22 Wörter ergeben, ist doch bedenkenswert, weil damit die Zahl der 22 hebräischen Buchstaben aufscheint; sogar die in *Sefär jeṣîrah* geforderte Teilgliederung ist sichtbar; denn die Einleitungssätze I–VI bringen 12 Wörter; das Segenswort IX zeigt 3, und die übrigen (VII. VIII. X. und der lemor-Satz XI.) zusammen 7 Wörter: „*22 Buchstaben:* er zeichnete sie, er hieb sie aus, er läuterte sie, er wog sie und er wechselte sie, einen jeden mit allen; er bildete durch sie die ganze Schöpfung und alles, was geschaffen werden sollte" (*Sefär jeṣîrah* II,2).

2) Die „Hervorgänge des Wortes":

Werden nun die 22 Buchstaben, jeder mit jedem anderen – aber nicht mit sich selbst – verbunden, ergeben sich 231 Verbindungsmöglichkeiten, die als „Hervorgänge des Wortes" bezeichnet werden (*Sefär jeṣîrah* II,5). Mathematisch gesehen ist 231 nichts anderes als die Summe der arithmetischen Reihe von 1 bis 21; in der Symbolsprache heißt dies aber, daß jedes existierende Wesen durch Verbindung von Buchstaben (griechisch: s t o i c h e i a = Urelemente) entstanden ist. Der Schöpfungsbericht Gn 1,1–2,3 bringt 469 Wörter. Er wird durch den fundamentalen Glaubenssatz (1,1) eröffnet: b ^{e} r e ' šî t   b a r a '   'ELOHIM   ' e t   h a š š a m a j i m   w ^{e}'e t   h a ' a r ä ṣ, „Im Anfang schuf Gott die Himmel und die Erde" mit 7 Wörtern. (Die 7 Anfangsbuchstaben/Akrostich geben nach dem Stellenwert gerechnet: b + b +a + a + h + w + h = 2 + 2 + 1 + 1 + 5 + 6 + 5 = *22*).

Zieht man diese 7 Wörter von der Gesamtsumme ab, erhält man 469 – 7 = 462 Wörter, d. i. 2 x 231. In der Schilderung des eigentlichen Schöpfungsvorganges werden demnach die 231 „Hervorgänge des Wortes" zweimal abgewandelt. Ist diese Teilung gar in der Formung des Textes ausgeprägt? Der Beweis hierfür ist nicht allzu schwer zu erbringen. Man braucht nur den Wortbestand nach den jeweiligen „literarischen Gattungen" zu erfassen. Der Text ist doch in sakraler Monotonie gebaut; daher wiederholen sich die typischen Aussagearten. Zunächst könnte man sozusagen zwei Tafeln oder zwei Hälften unterscheiden: einerseits die Planung Gottes, die sich im Schöpfungsbefehl, also in der direkten Rede (1. Tafel) ausspricht, und andererseits die Ausführung dieser Befehle (2. Tafel).

Gn 1,1–2,3		1. Tafel B E: R		2. Tafel Ausführung	Summen
Im Anfang	(1–2)	21	– –	–	VII + 14
I. Wort	(3–5)	–	2: 2	27	31
II. Wort	(6–8)	–	2: 9	27	38
III. Wort	(9–10)	–	2: 9	14	25
IV. Wort	(11–13)	–	2: 16	26	44
V. Wort	(14–19)	–	2: 21	46	69
VI. Wort	(20–21)	–	2: 13	23	38
XI*	(22–23)	3*	1: 9	6	19
VII. Wort	(24–25)	–	2: 10	20	32
VIII. Wort	(26–27)	–	2: 17	13	32
IX. Wort	(28)	3*	3: 16	–	22
X. Wort	(29–31)	–	2: 44	17	63
Vollendung	(2,1–3)	23*	– –	12	35
		50 + 22:+ „66"		231	VII + 462
		238	+	231	= 469

Ist diese Zusammenfassung des Textes gerechtfertigt? In obiger Tabelle zeigt Spalte B (Bericht) 3mal ein Sternchen zur Zahl. Daß die beiden Sätze XI* und IX, „Und er segnete sie" den Sätzen „Und Gott sprach" vorausgehen und daher mit dieser Rede eine Einheit bilden, dürfte unbestritten sein; unklar dürfte die Zuteilung des Schlusses 2,1–3 sein. Zunächst steht hier der Vollendungs-Vermerk „Und vollendet wurden", sowie „Und ELOHIM vollendete" (2,1 und 2a); beide gehören unmißverständlich zur 2. Tafel „Ausführung". Es verbleiben aber noch die Sätze „ruhen", „segnen", „heiligen ..." (2,2b–3), die folgerichtig zu „segnen" der 1. Tafel gehören. Dementsprechend haben wir die 35 Wörter der Schlußstrophe in 23 „segnen" + 12 „vollenden" aufgeteilt und entsprechend eingeordnet.

Der Wortbestand für die 2. Tafel „Ausführung" bringt tatsächlich 231 Wörter, die den „231 Hervorgängen des Wortes" entsprechen. In der 1. Tafel „Schöpfungsbefehl" dagegen stehen 238 Wörter. Hebt man den 1. Vers: „Im Anfang schuf Gott" mit seinen 7 Wörtern heraus, die schon im Akrostich auf die 22 Buchstaben des Alphabets verweisen, erhalten wir für den Wortbestand des Schöpfungsberichtes Gn 1, 1–2,3 die Formel: *VII + 231 + 231 = VII + 462 = 469* Wörter.

Damit kommen wir zu dem Schluß, daß Weltschöpfung auch durch die Wahl und Anordnung der Wörter als *Sprachvorgang* dargestellt wird: „Wie verband, wog und versetzte er sie (die Buchstaben)? Aleph mit allen, und alle mit Aleph, Beth mit allen usw. ... So ergibt es sich, daß sie (die Buchstaben) durch 231 Pforten herausgehen, und so findet es sich, daß die ganze Schöpfung und die ganze Sprache aus EINEM NAMEN hervorgeht" (*Sefär jeṣîrah* II,5).

Von diesem Denkansatz her wird verständlich, daß im frühen Judentum *Weltschöpfung als Sprachvorgang* gedeutet wurde [ENCYCLOPEDIA JUDAICA Bd X (1970), S. 509]. Da aber das gleiche System bereits in der Textformung des Schöpfungsberichtes erkennbar wird, muß man folgern, daß der Verfasser des Textes bereits in diesen Wertkategorien dachte, obwohl kein Leitfaden für die Baugesetze des Wortes aus dieser Frühzeit (religionsgeschichtliche Achsenzeit um 500 v. Chr.) vorhanden ist. Erst in *Sefär jeṣîrah* wird diese Worttheologie, die sich in Zahlen ausspricht, auf die kürzeste Formel gebracht und in ein abstraktes System zusammengefaßt. – In der Zwischenzeit, zwischen Bibel und *Sefär jeṣîrah*, bezeugen aber die aramäischen Targume, wie man den Schöpfungsbericht in der Synagoge verstand und deutete. Die ziemlich frei gestaltete aramäische Übersetzung bringt keine neuen Aussagen zum Wochenschema, wohl aber wird der Wortcharakter der Schöpfung in einer Art hervorgehoben, die man in vorchristlicher Zeit nicht für möglich halten möchte. Der beste Zeuge hierfür ist das TARGUM NEOPHYTI [Alejandro Diez MACHO: *NEOPHYTI 1*, Targum Palestinense, Ms de la Bibliotheca Vaticana. I. Bd: Genesis. Madrid-Barcelona 1968].

3) „Wort Gottes" im aramäischen Targum Neophyti

In unserer obigen Ausführung haben wir auf Grund des 10mal vorkommenden w a j j o m ä r ELOHIM, „Und Gott sprach", auf Weltschöpfung durch das Sprechen Gottes, also auf Schöpfung durch sein Wort, verwiesen. Dieser, schon im hebräischen Text vorgegebene Ansatz wird im Targum, d. i. in der aramäischen Übersetzung, noch schärfer herausgearbeitet, so daß man den Eindruck gewinnt, daß nicht mehr ELOHIM (Gott) selbst es ist, der Welt ins Dasein ruft, sondern sein „Wort"; denn statt „Und Gott sprach" heißt es nun: w ' m r M m r ' d JJJ, „Und es sprach die Memra' (der Logos, das Wort) des JJJ" (Abkürzung für den dreimal heiligen Gott JHWH) (1,3). Und so auch an den anderen Stellen, wo der hebräische Text „Und Gott sprach" bringt. Ferner verweisen wir darauf, daß das Hebräische die Schlußformel „Und es ward (entstand) . . ." oder „Und es geschah so" bringt, das Targum dagegen auf das „Wort" verweist: „Und es entstand das Licht nach der Bestimmung seines Wortes" (1,3) – „Und es ward so nach seinem Wort" (1,7).

In der Einleitung zur Textausgabe des TARGUM NEOPHYTI wird die Frage nach der Entstehungszeit dieser eigenwilligen Handschrift untersucht. Nach dem heutigen Erkenntnisstand handelt es sich um eine der ältesten aramäischen Bibelübersetzungen, die möglicherweise sogar in die Zeit Esra's (440 v. Chr.), zumindest aber sicher in die Zeit des zweiten Tempels zurückreicht, also eine vorchristliche und daher jüdische Übersetzung ist. Wenn auch einige Gelehrte an manchen Stellen christliche Überarbeitungen annehmen, so doch nicht an der Memra'-Logos-Wort-Theologie. Demnach dürfte die Synagoge der beste Führer zum richtigen und tieferen Verständnis des hebräischen Schöpfungsberichtes sein. Die Wort-Theologie des Johannes-Prologes bekommt dadurch erst den richtigen Verstehenshorizont.

4) Symbolwert der Buchstaben und die „Krone Gottes"

Liest man den hebräischen Text aufmerksam, stößt man bald auf das Problem einer eigenwilligen Orthographie. Man fragt sich doch, warum manche Wörter mangelhaft *(defektiv)* geschrieben sind? Handelt es sich bloß um archaische Schreibweise? Dies ist kaum wahrscheinlich, da im selben Textabschnitt auch die volle *(plene)* Schreibung verwendet wird. Von dieser eigenwilligen Schreibart werden vor allem die Buchstaben W(aw), J(od) und H(e) betroffen. Wir verweisen nur auf einige Beispiele: der feminine Plural endet normalerweise auf langes -ô t (w t), im Schöpfungsbericht aber wird vielfach defektiv kurzes o, ohne w geschrieben: m ' r t (m ^{e} ' o r o t) anstatt m ' w r w t (m ^{e} ' ô r ô t), „Leuchten" (1,14). Weiters verlangt das Partizipium ebenfalls langes ô (w); statt dessen findet sich ^{c} ś h = ^{c} o ś ä h „fruchtbringend" (1,11) statt korrekt ^{c} w s h = ^{c} ô ś ä h. Das gleiche gilt vom Personalpronomen „ihn, sie", das durchwegs statt ' w t = ' ô t nur mit ' t geschrieben wird. Besonders auffallend wirkt das Fehlen der Endung im Verbum „und macht sie untertan" (1,28), wo statt k b š w h = k i b b ^{e} š û h a nur k b š h steht. — Die Beispiele ließen sich mehren; die hier angeführten dürften aber schon die Problematik der Schreibart aufzeigen. Durch diese eigenwillige Schreibung wird weder der Wortsinn und auch nicht der Wortbestand, sondern einzig der Buchstabenbestand betroffen. Daher legt sich die Vermutung nahe, daß mit dieser „Auswahl-Schreibung" ein bestimmtes Ziel erreicht werden sollte. Nach dem Logion der Bergpredigt konnte kein Jota und kein Waw verlorengehen, — so gesichert galt der Text in der neutestamentlichen Zeit. Daher mag es sinnvoll erscheinen, die Probe an einem bestimmten Textabschnitt durchzuführen. Wir heben daher den Buchstabenbestand der mit „sprechen" eingeleiteten *direkten Reden* (R) aus:

	Buchstabenbestand						Summen
	I. Wort	II. Wort	III. Wort	IV. Wort	V. Wort	VI. Wort	
Vss ...	(1,3)	(67)	(9)	(11)	(14–15)	(20)	
Buchstaben ...	6 +	34 +	36 +	53 +	97 +	47 =	273

XI.* Segensatz (1,20) ..... 35 Buchstaben .... =   35

	VII. Wort	VIII. Wort	IX. Wort	X. Wort		
Vss ...	(24)	(26)	(28)	(29–30)		
Buchstaben ...	40	74	62	136	=	312

620

Wenn die Summe von 620 Buchstaben nur in den „Zehn Schöpfungsworten" auftauchen würde, könnte man an Zufall denken; da aber auch der Dekalog, also die „Zehnheit der Worte" (Ex 20,1–17), 620 Buchstaben bringt, ist dies doch bedenkenswert. Anscheinend handelt es sich bei 620 um eine bedeutsame Symbolzahl. — Die Erklärung dieser Zahl findet man in der jüdischen „Licht- und Sprach-Mystik", die erst im frühen Mittelalter faßbar wird (G. SCHOLEM, Kabbala 301 ff), die aber aufgrund der Tatsache, daß biblische Texte in ihrem Buchstabenbestand bereits nach dieser Leitsatz ausgerichtet wurden, viel älter sein muß; denn der hebräische Konsonantenbestand gilt bereits für die Zeit Rabbi Akiba's, also für die neutestamentliche Zeit, als gesichert (O. EISSFELDT, *Einleitung in das Alte Testament,* [3]1964, S. 929). Bei der Zahl 620 handelt es sich um die Mystik der Krone Gottes. Der Zahlenwert des hebräischen Wortes für „Krone", k ä t ä r, ist: k + t + r = 20 + 400 + 200 = 620. Daraus wird abgeleitet, daß die Weltschöpfung am Anfang und die Offenbarung des Gesetzes am Sinai nichts anderes seien als 620 Lichtsäulen oder Lichtstrahlen, die von der Krone Gottes ausstrahlen. Zur Theologie einer Weltschöpfung als Sprachvorgang tritt hier eine Theologie der Weltschöpfung als Lichtvorgang. (Die weitere logotechnische Untersuchung ergab, daß in der Struktur des Schöpfungsberichtes bereits der sakrale Kalender Israels ausgeformt wird. Die Ergebnisse hierzu wurden bereits in der amerikanischen Übersetzung von Cl. SCHEDL, *Geschichte des Alten Testaments,* gebracht: *History of the Old Testament,* 5 vols., Alba House, Staten Island, New York 1974. — Aufgliederung des hebräischen Textes des Schöpfungsberichtes in Bd I., S. 216 ff).

Damit sind wir wieder beim Prolog zum Johannes-Evangelium angelangt. Weltschöpfung wird als Sprachvorgang geschildert: „Im Anfang war das Wort ...". Dann aber wird im nachfolgenden Text der Licht-Gedanke aufgenommen: „In ihm war Leben, und das Leben war das Licht der Menschen, und das Licht scheinet in der Finsternis" (Jh 1,1–5).

46

Zweites Kapitel
DER MENSCH ALS EBENBILD GOTTES (Imago Dei)

Zunächst bringen wir den Text Gn 1,26–27 in Hebräisch (MT), auf Griechisch (LXX) und dann lateinisch (Vg).

Text:
MT:
26   na^caśäh 'adam b^eşalmenû kidmûtenû
27   wajjibra' Elohîm ät-ha'adam b^eşalmô
       b^eşäläm Elohîm bara' 'ôtô

LXX:
26   ποιήσωμεν ἄνϑρωπον κατ' εἰκόνα ἡμετέραν
       καὶ καϑ' ὁμοίωσον
27   καὶ ἐποίησεν ὁ ϑεός ἄνϑρωπον
       κατ' εἰκόνα ϑεοῦ ἐποίησεν αὐτόν

Vg
26   faciamus hominem ad imaginem
       et similitudinem nostram
27   et creavit Deus hominem ad imaginem suam
       ad imaginem Dei creavit illum

I. RÜCKBLICK AUF DEUTUNGSVORSCHLÄGE

Die Literatur zur Deutung des *Imago Dei* ist uferlos. Hierin zeigt sich die Konzentration des theologischen Redens auf die Frage: *Was ist der Mensch?* Dabei stehen wir vor der höchst auffälligen Tatsache, daß die Aussage über den Menschen Gn 1,26–27, die im AT fast einsam dasteht, in der neueren Auslegung alles Interesse auf sich zieht. Im AT selbst hat diese Aussage eine solche Bedeutung nicht gehabt; der Satz begegnet uns – abgesehen von Psalm 8 – nicht wieder. Es muß ein Interesse wirksam sein, das nicht aus der Bibel selbst, sondern aus geistesgeschichtlichen Voraussetzungen zu erklären ist. – Im folgenden bringen wir einen Überblick über die wichtigsten Deutungsvorschläge nach Claus WESTERMANN: *Genesis.* Bibl. Kommentar AT; Neukirchen, Bd I/1 (1974), 204 ff.

1) Natur und Übernatur:

Dieser doppelte Aspekt der Gottebenbildlichkeit wurde bereits von Irenäus entwikkelt und hielt sich durch die ganze Theologiegeschichte durch. *Bild* (εἰκών/ imago) beziehe sich auf die übernatürliche, *Gleichnis* (ὁμοίωσις/similitudo) auf die natürliche Ausstattung des Menschen. Durch die Ursünde trat ein Bruch ein: *privatus in supernaturalibus, vulneratus in naturalibus,* der Mensch wurde der Übernatur beraubt, und in seiner Natur verwundet.

2) Die geistigen Vorzüge:

Die Gottebenbildlichkeit zeige sich in den geistigen Fähigkeiten und Anlagen des Menschen, vor allem in seinem Nûs (Philo), mit dem er das Göttliche erfassen kann; nach Augustinus in den Seelenkräften Gedächtnis – Verstand – Liebe (m e m o r i a – i n t e l l e c t u s – a m o r); nach SÖHNGEN: „Also ist es die Geistesnatur, die eigentlich die Gottebenbildlichkeit des Menschen ausmacht."

3) Die äußere Gestalt:

Der einseitig aufgefaßten geistigen Ebenbildlichkeit gegenüber sagt G. von RAD: „Die Gottebenbildlichkeit des Menschen ist vornehmlich *leiblich* zu verstehen". Dazu ZIMMERLI: „Die Menschengestalt ist ein Abbild der Gottesgestalt". Diese Deutung wäre von der anthropomorphen Sprechweise des AT abzuleiten. Gott wurde gestalthaft vorgestellt, daher auch der Mensch! Im aufrechten Gang des Menschen, durch den dieser sich von den Tieren unterscheidet, käme diese Gottähnlichkeit zum Ausdruck. Doch durch die Hervorhebung der Leiblichkeit werde das Göttliche zu stark in den menschlichen Vorstellungsbereich herabgezogen (GALLING).

4) Der Mensch als Ganzheit:

Das AT kenne in seinem Reden vom Menschen eine Trennung oder Isolierung von Körper und Geist nicht; es sieht den Menschen in seiner Ganzheit: „Die Imago Dei besteht nicht in irgendetwas *am* Menschen, sondern es liegt als etwas nicht Aufweisbares auf dem Ganzen des menschlichen Wesens". Die Betonung der Ganzheit kann aber nicht so weit getrieben werden, daß man behaupten könnte, das AT kenne überhaupt keine Trennung von Leib und Geist. (West. 206)

5) Der Mensch als Gottes Gegenüber:

Der Mensch wurde als ein von Gott anzuredendes DU und als ein vor Gott verantwortliches ICH geschaffen: „Vom AT aus ist es offenbar richtig, mit Karl Barth das Wesen der *imago* in der Partnerschaft und Bündnisfähigkeit zu sehen" . . . „er meint solches Personsein nicht als eine Eigenschaft des Menschen, über die der Mensch losgelöst von Gott verfügen könnte oder die ein irgendwie in ihm und bei ihm befindlicher Besitz wäre. Er meint vielmehr dieses Personsein des Menschen als die wundersame Begnadung Gottes, der aus seiner souveränen Freiheit heraus aus aller Kreatur allein den Menschen zu seinem eigentlichen Gegenüber, zu seinem Entsprechnis hat haben wollen, mit dem er reden und Gemeinschaft haben will und der sich seinerseits unterwinden darf, mit ihm zu reden und ihm gegenüber vor seinem Angesicht zu leben" (West. 208).

Contra:

a) Sehr wertvoll sind in diesem Deutungsvorschlag die Verweise auf Bündnisfähigkeit und Partnerschaft. Wenn der Mensch als Ebenbild Gottes geschaffen wurde, wäre damit die erste Grundlage für den Bund mit Gott gegeben.

b) Doch die Ausdrücke „personales Gegenüber" und „Partnerschaft" kommen im biblischen Sprachschatz nicht vor. Sie gehören genauso wie die Unterscheidung in Geist, Leib und Seele in den Bereich der philosophischen Reflexion und sind vor allem durch das personalistische Denken Martin BUBERs angeregt worden. Doch den biblischen Text muß man vorerst aus seiner altorientalischen Umwelt zu verstehen suchen.

6) Der Mensch als Stellvertreter Gottes auf Erden:

Untersuchungen zur Bedeutung „Bild" im babylonischen und ägyptischen Raum gibt es sehr viele. Wir heben wieder nur Leitgedanken heraus:

a) babylonisch: ṣalmu, „Bild", kann an Stelle des Gottes selbst treten oder wurde sogar vergöttlicht. In diesem Sinne kann auch der König als Bild Gottes bezeichnet werden: „Das Bild Gottes also ist der Vertreter, *vicarius*, Repräsentant Gottes (West. 209). Gilt diese babylonische Königsideologie auch für den Schöpfungsbericht? Dafür scheint der Satz zu sprechen: „Herrschen sollen sie ...!" Doch in der Bibel steht die Mehrzahl, nicht aber die Einzahl eines Königs!

b) Im ägyptischen Hofstil trat seit dem Neuen Reich der Königstitel auf: „Abbild des Re, heiliges Abbild des Re ... du bist mein geliebter Sohn, mein Ebenbild, das ich auf die Erde gegeben habe" (Amenophis III); „Bild" wäre demnach gleichbedeutend mit der Manifestation, der Epiphanie, der Erscheinung Gottes in der Gestalt des Königs. – Dieser Ansatz wird dann verallgemeinert: „so ist der Mensch, von Gott geschaffen, Gottes Zeuge ... Wesen des Bildes ist es, das Abgebildete in Erscheinung treten zu lassen; so erscheint Gott dort, wo der Mensch erscheint" (West. 211)

Contra:

a' Der Schöpfungsbericht gipfelt zwar in der Erschaffung des Menschen als Herrn und Königs der Schöpfung; doch das Königsein bezieht sich auf den Menschen einfachhin und nicht auf einen bestimmten König.

b' Das Erscheinen der Herrlichkeit Gottes (k ^{e} b ô d J H W H) wird in der Bibel auf einer vollkommen anderen Ebene beschrieben. Der Mensch erschrickt und vergeht vor dem Erscheinen der Herrlichkeit Gottes; Mensch und k ^{e} b ô d sind Kontrastaussagen, die sich nicht decken.

Ergo:

Also lassen alle vorgelegten Deutungsversuche ein Fragezeichen zurück. Nach diesem Überblick nach Westermann (204–205) folge nun unser eigener Deutungsvorschlag.

II. DER MENSCH ALS NACHBILD NACH DEM URBILD GOTTES

1) Klärung des Sprachgebrauches:

Die Erschaffung des Menschen wird im hebräischen Text mit folgenden Worten angesagt (Gn 1,26):

> na^{ca}śäh 'adam
> b^{e}ṣalmenû kidmûtenû

Im hebräischen Text stehen die beiden Ausdrücke b ^{e} ṣ a l m e n û und k i d m û - t e n û ohne das verbindende „und" nebeneinander; in der griechischen und in der lateinischen Übersetzung wird dagegen „und" eingefügt, wodurch der ursprüngliche Sinn in eine ganz bestimmte Richtung gelenkt wird:

griechisch: Laßt uns den Menschen machen
nach (k a t a) unserem Bild (e i k ō n)
und nach (k a t a) Ähnlichkeit (h o m o i ō s i s)
lateinisch: Laßt uns den Menschen machen
zu (a d) unserem Bild (i m a g o)
und Ähnlichkeit (s i m i l i t u d o)

Durch das verbindende „und" und das nur einmal gesetzte „unser" soll wohl ausgedrückt werden, daß „Bild" und „Ähnlichkeit" nur verschiedene Bezeichnungen für dasselbe sind; denn als *eikon/imago*/Bild Gottes muß der Mensch doch Gott „ähnlich" sein.

Der hebr. Text läßt aber ein anderes Verständnis zu. Er verwendet zwei verschiedene Präpositionen: die zweite, k i = „wie" drückt klar einen Vergleich aus; das Hauptwort d ᵉ m û t stammt vom Verbum d a m a h , „ähnlich sein, gleich sein"; davon abgeleitet das Hauptwort d e m û t „Ähnlichkeit, Gleichnis". Daher zu übersetzen mit *„wie* unser Gleichnis", d. i. *„wie* ein Gleichnis von Uns".

Was soll dann die Präp. b ᵉ - in b ᵉ ṣ a l m e n û bedeuten? Manche nehmen b e - essentiae an, wodurch die Art und Eigenschaft des Hauptwortes umschrieben wird; daher zu übersetzen *„als* unser Bild", d. i. *„als* Bild von Uns".

So verstanden läge nur ein Parallelismus membrorum vor: „Gleichnis" und „Bild" bezögen sich auf den Menschen, also zwei Wörter für dasselbe.

Da der ganze Schöpfungsbericht bis in die Buchstaben hinein zielbewußt geplant wurde, kann man mit Recht voraussetzen, daß die beiden Wörter ṣ ä l ä m und d ᵉ m û t nicht sinngleich sind, vielmehr jedes eine selbständige Bedeutung hat. Die Präposition b ᵉ - kann nämlich auch „gemäß, nach der Art, entsprechend, analog" bedeuten (W. BAUMGARTNER: Hebr. u. Aram. Lexikon, ³1967, 100). Daher zu übersetzen:

„Laßt uns Adam machen unserem (Ur-)Bild entsprechend
wie ein Gleichnis (Nachbild) von uns"

Urbild und Abbild sind einander ähnlich, aber nicht gleich, handelt es sich doch um zwei wesentlich verschiedene Seinsweisen, um die göttliche und um die menschliche. Das Wesen des Menschen ruht nicht in sich selbst, sein ganzes Sein ist in der Entsprechung (Analogie) zu Gott verankert; oder anders ausgedrückt: Gott selbst ist das Urbild (ṣ ä l ä m) oder das vorgegebene Modell, nach dem der Mensch als Abbild (d ᵉ m û t) gemacht oder geschaffen wurde.

Folgerichtig ist auch Gn 1,27 nicht eine Aussage über den Menschen; also nicht:

„Gott schuf den Menschen als sein Bild
Als Bild Gottes erschuf er ihn"

sondern vielmehr eine Aussage über Gott:

„Gott schuf den Menschen
seinem Urbild entsprechend,
Dem Urbild Gottes entsprechend erschuf er ihn".

(Das gleiche auch Gn 9,6b)

2) Vergleich mit Psalm 8:

Man muß weiter fragen, worin die Analogie zwischen Gott und Mensch besteht. Schon im göttlichen Beschluß, den Menschen zu machen, heißt es: „Und herrschen sollen sie über die Fische des Meeres, die Vögel des Himmels ...". Ist also der

Mensch dadurch Gott ähnlich geworden, daß er zum Herrscher der Tierwelt eingesetzt wurde? Es werden ihm drei Räume mit ihren Lebewesen übergeben:

Meer — Fische
Himmel/Luft — Vögel
die ganze Erde — und was sich auf ihr regt und bewegt (Gn 1,26)

Dieses Weltbild wirkt urtümlich, geradezu primitiv: der Mensch als König aller
Lebewesen, und dadurch das höchste aller Geschöpfe. Die gleiche Vorstellung
taucht in Ps 8 nochmals auf:

„Du hast ihn zum Herrscher bestellt
Über die Geschöpfe deiner Hände
Alles hast du unter seine Füße gelegt
Schafe und Rinder allzumal
Und auch das Vieh des Feldes
Die Vögel des Himmels
Die Fische des Meeres"

Neu in diesem Psalm ist aber die Stellung des Menschen in Hinblick auf Gott:

„Nur ein weniges ließest du ihm fehlen an Gott (d. i. Gott zu sein)
Du hast ihn gekrönt mit Herrlichkeit (k a b ô d) und Macht (h a d a r) "

Die beiden Hauptwörter „Herrlichkeit" und „Macht" gehören zur Königs-Titulatur.
Sie werden aber im besonderen von der Herrschaft und Herrlichkeit Gottes ausgesagt. Gott hat den Menschen zum König aller Lebewesen gekrönt und ihm
dadurch Anteil an seiner eigenen Macht und Herrlichkeit gegeben. Daher die überraschende Aussage: es mangle ihm nur ein Weniges, ein Gott zu sein. Daraus wird
aber auch verständlich, was „Urbild" und „Abbild" bedeuten könnten: Glanz und
Herrlichkeit des Menschen sind ein Abglanz der Herrlichkeit Gottes selbst. Diese
Vorrangstellung des Menschen innerhalb der Schöpfung hat sich nicht der Mensch
erst allmählich erobert; sie wurde ihm schon vor seiner Erschaffung von Gott „zuge-
sprochen". Im Menschen erreicht der göttliche Sprachvorgang seine Vollendung.
Im aramäischen Targum, auf das wir gleich zu sprechen kommen, heißt es sogar:
„Und das Wort des Herrn (JJJ) erschuf den Menschen".

NB.: Unsere logotechnische Textanalysen haben schon gezeigt, daß literarische
Texte als Abbild eines Urbildes geformt wurden. Das Urbild/Modell wird vom
Künstler zuerst geschaut (Philo), und diesem geschauten Urbild (ş ä l ä m) entspre-
chend wurden die Texte mit ihren Sätzen, Wörtern und Buchstaben als Abbild
(d ᵉ m û t) nachgebaut. In der Baukunst des Wortes *(Logotechnik)* wird Gott als der
Baumeister *(technitēs)* nachgeahmt.

Exkurs: Adam und der Sturz des Satan:

Nachdem wir die neueren Deutungen über den Menschen als Ebenbild Gottes
gebracht haben, soll noch kurz auf die Deutung durch die *altrabbinische Literatur*
und den *Koran* verwiesen werden. Wir heben nur das eine Theologumenon heraus,
wonach die Gottebenbildlichkeit des Menschen sogar für Engel zum Stein des
Anstoßes und zum Grund des Falles wurde.

Die Mehrzahl des Satzes „Laßt *uns* den Menschen machen" wird auf die Anwe-
senheit der Engel bei der Erschaffung des Menschen gedeutet. Nach der Erschaffung des Menschen wurden alle Engel von Michael aufgefordert, dem Menschen —
als Abbild Gottes — zu huldigen. Alle Engel beugten sich vor Adam, ausgenommen
Einer. Zur Strafe wurde dieser von seinem Himmelsthron in die Tiefe des Abgrundes geworfen, sein leer gewordener Thron jedoch bis zum Tag der Auferstehung für
Adam reserviert. Seither ist Satan der Feind des Menschen, den er in Gestalt eines

Engels versucht (vgl. 2 Kor 11,14). (Ausführlicher Quellenverweis unter dem Artikel *Adam* in: Encyclopaedia Judaica II (1971), 237; The Jewish Encyclopedia I, 175). Diese altjüdische Deutung wurde auch in den Koran, Sure 38,71—85 aufgenommen:

> (Damals) als dein Herr zu den Engeln sagte:
> Ich werde einen Menschen (bašar) aus Lehm schaffen —
> Wenn ich ihn dann geformt
> Und ihm Geist von mir eingeblasen habe
> Dann fallet (voller Ehrfurcht) vor ihm nieder!
> Da warfen sich die Engel alle nieder
> Außer Iblis (diabolos)
> Der war hochmütig und gehörte zu den Ungläubigen.
> Gott sagte:
> Iblis, was hindert dich daran
> Dich vor etwas niederzuwerfen
> Was ich mit meinen Händen geschaffen habe?
> Du bist wohl (zu) hochmütig (dazu)
> Und gehörst zu denen, die überheblich sind.
> Iblis sagte:
> Ich bin besser als er
> Mich hast du aus Feuer erschaffen
> Ihn (nur) aus Lehm.
> Gott sagte:
> Dann geh aus ihm (dem Paradies) hinaus!
> Du wirst von jetzt an verflucht sein.   (Übersetzt von R. PARET)

Schluß: Weltschöpfung als Sprachvorgang

Wir haben die Weltschöpfung als „göttlichen Sprachvorgang" bezeichnet. Unsere Textanalyse dürfte gezeigt haben, daß diese Benennung nicht von außen an den Text der Schöpfung herangetragen wurde, sondern zu innerst sowohl in der vordergründigen Redeweise als auch in der Formung der Sätze, Wörter und Buchstaben erkennbar wird. Auf die Frage, woher unsere Welt, der gesamte Kosmos, insbesondere aber der Mensch stammt, antwortet der Text in sakraler Monotonie: „Und Gott sprach … und es ward so!" Schon aus diesem 10mal vorkommenden Satz kann gefolgert werden, daß Weltschöpfung als Sprachvorgang bezeichnet werden kann.

Der Kosmos tritt nicht aus dem finsteren Grund des Nichts hervor, noch wurde er von Göttern gezeugt; die Welt ist Schöpfung durch den einen, personalen Gott, der nicht außerhalb und fern über dem Kosmos schwebend bleibt, sondern befehlend in die Welt hineinspricht und Welt geradezu *ausspricht*.

Die ganze Schöpfung, bis in die fernsten Milchstraßensysteme hinein, ist daher nichts anderes als Aussprache Gottes. Daher bezeichnet Teilhard de Chardin die Welt als „personierend", denn jedes Seiende existiert nur daher, daß es vom persönlichen Gott ausgesprochen wird.

Weltschöpfung als „Aussprache Gottes" zu bezeichnen, klingt zwar modern, ist dies aber in keiner Weise; denn bereits Irenäus von Lyon verwendet für den Schöpfungsvorgang das Wort ἐκφώνησις, „Aussprache": „Als zuerst der unausdenkbare und überwesentliche Vater, der weder männlich noch weiblich ist, das Unsagbare sagbar und das Unschaubare schaubar machen wollte, brachte er als erstes das Wort (logos) hervor, ihm gleich. Die Aussprache (ἐκφώνησις) des Namens war folgende …"

Anschließend bringt Irenäus die Zahlen für das Logos-Modell, nach dem die Welt ausgesprochen wurde (Adv. haer. I,14.7 ff).

Alle Wesen, die im Schöpfungsbericht genannt sind: Himmel, Erde, Luft, Meere, kleine Tiere, große Tiere, sind nicht ohne Antlitz; auch sie tragen die Prägung des personalen Gottes, der sie ausgesprochen hat. Denn sie weisen durch ihr Gesprochensein auf den Sprecher zurück. Dadurch bekommt der vielverwendete Gottesbeweis, der aus der Existenz der Geschöpfe auf einen notwendigen Schöpfer schließt, sein personales Gepräge. Daraus folgt weiter, daß Welt nicht notwendig ist; ihr Dasein ist einzig der schöpferischen Spontaneität Gottes zuzuschreiben, und — weil aus dem spontanen, innergöttlichen Entschluß hervorgehend — zugleich geschenkte Gnade. Die durch das Wort Gottes in das Dasein gerufenen Geschöpfe geben schon dadurch Antwort, daß sie den Naturgesetzen folgen; heißt es doch, „und es ward so". Bei der Erschaffung des Menschen wird der Sprachvorgang von Wort und Antwort bildhaft mit „Urbild" und „Abbild" umschrieben. Wo aber ist der Mensch am stärksten Abbild des Urbildes Gott? Doch dort, wo er antwortend das Wort Gottes bejaht. Unter allen Geschöpfen ist nur der Mensch in die Entscheidung gestellt, aus freiem Entschluß Gott und sein Wort zu bejahen — oder nicht. Wie wir im Paradiesesbericht noch ausführlich zeigen werden, ist der Baum der Erkenntnis inmitten des Paradieses, d. i. der „Baum" des Gewissens inmitten jedes Menschen, jener Ort, an dem die Entscheidung fällt.

Der Mensch ist also kein verschwindendes Nichts im All; er ist als ein „Wesen auf Antwort hin" geschaffen, auf Gott hinhörend und Gott gehorchend. Daraus folgt, daß das Wesen des Menschen aus dem Menschen allein nicht erklärbar ist. Wenn man den Menschen richtig verstehen will, darf man Gott und Mensch nicht trennen. Der Schöpfungsbericht soll zwar von der literarischen Bauweise des Textes her gesehen „in sakraler Monotonie" dahinfließen; aber gerade dieser vielfach schlicht klingende Text ist in seinen Tiefen das Hohelied auf den göttlichen Sprachvorgang „im Anfang".

Der hebräische Text verwendet das Verbum ' a m a r , „sagen, sprechen"; in der aramäischen Übersetzung nach *Targum Neophyti* wird dieser Denkansatz noch verstärkt; die Einleitung zu den einzelnen Schöpfungswerken heißt dort nicht „Und Gott sprach", sondern: „Und das Wort (m e m r ā) des Herrn (abgekürzt JJJ) sprach"; dementsprechend auch die Ausführungsformel: „Und es geschah nach seinem Wort!" Man könnte meinen, die Sprachweise des Evangelisten Johannes zu hören: „Am Anfang war das Wort und das Wort war bei Gott". Aber die Theologie von „Weltschöpfung durch das Wort" ist älter als der Johannesprolog. Das Targum Neophyti stammt aus dem 2. Jh. vor Chr. Weil dieser theologische Denkansatz eine neue Brücke zwischen alt- und neutestamentlicher Theologie herstellt, bringen wir eine vollständige Übersetzung des aramäischen Schöpfungsberichtes. Abkürzung des Gottesnamens JHWH durch drei JJJ.

Schöpfungsbericht
Gn 1,1–2,3
nach dem aramäischen Targum NEOPHYTI 1

Vss

(1,1) Im Anfang schuf (vollendete?) der Sohn JJJ's
Durch die Weisheit Himmel und Erde

(2) Die Erde war tohu-wabohu
Von Menschen und Tieren unbewohnt,
Ohne Saatfelder und ohne Bäume,
Nur Finsternis war über die Fläche des Abgrundes gebreitet.
Doch der Geist der erbarmenden Liebe JJJ's
Wehte über die Fläche der Wasser hin.

———

(3) Und das WORT JJJ's sprach:
Es werde Licht!
Und es ward Licht nach seines WORTES Befehl.
(4) Und es wurde offenbar vor JJJ
Daß das Licht gut ist.
Und das WORT JJJ's schied zwischen Licht und Finsternis.

(5) Und das WORT JJJ's nannte das Licht Tag
Und die Finsternis nannte er Nacht.
Und es ward Dämmerung und es ward Morgenrot:
Ordnung des Werkes „im Anfang": der erste Tag.

———

(6) Und es sprach das WORT JJJ's:
Es entstehe das Firmament inmitten der Wasser
Und scheide zwischen den Wassern unten
Und den Wassern oben!
(7) Und es schuf JJJ das Firmament
Und schied zwischen den Wassern unter dem Firmament
Und den Wassern ober dem Firmament.
Und es geschah so nach seinem WORT.
(8) Und das WORT JJJ's nannte das Firmament Himmel.
Und es ward Dämmerung und es ward Morgenrot:
Ordnung des Werkes „Im Anfang": 2. Tag.

———

(9) Und das WORT JJJ's sprach:
Es sollen sich sammeln die Wasser
Unter dem Himmel und an einem Ort
Und es werde das Trockene sichtbar!
Und es geschah so nach seinem WORT.
(10) Und das WORT JJJ's nannte das Trockene Erde
Und die Wasseransammlungen nannte er Meer.
Und es wurde offenbar vor JJJ
Daß es schön und geordnet.

(11) Und das WORT JJJ's sprach:
         Es bringe die Erde grünende Pflanzen hervor
         Die ihre Samen tragen;
         Und Fruchtbäume, die Früchte tragen nach ihrer Art,
         Mit Setzlingen (Kernen?) darin für die Erde.
      Und es ward so nach seinem WORT.

(1,12) Und die Erde brachte grünende Pflanzen hervor
      Die ihre Samen tragen
      (Und) Fruchtbäume, die Früchte tragen
      Und Setzlinge (Kerne?) darin nach ihrer Art.
      Und es wurde offenbar vor JJJ
      Daß es schön und geordnet.
(13) Und es ward Dämmerung und es ward Morgenrot:
      Ordnung des Werkes „im Anfang": 3. Tag.

———

(14) Und es sprach JJJ:
         Es sollen Leuchten entstehen am Himmelsfirmament
         Um zwischen Tag und Nacht zu scheiden.
         Und sie sollen Zeichen und Zeiten sein
         Um durch sie die Schaltung der Monde zu heiligen.
(15)   Und sie sollen am Himmelsfirmament strahlen
         Um die Erde zu erleuchten.
      Und es ward so nach seinem WORT.

(16) Und das WORT JJJ's schuf die zwei großen Leuchten,
      Die große Leuchte, daß sie herrsche bei Tag,
      Und die kleine Leuchte, daß sie herrsche bei Nacht,
      Und die Ordnung der Sterne.
(17) Und die Herrlichkeit JJJ's setzte sie
      An das Firmament des Himmels
      Um über die Erde zu leuchten
      Und über Tag und Nacht zu herrschen
      Und zwischen Licht und Finsternis zu scheiden.
      Und es wurde offenbar vor JJJ
      Daß es schön und geordnet.
(19) Und es ward Dämmerung und es ward Morgenrot:
      Ordnung des Werkes „im Anfang": 4. Tag.

———

(20) Und das WORT JJJ's sprach:
         Es wimmle das Wasser von wimmelnden Lebewesen,
         Und Vögel sollen über die Erde hinfliegen
         Durch die Lüfte des Himmelsfirmaments.
(21) Und JJJ erschuf die zwei großen Meeresungeheuer
      Und alle dahingleitenden Lebewesen
      Von denen das Meer wimmelt, nach ihren Arten,
      Und alle Vögel, die fliegen, nach ihren Arten.

Und es wurde offenbar vor JJJ
Daß es schön und geordnet.

(22) Und das WORT JJJ's segnete sie, s p r e c h e n d :
Seid stark und zahlreich
Und erfüllet die Wasser des Meeres,
Und die Vögel sollen sich mehren auf Erden.

(23) Und es ward Dämmerung und es ward Morgenrot:
Ordnung des Werkes „im Anfang": 5. Tag.

――――

(24) U n d d a s W O R T - H (G o t t e s) s p r a c h :
Es bringe die Erde Lebewesen nach ihrer Art hervor:
Vieh, Kriechtiere und wilde Tiere nach ihren Arten.
Und es geschah so nach seinem WORT.

(25) Und das WORT JJJ's erschuf
Die wilden Tiere nach ihren Arten
Das Vieh (Haustiere) nach seinen Arten,
Und alle Kriechtiere des Bodens nach ihren Arten.
Und es wurde offenbar vor JJJ
Daß es schön und geordnet.

(26) U n d J J J s p r a c h :
Laßt uns den Menschen erschaffen als unser Abbild
Uns entsprechend (ähnlich).
Und sie sollen herrschen
Über die Fische des Meeres und das Vieh
Und über alles,
Was sich regt und bewegt auf Erden.

(27) Und das WORT JJJ erschuf den Menschensohn als sein Abbild,
Als Abbild von JJJ erschuf er ihn
Männlich und weiblich erschuf er sie.

(1,28) Und die Herrlichkeit JJJ's segnete sie
U n d d a s W O R T J J J ' s s p r a c h z u i h n e n :
Werdet stark und zahlreich
Erfüllet die Erde und macht sie euch untertan
Und herrscht über die Fische des Meeres
Und die Vögel des Himmels
Und über alle Lebewesen, die sich regen auf Erden.

(29) U n d d i e H e r r l i c h k e i t J J J ' s s p r a c h :
Siehe ich gebe euch alle Pflanzen
Die Samen erzeugen, über der ganzen Erdoberfläche hin
Und alle Bäume, die Früchte tragen,
Bäume, die Samen erzeugen ―
Euch allen gebe ich sie zur Speise

(30) Und allen Lebewesen der Erde
Und allen Vögeln des Himmels
Und allem, was über den Boden hinkriecht,

Vss

In dem Odem des Lebens ist –
Alle grünenden Pflanzen zur Speise!
Und es ward so nach seinem WORT!

(31)   Und es wurde offenbar vor JJJ,
Alles, was er gemacht,
Siehe, es war schön und geordnet!
Und es ward Dämmerung und es ward Morgenrot:
Ordnung des Werkes „im Anfang": 6. Tag.

———

(2,1)   Und sie vollendeten die Geschöpfe des Himmels und der Erde.
(2)   Und das WORT JJJ's vollendete am 7. Tag
Sein Werk, das er geschaffen.
Und am 7. Tag war Sabbat und Ruhe vor IHM
Von all seinem Werk, das er geschaffen.
(3)   Und die Herrlichkeit JJJ's segnete den 7. Tag
Und erklärte ihn als heilig;
Denn an ihm war Sabbat und Ruhe vor IHM
Nach all seinem Werk,
Das die Herrlichkeit JJJ's geschaffen
(Zum Nachvollziehen).

Anmerkungen zum Targum Neophyti

Wer die obige Übersetzung des aramäischen Targum Neophyti mit dem hebräischen Text selbst, oder mit einer von dessen deutschen Übersetzungen vergleicht, wird staunen, mit welcher Freizügigkeit die aram. Meturgeman, Übersetzer, arbeitete. Jedenfalls handelt es sich nicht mehr um eine Übersetzung im streng philologischen Sinn. Es war ja nicht seine Aufgabe, eine kritisch genaue wissenschaftliche Übersetzung zu erstellen; die Notwendigkeit zur Übersetzung ergab sich vielmehr aus der Praxis des Synagogen-Gottesdienstes. Im 2. Jh. v. Chr. wurde der hebräisch verlesene Text vom Volk nicht mehr verstanden und mußte daher vom Meturgeman in das Aramäische – die Volkssprache – übertragen werden. Dabei wurden schwierige Ausdrücke umschrieben und aufgefüllt. Was aber die Targume theologiegeschichtlich so wertvoll macht, ist die Einarbeitung von neuen theologischen Ideen, die damals aktuell waren; hierzu gehört die Memra-Logos-WORT-theologie im Schöpfungsbericht.

Der Meturgeman hat große Freiheit in der Gestaltung seines Textes gehabt; trotzdem aber kann man feststellen, daß er – genauso wie die Verfasser des hebr. Urtextes – mit klar durchkomponierten Modellen arbeitete. Der Text von TargNeoph gilt als sehr gut überliefert. Zweifel beziehen sich nur auf den Eröffnungssatz des Schöpfungsberichtes Gn 1,1: „Im Anfang schuf (vollendete?) der *Sohn JJJ's*
Durch die Weisheit Himmel und Erde"
Hier wird „Sohn JJJ's" als spätere christliche Korrektur betrachtet, da das Verbindungswort „und" ausradiert worden sein soll.

Das mit den gleichen Konsonanten b r' geschriebene Wort wird anstatt mit „Sohn" mit „erschaffen" übersetzt. Der ursprüngliche Text hätte demnach gelautet:
Im Anfang schuf JJJ durch die Weisheit
Und vollendete Himmel und Erde"

Damit wird zwar das für spätere jüdische Ohren anstößige „Sohn JJJ's" aus dem Text eliminiert; das heißt aber noch nicht, daß diese Bezeichnung für den Meturgeman ebenfalls anstößig gewesen wäre. Es kann doch sinngleich mit „WORT JJJ's" verstanden werden.

Jene Stellen, an denen Memra-Logos-WORT aufscheint, sind textlich gesichert. Daher darf man neugierig sein, wem der Meturgeman das Werk der Schöpfung zuschreibt. Im hebräischen Text ist Elohim, GOTT, der Schöpfer der Welt, im Targum wird aber *Elohim* durch *JJJ* oder *Memra JJJ* oder die *Herrlichkeit des Memra* ersetzt.

a) Schöpfung durch den Memra, das *WORT* JJJ's (abgekürzt WJ):
1. Und das WJ schied zwischen Licht und Finsternis (1,4)
2. Und das WJ nannte das Licht Tag (1,5)
3. Und das WJ nannte das Firmament Himmel (1,8)
4. Und das WJ nannte die Trockene Erde (1,10)
5. Und das WJ schuf die zwei großen Leuchten (1,16)
6. Und das WJ segnete sie (1,22)
7. Und das WJ erschuf die wilden Tiere (1,25)
8. Und das WJ erschuf den Menschensohn (1,27)
9. Und das WJ vollendete am 7. Tag ... (2,2)
10. Und es ward Licht nach seines WORTes Befehl (1,3)

---

5 Vorkommen: Und es geschah nach seinem WORT (1,9.11.15.24.30)

b) Rede-Einleitungen:
In den Einleitungen zu den Schöpfungsworten wird das hebräische „Und Elohim sprach" 6mal mit „Und das WJ sprach" (1,3.6.9.11.20.28) und 1mal mit „Und das WORT des Namens sprach" (1,24) interpretiert; damit wird das Siebener- oder Wochen-Modell 6 + 1 = 7 sichtbar.

Daraus und aus der obigen Aufstellung erfolgt, daß *Memra/WORT* 10 + 5 + 7 = *22*mal vorkommt, also sooft, wie das Alphabet Buchstaben zählt. Damit wird Weltschöpfung als göttlicher Sprachvorgang erkennbar; denn alles ist durch die Memra geworden.

c) Die Herrlichkeit JJJ's:
Statt Memra wird weiters 5mal 'îqar, „Herrlichkeit", Entsprechung zum hebr. kabôd, und 1mal demû, „Abbild", verwendet:
1. Die Herrlichkeit JJJ's setzte sie an das Firmament (1,17)
2. Die Herrlichkeit JJJ's segnete sie (1,28)
3. Die Herrlichkeit JJJ's sprach (1,29)
4. Die Herrlichkeit JJJ's segnete den 7. Tag (2,2)
5. ... das die Herrlichkeit JJJ's geschaffen (2,3)
6. Als Abbild von JJJ schuf er ihn (1,27)

d) JJJ allein:
1. Und es schuf JJJ das Firmament (1,7)
2. Und es sprach JJJ (1,14)
3. Und JJJ erschuf die zwei Meerungeheuer (1,21)
4. Und JJJ sprach (1,26)

d) Dazu 7mal die Formel:
„Und es wurde offenbar vor JJJ" (1,4.10.12.18.21.25.31)

Zusammenfassend gibt dies:

(22 WORT + 4 JJJ) + 6 Herrlichkeit/Abbild = 26 + 6 = *32*
Durch die 7mal vorkommende Formel „Und es wurde offenbar vor JJJ" wird die
Zahl 32 auf den Zahlenwert für das Credo Israels an JHWH den EINEN (26 + 6 + 7 =
39) erhöht.

Im Abschnitt „Perspektiven durch die 89 HS" (S. 39) erarbeiteten wir am hebr.
Text die Formel: 32 HS mit GOTT + 7 HS mit ER = 39 SFü. Der aramäische Meturgeman hat also das gleiche Modell aufgenommen, aber mit anderen Kriterien nachgeformt. Sein erstes Ziel war das Modell der „32 wunderbaren Wege der Weisheit",
durch die die Schöpfung ins Dasein gerufen wurde (Sefär jeṣîrah I,1); dann fügte er
noch die 7 Formeln „Und es wurde offenbar vor JJJ" an, um dadurch das Credo
Israels an den einen Gott JJJ auszudrücken (26 + 13 = 39). Daran kann man sehen,
daß die Methode, sakrale Texte nach Bauplanzahlen zu formen, auch von den aramäischen Übersetzern mit großer Kunst ausgeübt wurde. – Für das richtige Verständnis des Johannes-Prologes ist der aramäische Schöpfungsbericht von größter
Bedeutung; erkennt man doch jetzt, daß Weltschöpfung durch das WORT schon
lange vor dem Johannes-Evangelium im Synagogen-Gottesdienst verkündet wurde.
Schon im hebr. Text wurde ersichtlich, daß Gott die Welt durch Sprechen (Verbum
' a m a r) ins Dasein rief; der aram. Meturgeman verdeutlicht diesen theologischen
Ansatz dadurch, daß er das Substantiv m e m r a , das „WORT", einführte. Johannes
ging einen Schritt weiter, indem er die Wort-Theologie auf Jesus, den Logos, über-
trug, um dadurch Jesus, den Christus, als die eigentliche Aussprache Gottes zu
kennzeichnen.

Zweiter Abschnitt
DER GÖTTLICHE SPRACHVORGANG IM GEWISSEN DES MENSCHEN
THEOLOGIE DES PARADIESESBERICHTES Gn 2,4–3,21

Vorfragen zum Stand der Textforschung

[Nach Claus WESTERMANN: *Genesis*. Bibl. Kommentar, Neukirchen, Bd I/1 (1974), 252 ff]

1) Zur literarkritischen Methode

Seit WELLHAUSEN hat sich die Meinung durchgesetzt, daß die Kapitel Gn 2–3 zur Quellenschrift des Jahwisten (J) gehören. Man sprach vom genialen Entwurf eines großen Geschichtstheologen und ordnete diesen in die davidisch-salomonische Zeit ein.

b) Widersprüche im Text, vor allem die zwei Bäume des Paradieses, wurden als spätere literarische Zusätze betrachtet. Bei der Absonderung von Zusätzen spielten bereits religionsgeschichtliche Wertungen mit; der Baum des Lebens gehöre zur mythischen Volksreligion, der Baum der Erkenntnis zur hochstehenden geistig-ethischen Religion. (N.B.: Ein ähnliches religionsgeschichtliches Schema war bereits bei WELLHAUSENS Quellenabgrenzung mitbestimmend: zuerst Animismus – dann Polytheismus – Henotheismus – schließlich Monotheismus.) „Alle literarkritischen Erklärungsversuche wollen aber nicht recht befriedigen" (West. 256)

2) Zur form- und gattungsgeschichtlichen Methode

GUNKEL verlegte sein Interesse vom jetzt vorliegenden Text weg in dessen Vorstadien. Er unterschied zwei Überlieferungsströme: J¹ (JHWH – Baum des Lebens – Nomaden), J² (Elohim – Baum der Erkenntnis – Bauern). Beide Fassungen seien im vorliterarischen Stadium als selbständige Schichten erzählt worden, anders bei den Nomaden und anders bei den Bauern. Jedenfalls scheint der Verfasser (Jahwist) die Schöpfungserzählung Kap. 2 bereits in fester Form vorgefunden zu haben; andere betrachten den Paradieses-Mythos ebenfalls als vorgegebene Erzählungseinheit. Die eigentliche Formung des Textes fand also im vorliterarischen Stadium bereits statt.

3) Zur traditionsgeschichtlichen Methode:

Nicht bloß in Israel habe es Urzeiterzählungen gegeben, sondern auch in der ganzen altorientalischen Umwelt. In dieser Vorzeit haben die Urwelt-Stoffe bereits viele Wandlungen durchgemacht und Anreicherungen aufgenommen. Das bedeutet, daß Gn 2–3 als Ganzes kaum nur israelitisches Gut sein kann, auch wenn die entscheidende Prägung erst auf israelitischem Boden erfolgt ist. Die sogenannte literarische Einheit J löst sich demnach in viele Überlieferungsströme auf, die bereits bis nach Babylon, Ägypten und weiter hinaus weisen.

Auf Grund dieser Forschungslage entwirft WESTERMANN folgende vier arbeitsmethodische Vorschläge (258):

1' Gn 2–3 ist nicht als freie Schöpfung des Jahwisten entstanden!

2' Gn 2–3 ist allmählich geworden; es zeichnen sich viele Stadien des Wachsens ab. Die Erklärung muß daher die lange Entstehungsgeschichte des Textes einarbeiten!

3' Weltanschauliche und dogmatische Vorentscheidungen wären zu vermeiden! (Anspielung auf das religionsgeschichtliche Entwicklungsschema sowie auf einseitig dogmatische Fixierungen).

4' Trotz der Tiefenperspektive ist aber vom *Textganzen* und von seiner Struktur auszugehen! Nur solche Erklärungen führen zum Ziel, die auf dem Textganzen aufbauen.

„Eine Grundvoraussetzung für die Auslegung einer Erzählung wie Gn 2–3 ist die Bescheidung auf das, was sie selbst sagen will. Die Erzählung ist als *Ganzheit* konzipiert; die Auslegung muß sich streng an den in der Erzählung dargestellten Geschehensbogen halten. Sie muß vom Ganzen ausgehen, das der Geschehensbogen darstellt. Gn 2–3 ist eine ursprünglich mündlich erzählte Geschichte, die ihre Prägung in einem größeren Zusammenhang von Erzählungen bekam, in dem sie eine unter vielen war. Abgesehen davon, ob direkte Parallelen zu Gn 2–3 gefunden sind oder nicht, müssen wir von der Tatsache ausgehen, daß der Gegenstand, von dem Gn 2–3 erzählt – Erschaffung des Menschen, Verfehlung des Menschen, Entstehung von Mühsal, Schmerz und Tod –, in den Zusammenhang des Urgeschehens gehört, von dem einmal auf der ganzen Welt erzählt wurde" (259).

Erstes Kapitel
GESANG VOM PARADIES (Gn 2,4–3,21)

Text und Bauplan der Sätze

Im folgenden bringen wir eine möglichst wortgetreue Übersetzung des hebräischen Textes. In der Analyse der Struktur konzentrieren wir uns auf die Hauptsätze (HS) und zählen diese am linken Rand durch. – Der Text läßt sich in zwei „Tafeln" aufgliedern:
A) Formung von Adam und Eva – B) Sündenfall.
Anschließend an die Übersetzung untersuchen wir gleich die Struktur der HS.
Da der GESANG VOM PARADIES auch im Wortbestand klar durchkomponiert wurde, bringen wir im „Zweiten Kapitel" den Bauplan der Wörter. Wenn die Ergebnisse der Untersuchung des Wortbestandes auch nur von jenen kontrolliert werden können, die des Hebräischen kundig sind, so hat doch auch der, der über keine Kenntnisse des Hebräischen verfügt, ein Recht darauf, zu erfahren, in welchem Maße der Urtext „bis in sein Innerstes" durchgeformt, und wie er gebaut wurde.

Überschrift: Das ist die Entstehung von Himmel und Erde
Bei ihrer Erschaffung (Gn 2,4a)

A) FORMUNG VON ADAM UND EVA
I. Ordnung, 1. Tafel (Gn 2,4b–25)

I. Formung Adams (2,4b–17)

Vss	HS	
(4b)	1.	Am Tag als Gott-JHWH Erde und Himmel machte
		Da war noch kein Strauch des Feldes auf der Erde
(5)	2.	Noch wuchs eine Pflanze des Feldes
		Da Gott-JHWH noch nicht auf die Erde geregnet
	3.	Und kein Mensch war da
		Den Acker zu bearbeiten
(6)	4.	Und eine Quelle stieg aus der Erde empor
	5.	Und tränkte die ganze Fläche des Ackers
(7)	6.	Und Gott-JHWH formte den Menschen aus Staub vom Acker
	7.	Und blies in seine Nase den Hauch des Lebens
	8.	Und der Mensch ward zu einem lebenden Wesen
(8)	9.	Und Gott-JHWH pflanzte einen Garten in Eden im Osten
	10.	Und versetzte dorthin den Menschen, den er geformt
(9)	11.	Und Gott-JHWH ließ aus dem Acker allerlei Bäume sprießen
		Köstlich zum Anschauen
		Und gut zum Essen
		Den Baum des Lebens in der Mitte des Gartens
		Und den Baum der Erkenntnis von Gut und Bös

Vss   HS

(10) 12. Und ein Fluß ging aus von Eden
          Um den ganzen Garten zu bewässern
      13. Und von dort teilte er sich
      14. Und wurde zu vier Häuptern
(11) 15. Der Name des einen war Pîšôn
          Der das ganze Land Hawîla umkreist
          Wo das Gold ist
(12) 16. Und das Gold dieses Landes ist gut
      17. Dort (gibt es) Bedolaḥ-Harz und Šoham-Stein

(13) 18. Und der Name des zweiten ist Gîḥôn
          Der das ganze Land Kuš umkreist
(14) 19. Und der Name des dritten Flusses ist Ḥiddäqäl
          Der östlich von Assur läuft
      20. Und der vierte Fluß, das ist der perat
(15) 21. Und Gott-JHWH nahm den Menschen
      22. Und versetzte ihn in den Garten Eden
          Um ihn zu bebauen
          Um ihn zu behüten

_____

(16) 23. Und Gott-JHWH gebot dem Menschen
          zu sagen (sagend):
      24. Von jedem Baum des Gartens darfst du essen, ja essen
(17) 25. Und vom Baum der Erkenntnis von Gut und Bös
          Von dem sollst du nicht essen
      26. Denn am Tage, an dem du von ihm ißt
          Wirst du sterben, ja sterben

II. Formung Evas (Gn 2,18–25)

(18) 1. Und es sprach Gott-JHWH:
      2. Es ist nicht gut
         Daß der Mensch für sich allein sei
      3. Ich mache ihm eine Hilfe als sein Gegenüber

_____

(19) 4. Und es formte Gott-JHWH aus dem Acker
         Jedes Tier des Feldes und jeden Vogel des Himmels
      5. Und führte sie zu Adam
         Um zu sehen, wie er sie rufe
      6. Und siehe, wie Adam das Lebewesen rief
         Das ist sein Name
(20) 7. Und Adam rief die Namen von jedem Vieh
         Und jedem Vogel des Himmels
         Und von jedem Tier des Feldes
      8. Und für Adam fand sich keine Hilfe
         Als sein Gegenüber

Vss   HS

(21) 9. Und Gott-JHWH ließ einen Tiefschlaf
         Auf Adam fallen
     10. Und er schlief ein

     11. Und er nahm eine von seinen Rippen
     12. Und schloß das Fleisch darunter
(22) 13. Und Gott-JHWH baute die Rippe
         Die er von Adam genommen
         Zum Weibe aus
     14. Und er führte es zu Adam
(23) 15. Und Adam sprach:
     16. Diesmal (ist es) Knochen von meinen Knochen
         Und Fleisch von meinem Fleisch
     17. Darum wird sie *frowe* gerufen
         Weil sie vom *fron* genommen ist
(24) 18. Darum wird der Mann seinen Vater
         Und seine Mutter verlassen
     19. Und seinem Weibe anhangen
     20. Und sie werden zu einem Fleisch
(25) 21. Und sie beide waren nackt, Adam und sein Weib
     22. Und sie schämten sich nicht voreinander

Zur Struktur:

Wie wir schon unter „Stand der Textforschung" kurz skizziert haben, sollen im Gesang über das Paradies und über die Formung der ersten Menschen uralte Überlieferungen zu einer neuen literarischen Einheit verschmolzen sein. Die verschiedenen möglichen Vorstufen wurden schon vielfältig und auch einander widersprechend untersucht. Da wir aber der Überzeugung sind, daß die vornehmste Arbeit des Erklärers darin besteht, den jetzt vollendet vorliegenden Text nach seiner Struktur zu untersuchen, bevor man etwaige Vorstufen postuliert, befragen wir den Text nach seinen Baugesetzen. Hierbei verwenden wir keine fremdartige Terminologie wie sie in der Textlinguistik eingeführt wurde; wir folgen der üblichen hebräischen Grammatik, die – wie die jeder anderen Sprache – mit Haupt- und Nebensätzen (HS, NS) arbeitet. Im Schöpfungsbericht haben wir sowohl die HS als auch die NS ausgehoben und durchgezählt, und dabei überraschende Ergebnisse erzielt. Hier schlagen wir – um das Ganze übersichtlicher zu gestalten – einen einfacheren Weg ein: wir beschränken uns auf die HS. Dies soll aber nicht heißen, daß die Bauart der NS belanglos wäre; es soll nur aufgezeigt werden, daß schon die HS allein bauplanmäßig ausgerichtet sind. – Unsere Übersetzung folgt genau der hebr. Vorlage; daher kann auch an dieser Übersetzung der Bauplan der HS streng nachkontrolliert werden.

Wir haben die Weltschöpfung bereits als göttlichen Sprachvorgang bezeichnet; denn durch „die X Worte hat Gott die Welt geschaffen". Hierbei stießen wir auf das Alphabet-Modell: alles, was existiert, ist durch das Wort geworden. Die 22 hebräischen Buchstaben, die verschieden verbunden werden können, bilden nun einmal das Grundgerüst der hebr. Sprache. Man ist wohl überrascht, wenn man herausfindet, daß sowohl der Text über die Formung Adams als auch jener über die Formung Evas je 22 HS bringt. Soll damit ausgesagt werden, daß auch die Erschaffung des ersten Menschenpaares als göttlicher Sprachvorgang zu betrachten ist? Auch die Teilwerte dieses Modells (3 + 7 + 12) lassen sich nach dem Inhalt abgrenzen.

a) Die Formung Adams:
Am Anfang steht die Schilderung des Noch-nicht-Zustandes mit *3 HS*; mit HS 4 beginnt die positive Schilderung: Wasser aus der Tiefe — Formung des ersten Menschen — Versetzung in den Garten — mit *7 HS*. Mit dem 11. HS beginnt die Schilderung des Gartens: vielerlei Bäume — Ströme — der Mensch als Hüter des Gartens — mit *12 HS*; damit wäre an sich ein Abschluß erreicht. Doch mit HS 23 setzt das Gebot Gottes, mit *4 HS* ein. Gerade durch dieses Gebot wurde der Mensch in die Entscheidung gestellt; das Gebot des Gottes JHWH bildet das Zentrum im Gesang vom Paradies. Wir erhalten also die Bauformel $(3 + 7 + 12) + IV = 22 + IV = 26$, d. i. der Zahlenwert des Gottesnamens JHWH!

b) Zur Formung Evas:
Das Sprechen Gottes: „Es ist nicht gut, daß der Mensch allein sei" eröffnet den Bericht über die Erschaffung Evas, mit *3 HS*; dann folgt der *negative* Bericht: kein Gegenüber für Adam unter den Tieren — Adams Tiefschlaf. Bis zu Adams Einschlafen (HS 10) sind es genau *7 HS*; nun folgt das *positive* Werk: Formen der Eva aus der Rippe — Adams Jubel — Ehegesetz — (4 + 3 + 5 =) *12 HS*. Durch den Inhalt wird zugleich die Teilung dieser 12 HS nach dem kosmischen Dreieck Platons (Seitenlänge 3 + 4 + 5) ausgedrückt. — Daraus folgt, daß auch der Abschnitt über die Formung Evas nach dem Alphabet-Modell mit den Teilwerten 3 + 7 + 12 = *22* durchkomponiert wurde.

Ergo: Mögen auch alte Überlieferungen aufgenommen worden sein, so hat der Verfasser doch ein in sich geschlossenes neues Kunstwerk geschaffen. Aus der Tatsache, daß er ausgerechnet das Alphabet-Modell zur Formung seines Textes wählte, kann geschlossen werden, daß er nicht bloß die Erschaffung der Welt im allgemeinen, sondern auch die der ersten Menschen im besonderen als göttlichen Sprachvorgang verstand. In welchem Maße man am Sprachvorgang interessiert war, zeigt der aram. Targum Neophyti. Der hebr. Satz (2,7c) „Und der Mensch ward zu einem lebenden Wesen" wird erklärend erweitert zu „Und der Mensch ward zu einem *sprechenden* Lebewesen".

B) SÜNDENFALL

I. Ordnung, 2. Tafel (Gn 3,1–21)

I. Die Versuchung (3,1–5)

Vss	HS	
(1)	1.	Und der Drache war listiger als alles Getier des Feldes Das Gott-JHWH gemacht.

	2.	Und er sagte zum Weibe:
	3.	Hat Gott denn wirklich gesagt:
	4.	Eßt nicht von allen Bäumen des Gartens!
(2)	5.	Und das Weib sagte zum Drachen:
	6.	Von der Frucht der Bäume des Gartens mögen wir essen
(3)	7.	Doch von der Frucht des Baumes, der mitten im Garten Hat Gott gesagt:
	8.	Ihr sollt von ihm nicht essen
	9.	Und ihn nicht anrühren Damit ihr nicht sterbet
(4)	10.	Und der Drache sagte zum Weibe:
	11.	Ihr werdet nicht sterben, nicht sterben
(5)	12.	Denn Gott ist ein Wissender!
	13.	Denn an dem Tag, da ihr davon eßt Werden eure Augen aufgetan
	14.	Und ihr werdet sein wie Gott Wissend um Gut und Bös.

II. Sündenfall (3,6–7)

(6)	15.	Und das Weib sah Daß der Baum gut zum Essen Und daß er eine Lust für die Augen Und (daß) der Baum anreizend Klug zu werden.
	16.	Und sie nahm von der Frucht
	17.	Und aß
	18.	Und sie gab auch ihrem Manne bei ihr
	19.	Und er aß.
(7)	20.	Da öffneten sich die Augen der beiden
	21.	Und sie erkannten, daß sie nackt waren
	22.	Und sie flochten Feigenblätter
	23.	Und machten sich Schurze.

III. Das Verhör (3,8–13)

(8)	1.	Und sie hörten die Stimme des Gottes JHWH Der sich im Garten beim Tagwind erging
	2.	Da versteckten sich Adam und sein Weib Vor dem Antlitz des Gottes JHWH Inmitten der Bäume des Gartens

Vss   HS

(9)   3. Und Gott-JHWH rief nach Adam:
       4. Und sagte ihm:
       5. Wo bist du?
(10)   6. Und er sagte:
       7. Ich hörte deine Stimme im Garten
       8. Und fürchtete mich, weil ich nackt bin
       9. Und ich versteckte mich.
(11) 10. Und er sagte:
      11. Wer hat dir verkündet, daß du nackt bist?
      12. Hast du vom Baum
          Von dem ich dir geboten, nicht von ihm zu essen
          Gegessen?
(12) 13. Und Adam sagte:
      14. Das Weib, das du mir beigegeben
          Die gab mir vom Baum
      15. Und ich aß.
(13) 16. Und Gott-JHWH sagte zum Weibe:
      17. Was hast du da getan?
      18. Und das Weib sagte:
      19. Der Drache verführte mich
      20. Und ich aß.

IV. Das Gericht (3,14—19)

(14) 21. Und Gott-JHWH sagte zum Drachen:
      22. Weil du das getan
          Sei verflucht unter allem Vieh
          Und unter allen Lebewesen des Feldes
      23. Auf dem Bauch sollst du gehen
      24. Und Staub fressen alle Tage deines Lebens
(15) 25. Und Feindschaft setz' ich zwischen dich und das Weib
          Und zwischen deinen Samen und ihren Samen
      26. Er stößt dir auf das Haupt
      27. Und du stößt gegen seine Ferse. —S—

(16) 28. Und zum Weibe hat er gesagt:
      29. Ich werde deine Beschwernis und Schwangerschaft mehren und mehren
      30. In Beschwernis sollst du Kinder gebären
      31. Und nach deinem Mann sei deine Begier
      32. Und er herrsche über dich —S—

(17)   1. Und zu Adam hat er gesagt:
       2. Weil du auf die Stimme deines Weibes gehört
          Und von dem Baume gegessen, von dem ich gebot:
       3. — Du sollst nicht essen von ihm! —
          Sei deinetwegen der Acker verflucht.
       4. Mit Mühsal sollst du von ihm essen
          Alle Tage deines Lebens

Vss   HS

(18)   5. Disteln lasse er wachsen und Dornen
       6. Und du ißt die Kräuter des Feldes
(19)   7. Im Schweiße deines Angesichtes sollst du dein Brot essen
         Bis du zum Acker zurückkehrst
         Von dem du doch genommen bist
       8. Denn Staub bist du
       9. Und zum Staub wirst du zurückkehren

V. Schluß (3,20–21)

(20)   10. Und Adam rief den Namen seines Weibes Ḥawwah (Eva)
         Die doch die Mutter aller Lebenden wurde
(21)   11. Und Gott-JHWH machte für Adam und sein Weib
         Röcke aus Fellen
      12. Und bekleidete sie. —P—

Zur Satzstruktur:

Zunächst muß die Frage nach der Abgrenzung des Textes geklärt werden. Gehört der Bericht über die Vertreibung aus dem Paradies und über die Aufstellung der Cherubim als Wächter des Paradieses (3,22) noch zum Gesang vom Paradies? Vom Inhalt her möchte man mit JA antworten; doch die Handschrift CodLen weist eine andere Richtung: denn Vs 21 schließt mit einer „offenen" Zeile (p e t û ḥ a h), die zugleich das Ende der ersten Ordnung (s e d ä r) anzeigt. Die Vertreibung schließt aber mit einer „geschlossenen" Zeile (s^e t u m a h), gehört also schon zum nächsten Abschnitt, der erst 4,26 wieder mit einer „geschlossener" Zeile schließt. Da diese Einteilung in Abschnitte nicht bloß erst aus der späteren Lese-Ordnung der Synagoge stammt, sondern viel älter ist — manche sagen sogar, so alt wie der Text selbst — tun wir gut daran, dieser Abschnitts-Einteilung zu folgen. Ob sie auch textintern zu verantworten ist, soll die Analyse der Satzstruktur entscheiden.

Doch bevor wir unsere logotechnische Untersuchung durchführen, bringen wir die *„Charakteristik der literarischen Art"* der Paradieseserzählung nach H. GUNKEL: *Genesis.* 7. Aufl. 1966, 26 ff. Obwohl GUNKEL mehrere Quellenschichten voraussetzt, kommt er zu folgendem Urteil: „Die Erzählung ist in sich geschlossen ... Ästhetisch betrachtet gehört die Erzählung zu den schönsten der Genesis ... der Hauch des Mythischen ist noch nicht ganz verflogen, aber doch ist alles Fremdartige, Barbarische ausgetrieben. Bewunderungswürdig ist Kap 3 durch seine höchst komplizierte Seelenmalerei, durch die Kunst, intimste Stimmungen in schlichtem Worte oder in einfacher Handlung wiederzugeben, durch die schöne Folgerichtigkeit der Begebenheiten und durch die geniale Disposition; besonders zu beachten ist die zarte Keuschheit, mit der das geschlechtliche Motiv behandelt wird, sowie der große Ernst, mit dem der Erzähler von Gott und von der Sünde spricht. In Summa: (Für jene Zeit) tiefste Gedanken über Mensch und Gott, und in höchst anschaulicher Form; ein wundervoller mythologischer Stoff, abgeklärt zu ‚edler Einfalt': Genesis 3 ist die Perle der Genesis."

GUNKEL setzt zwar voraus, daß die Erzählung „ursprünglich poetische Form gehabt hat" (39); man kann und muß aber fragen, ob die jetzige Form nicht ebenfalls eine klar durchkomponierte Form ausweist? Damit sind wir bei der logotechnischen Fragestellung angelangt.

Der Gesang vom Sündenfall ist einem Mysterienspiel vergleichbar, da doch die direkten Reden überwiegen; daher haben wir durch eingefügte Zwischentitel dieses Spiel bereits in V. Akte gegliedert: Versuchung − Sündenfall − Verhör − Gericht − Schluß. Erfaßt man den Bestand der HS, tritt das Modell der erhöhten Tetraktys in Erscheinung.

a) Versuchung + Sündenfall bringen 23 HS (3,1−7):
Die Summe 23 wird meist über die Summe *22* der hebr. Buchstaben − gegliedert in *3 + 7 + 12 −*, mit einem Zusatzwert *1* erhöht, erreicht. Wenn wir den Bestand der HS nach ihrer Verteilung auf Bericht − Einleitung zur Rede − und direkte Rede erfassen, treten die Teilwerte in Erscheinung. Im besonderen ist darauf zu achten, daß in die Rede des Drachen und des Weibes je eine Gottesrede eingebaut ist, die wir eigens ausheben. Wir erhalten also folgendes Bild

Vss	B	B+E:	R
3,1	1^+	1:	1 Drache + 1 Gott
2−3		1:	2 Weib + 2 Gott
4−5		1:	4 Drache
6−9		9	

$$1^+ + 12 + 7 \qquad + 3 = \underline{1^+ + 22 = 23 \text{ HS}}$$

Der Einführungssatz „Und der Drache war listiger…" bildet den Erhöhungswert $\underline{1}^+$, die eingebauten Gottesreden mit *3* HS entsprechen den 3 „Müttern" des hebr. Alphabets, die *7* HS im ersten Redegang entsprechen den 7 „doppelten", die verbleibenden *12* HS von Bericht + Einleitung von 12 einfachen Konsonanten. Wir erhalten also die genau nach Modell durchkomponierte eine Hälfte der Tetraktys, *23* HS.

b) Verhör + Gericht bringen 32 HS (3,8−16):
Da in diesem Abschnitt die direkten Reden überwiegen, scheint es angezeigt, die thematisch zusammengehörenden HS nach Sprechern zu erfassen.

Vss	B	E:	R	=	Gott	Adam	Eva
3,8−9	3 +	1:	+ 1	=	5		
10		1:	+ 3	=		… 4	
11		1:	+ 2	=	3	*X*	
12		1:	+ 2	=		… 3	
13a		1:	+ 1	=	2		
13b		1:	+ 2	=			… 3
14−15		1:	+ 6	=	7	*12*	
16		1:	+ 4	=	5		

$$X + 12 + 7 + 3 = \underline{X + 22 = 32 \text{ HS}}$$

In den je auf Gott-JHWH, auf Adam und auf Eva bezogenen HS wird demnach das Modell der „32 wunderbaren Wege der Weisheit" sichtbar, das zugleich die spiegelbildliche Ergänzung zur Zahl 23 bildet. Die Summe beider Zahlen 23 + 32 = 55, d. i. die Summe der arithmetischen Reihe von 1 bis 10, also die Summe der Tetraktys einfachhin.

c) Das Urteil über Adam + Schluß mit XII HS (3,17−21):
Der Spruch über Adam wird durch eine „geschlossene" Zeile (s e t û m a h) vom vorausgehenden Text abgehoben. Daher ist man berechtigt, diesen Abschnitt als literarische Einheit zu betrachten. Auch hier ist darauf zu achten, daß in die laufende Rede eine Sekundärrede eingebaut ist; daher die Aufgliederung der XII HS:

4 HS Fluch − 5 HS Disteln ... − 3 HS Schluß

also nochmals die Teilwerte des kosmischen Dreiecks nach Plato.

Ergo:

Aus all dem muß gefolgert werden, daß die Erzählung vom Paradies nicht bloß ursprünglich eine „poetische Form" (GUNKEL) gehabt hat, sie zeigt vielmehr in der jetzigen Gestalt eine streng nach Modellwerten durchkomponierte poetische Form. Die Dichte der Form ist so stark, daß man die ganze Form zerstören würde, wenn man auch nur einen einzigen Satz einfügte oder wegließe. Man kann daher nicht bloß nur von einem „Endredaktor" sprechen, der altüberlieferte Quellen recht und schlecht in eine andere Fassung gebracht habe. Hier ist mehr als ein bloßer Redaktor am Werk gewesen. Man muß vielmehr von einem selbständigen Verfasser und Dichter des verlorenen Paradieses sprechen, der sowohl den Stoff als auch die dichterische Form meisterhaft beherrschte. Wenn nun schon die sprachliche Formung des Textes ein Meisterwerk ist, so erst recht der Inhalt. Man kann mit Recht annehmen, daß auch kein einziges Wort bloß zufällig gesetzt wurde. Daher überrascht es nicht, daß der Text mehrere Perspektiven zeigt. Wer bloß beim mythischen Vordergrund stehenbleibt, hat seine Tiefe nicht erfaßt. Die allegorische Deutung Philos, auf die wir noch näher eingehen werden, zeigt eine dieser Tiefenschichten auf. Dasselbe gilt auch von der aramäischen Übersetzung Targum Neophyti.

Zweites Kapitel
GESANG VOM PARADIES (Gn 2,4–3,21)

Bauplan der Wörter

Nachdem die Analyse der HS derart überraschende Baupläne erbracht hat, muß man weiterfragen, ob das Bauen nach Modellzahlen sich auch auf den Wortbestand bezieht. Die hebräische Sprache ist grundlegend anders gebaut als die deutsche; daher ist es unmöglich, eine wortgetreue Übersetzung zu erstellen. Da aber die Bestandsaufnahme des hebräischen Wortbestandes erstaunliche Werte ergab, ist es geradezu unsere Pflicht, die wichtigsten Ergebnisse zu bringen; dadurch gewinnt man einen wesentlichen neuen Einblick in die Arbeitsweise des Verfassers.

Der klaren Übersicht halber heben wir in Tabellen den Wortbestand nach den Bauelementen Bericht (B), Einleitung zur Rede (E:) und direkte Rede (R) aus:

A) ERSTE TAFEL (Gn 2,4–25)

	B	E:	R
Überschrift (2,4a)	V		
I. Formung Adams (4b–17):			
a) Noch-nicht (4b–5)	29		
b) Erschaffung Adams (6–8)	37		
c) Paradies (9–15)	82		
d) Gebot (16–17)		6:	18
II. Formung Evas (18–25):			
a) Es ist nicht gut allein (18)		3:	9
b) Schau der Tiere (19–21b)	50		
c) Erschaffung Evas/Rippe (21c–22)	19		
d) Jubilus (23)		2:	13
e) Weisheitsspruch (24–25)	20		
Summe der Wörter:	V+237	11:	40 = 288

$$248$$

B) ZWEITE TAFEL (Gn 3,1–21)

	B	E:	R	e:	r
I. Versuchung (3,1–5):					
a) Drache (1)	10	3:	4!	–	5
b) Eva (2–3)		4:	9	2:	8
c) Drache (4–5)		4:	17		
II. Sündenfall (6–7)	34				
III. Das Verhör (8–13):					
a) Verstecken (8)	18				
b) Gott (9)		7:	1		
c) Adam (10)		1:	9		
d) Gott (11)		1:	9	2:	3
e) Adam (12)		2:	10		
f) Gott (13ab)		4:	3		
g) Eva (13c–e)		2:	3		
IV. Gericht (14–19):					
a) zum Drachen (14–15)		5:	33		
b) zum Weibe (16)		3:	13		
c) zu Adam (17–19)		2:	40	3:	3
V. Schluß/Bekleidung (20–21)	19				
Summe der Wörter:	81	38	151 + 7: +19 = 296		

$$\underbrace{151 + 7: + 19}_{177}$$

	Zusammenfassung:	B	E:	R	Summe
Überschrift		V			
I. Tafel		237 + 11: + 40			
II. Tafel		81 + 38: +177			

$$V + 318 + 49 + 217 = V + 584 \text{ Wörter}$$

Um aus dem Dschungel der verschiedenen Meinungen herauszufinden, postulierte WESTERMANN die *Ganzheitsmethode.* Wenn man aber die Literatur einsieht, stößt man wieder auf die Tatsache, daß Ganzheiten verschieden abgegrenzt werden. Daher schien es mir arbeitsmethodisch als das Klügste, auf die Einteilung in ORDNUNGen = s e d a r î m (Sing.: s e d ä r) zurückzugreifen, wie sie in der ältesten vollständigen Handschrift, im Codex Leningrad, vorliegt. Man könnte vorschnell behaupten, daß diese Einteilungen ein spätes Produkt der Synagogenliteratur wären. Doch so rasch sollte man nicht urteilen; denn es wäre nicht ausgeschlossen, daß hier tatsächlich ursprüngliche Ganzheiten abgegrenzt wurden. Der Schöpfungsbericht Gn 1,1–2,3 steht außerhalb der Sedär-Einteilungen. Er gilt als Aufgesang oder Proömium. In der Antike begann die Zählung der Kapitel eines Buches nicht mit dem Anfang desselben. Dieser stand immer eigens für sich als Initium. Die I. ORDNUNG – Sedär – umfaßt Gn 2,4–3,21. Kann diese ORDNUNG auch strukturmäßig als Einheit oder Ganzheit erwiesen werden?

Bei der Aufgliederung des Textes lassen wir die literarkritischen und andere Gesichtspunkte einstweilen beiseite und erfassen den Text nach den urelementaren Gegebenheiten, die da sind: erzählender Bericht (B), in den durch stereotype Einleitungsformeln (E:) direkte Reden (R) eingebaut wurden. Wir erhalten als Gesamtschema:

V Überschrift + 318 B + 49 E: + 217 R = V + 584 Wörter.

Die Überschrift (4a): „Das sind die Toledot ..." mit V Wörtern, eröffnet somit die erste ORDNUNG. Das corpus der Paradieseserzählung zählt demnach 584 Wörter (!).

1) Gesamtsumme und Sternenjahr (584):

Soll man es als bloßes Spiel des Zufalls auffassen, daß als erstes die zwei Zahlen V + 584 aufscheinen? Es handelt sich um zwei typische Ischtar-Venus-Zahlen. Die synodische Umlaufzeit des Morgen/Abendsternes beträgt nämlich 584 Tage. Dies war bereits den Babyloniern bekannt. Vera SCHNEIDER handelt darüber ausführlich in ihrem Buch: *„Gilgamesch"* (Zürich 1967, 115 und 118): „Durch fünf auf einander folgende untere Konjunktionen des Venussternes (die ungefähr alle 9 1/2 Monate eintritt), wird der Tierkreis in ebensoviele gleiche Teile zerlegt. Diese fünf Punkte lassen sich zu einem Fünfstern verbinden."

Würden diese Sternenzahlen bloß im Gesamtaufriß zum Vorschein kommen, könnte man von Zufall reden. Wie die weitere Untersuchung zeigt, bestimmen die Ischtar-Zahlen sogar die Struktur des Textes: denn zu den 584 Tagen und den 5 Schnittpunkten im Tierkreis kommt noch 15 als Symbolzahl für Ischtar.* Ninive hatte, als Stadt der Ischtar, 15 Tore. In Assurbanipals Inschrift heißt es einmal: 3 x 5 = 15! 15! 15! (A. JEREMIAS: ATAO ³1930, 824). Nun bringt ORDNUNG I ausgerechnet genau 15 Reden und 150 von JHWH-Elohim gesprochene Wörter. Daher könnte man sagen, daß über dem Bericht, der den Morgen der Menschheit schildert, symbolisch das Licht des Morgensternes aufleuchtet. Im Deutschen ist Morgenstern männlichen, im Alten Orient dagegen weiblichen Geschlechts, Sinnbild der großen Himmelskönigin und Mutter der Menschen. Der Schöpfungsbericht war vom Jubiläen-Sonnenjahr bestimmt. Hier ist aber das Sternenjahr Abbild für Form und Struktur des Textes.

Nun gibt es zwei Texte im AT, in denen Schöpfung und Sündenfall mit dem Morgenstern in Zusammenhang gebracht werden.

Hiob 38,4–7:

Wo warst du, als ich die Erde gründete
Erzähle es mir, wenn du Weisheit und Kenntnis hast

Ja, weißt du, wer ihre Maße bestimmt hat,
oder wer über sie die Richtschnur gezogen?
Worauf wurden ihre Pfeiler eingesenkt
und wer hat den Schlußstein gesetzt

beim Jubel der Morgensterne
beim Jauchzen aller Gottessöhne?

---

* Anm.: Die Zahl 15 gilt als Potenzierung der Zahl 5; vgl. dazu das Magische Quadrat der Fünf (V. SCHNEIDER, l.c. 115 und 116)

senkrecht:	15	6	1	8
waagrecht:	15	7	5	3
diagonal:	15	2	9	4

Jesajah 14,11—12:
> (Klagelied auf den Sturz des Weltherrschers Babel)
> Deine Hoheit ist hinunter zur Hölle gefahren
> mitsamt dem Klang deiner Harfen.
> Gewürm ist dein Bett und Würmer deine Decke.
> Ach, wie bist du vom Himmel gefallen,
> glänzender Stern, Sohn der Morgenröte
> Wie wurdest du zu Boden geschlagen,
> der du alle Völker niederschlugst!

Der Hymnus des Hiob bringt also den Morgenstern (wahrscheinlich Singular statt Plural zu lesen!) in Zusammenhang mit der Weltschöpfung, wozu auch die Erschaffung des Menschen gehört. — Das Klagelied Jesajahs schildert den Sturz Babels ähnlich wie den Sturz des ersten Menschen. Nach Gn 1,26 ff war Adam zum Herrschen bestimmt; das gleiche gilt von Babel. Aber warum wurde Babel gestürzt? Es wollte Gott gleich sein wie Adam.

Jesajah 14,13:
> Du aber dachtest in deinem Herzen:
> Ich will in den Himmel aufsteigen,
> und meinen Thron über die Sterne Gottes erhöhen
> ich will mich setzen auf den Thron der Versammlung am Nordberg
> (Gottesberg),
> ich will auffahren über die hohen Wolken
> und gleich sein dem Allerhöchsten

ergo scheint die Ausrichtung des Wortbestandes von Sedär I auf das Jahr des Morgensternes kein Zufall zu sein. Die beiden angeführten Zitate verwenden das Symbol „Morgenstern" das einemal zur Bezeichnung der Herrlichkeit, das anderemal zur Bezeichnung des Falles (Adams). Daher kann Sedär I tatsächlich als literarsymbolische Texteinheit oder Ganzheit verstanden werden.

2) Berichte und Lichtmond:

Als Summe aller Berichte erhielten wir 318 Wörter. Diese Zahl ist aus dem Bericht über Abrahams Kriegszug gegen die Ostkönige geläufig (Gn 14,14). Dort heißt es, daß Abraham seine 318 „Geweihten" (ḥanîk) musterte, den feindlichen Königen bis nach Dan nachjagte und seinen Vetter Lot befreite. Zu dieser Zahl sagt A. JEREMIAS (ATAO 319): „Daß die Zahl 318 legendär ist, zeigt die ägyptische Nachricht, nach der der Kassitenkönig Kadašmanḫarbe seiner Tochter beim Brautzug zu Amenophis III. 318 Begleiter mitgegeben hat, während die nüchterne geschichtliche Notiz in den Amarnabriefen nur von 25 Männern und 25 Frauen weiß. Die gleiche Zahl 318 hat die Kämpferschar des Gideon nach einer Variante des Textes zu Richter 7,16. Und in beiden Fällen wird das Heer im mythischen Stil in drei Teile geteilt. Die jüdische Tradition erklärt die 318 als Zahlenwert des Namens Eliezer. In diesem mythischen Sinn spricht man von 318 Bischöfen auf dem Konzil von Nicäa."
318 ist eine kalendarische Mondzahl. Der Mond gab mit seinen Phasen das einfachste Maß für den Zeitenablauf an, von der Neumondsichel an wachsend bis zum Vollmond, und dann wieder abnehmend bis zum völligen Verschwinden. In jedem Monat rechnete man drei Tage Dunkel- oder Schwarzmond. Dies gibt für 12 Monate $3 \times 12 = 36$ Tage ab; so erhält man das Lichtmondjahr mit seinen 318 Tagen. Diese

Zahl faßt also alle Tage des Jahres zusammen, an denen der Mond am Himmel sichtbar ist.

Der Gesamtbestand aller Wörter von ORDNUNG I weist auf den Umlauf des *Ischtarsternes* mit seinem Jahr von 584 Tagen und V Synoden, wodurch der Tierkreis in fünf Teile geteilt wurde. In den 318 Bericht-Wörtern stoßen wir nun auf die Zahl des *Lichtmondjahres*. Daher erhebt sich die Frage, ob nicht die kosmischen Zahlen das Maß für den Aufbau des Textes abgeben.

3) Einleitungen und Jubiläen:

Die Summe der Einleitungsformeln zeigt die Zahl 49, also den Wert eines Jubiläums von 7 x 7 Tagen. Dadurch wird die heilige Woche als Grundelement des Jahresablaufes betont, aber auch die großen Abschnitte des heiligen Jahres werden hervorgehoben. Die Zahl spricht für sich und braucht keine weitere Erklärung.

4) Die 217 gesprochenen Wörter und die Versiegelung durch den großen Gottesnamen:

Wir haben bereits auf die Ischtar-Zahl 15, die Zahl des Abend-Morgen-Sternes, verwiesen. Nun ist es doch auffallend, daß die ganze I. Ordnung über das Paradies genau 15 direkte Reden (R) bringt, in die zusätzlich 4mal in eine bereits laufende Rede in Form von Sekundärreden (r) auf das Gebot Gottes verwiesen wird. (Einleitung zur Sekundärrede = e:). Der klareren Übersicht halber heben wir aus der obigen Tabelle nochmals den Wortbestand der Reden (R), nach Sprechern gegliedert, aus:

Sprecher:	Gott/JHWH 8 R − e: − 4 r		Adam 3 R	Drache 2 R − e:	Eva 2 R − e:
Gn 2,16–17:	18				
18:	9				
23:			13		
3,1:	5			4	
2–3:	8				9 + 2:
4–5:				17	
9:	1				
10:			9		
11:	9	2: 3			
12:			10		
13a:	3				
13b:					3
14–15:	33				
16:	13				
17–19:	40	3: 3			
	$\underbrace{126 + 5 + 19}_{150}$		32 +	21 +	XII + 2

$$23 + XII$$
$$\underline{55 + XII = 67}$$

a) A u f G O T T / J H W H kommen im ersten Redegang (R) 126 Wörter. Die Zahl 126 ist aber nichts anderes als der Zahlenwert des großen Gottesnamens ADONAJ in Dreiecksschreibung:

A	1	1	
A – D	1 – 4	5	
A – D – N	1 – 4 – 50	55	126
A – D – N – J	1 – 4 – 50 – 10	65	

Nimmt man noch den zweiten Redegang (Sekundär-Reden mit Sekundär-Einleitungen, r + e:) hinzu, erhält man die Summe von *150* Wörtern, die man als potenzierte Ischtar-Zahl (15) oder als potenzierte Zahl des gekürzten Gottesnamens JaH (10 + 5 = 15) deuten könnte. Auf alle Fälle wird die Versiegelung des Wortbestandes der Gottes-Reden sichtbar.

b) Die anderen Sprecher und die erhöhte Tetraktys:
Adams Reden weisen mit 32 Wörtern auf den einen Wert der Tetraktys; Eva bringt im ersten Redegang (R) XII Wörter; die restlichen Reden (Drache: R + e: und Eva: e) geben den spiegelbildlichen Wert von 23 Wörtern. Daraus folgt, daß die Reden von Adam + Eva + Drache zielstrebig nach dem Modell der erhöhten Tetraktys komponiert wurden.

5) Die 248 Glieder Adams:

Wir greifen nochmals auf den Wortbestand der I. Tafel: *Formung Adams und Evas,* zurück (siehe oben S. 70). Die Endsummen sind bemerkenswert: Bericht und Einleitung geben zusammen 237 B + 11 E: = 248 Wörter. Mit den 40 Wörtern direkte Rede bringt die I. Tafel insgesamt 288 Wörter.

a) Der Mišnah-Traktat OHALOT 1,8 (in der Talmud-Ausgabe von L. GOLDSCHMIDT unter AHILUT, Bd XII, 656 zu finden) bringt eine ausführliche Anatomie des menschlichen Körpers, und zählt dabei alle festen Glieder (Knochenteile) auf. GOLDSCHMIDT übersetzt: „248 Glieder hat der Mensch"; der hebräische Text wirkt anschaulicher: „248 Glieder sind im Adam". Wenn sich diese Zählung auf jeden Menschen bezieht, dann selbstverständlich auch auf den ersten Menschen Adam. Im hebr. Text klingt dies schon in der Wahl des Wortes ADAM für „Mensch" mit. Anschließend wird die Verteilung der Glieder auf den menschlichen Körper im einzelnen aufgezählt.

Im Talmud-Traktat MAKKOTH fol 23b (GOLDSCHMIDT Bd IX, 233) wird die Zahl 248 im Zusammenhang mit den verpflichtenden Gesetzen genannt: „R. Šimlaj trug vor: 613 Vorschriften sind Moše überliefert worden; 365 (Verbote), entsprechend den Tagen des Sonnenjahres, und 248 (Gebote), entsprechend den Gliedern des Menschen."

Wenn diese beiden Zeugnisse literargeschichtlich gesehen auch jünger sein mögen, – Mišnah: 2. nachchristliches Jh. – so mag eine viel ältere Tradition dahinterstehen. Jedenfalls wirkt es eigenartig, daß im Text über die Formung von Adams (und Evas) Leib die Zahl 248 im Wortbestand auftaucht.

b) Nach der babylonischen Liste der Vorflut-Könige hatte der Erste den Namen A l u l î m; er regierte 288.000 (d. i. 1000 x 288) Jahre (WELLBLUNDEL 444). In den biblischen Listen steht Adam als Reiheneröffner. Der gesamt Text über die Erschaffung des ersten Menschen bringt nun ausgerechnet 288 Wörter. Kann dies bloß literarischer Zufall sein?

6) Sprachschatz und Grundwörter:

Will man ergründen, mit wieviel Wörtern ein Autor arbeitet, bzw. über welchen Wortschatz er verfügt, so muß man sich eine Konkordanz anlegen: man schreibt Wort für Wort in je eine Spalte untereinander. Stößt man auf ein Wort, das schon vorgekommen ist, setzt man es neben das bereits vermerkte in eine zweite Spalte, usw. In der ersten Spalten tritt dann der Wortschatz in Erscheinung. Um diesem Arbeitsprozeß einen Namen zu geben, nennen wir ihn die „Methode der Grundwörter". — Im Schöpfungsbericht fanden wir, daß der Verfasser mit 105 Grundwörtern arbeitete. In ORDNUNG I findet sich ein Wortschatz von genau 180 Wörtern, d. i. die Hälfte eines zyklischen Sonnenjahres (2 x 180 = 360). Von dieser Sonnensymbolik her wird auch verständlich, warum Ordnung I genau *18mal* den doppelten Gottesnamen *JHWH-Elohim* verwendet. Als Zahl des Sonnengottes galt in Babylon die Zahl 20. Von daher kommen wir nochmals auf die Zahl 18; denn *360:20 = 18.*

Besonders bemerkenswert ist, daß im Bericht über den Sündenfall (I. Ordnung, 2. Tafel) 63 Grundwörter verwendet werden, entsprechend den 63 Traktaten des späteren Talmud. Wo es um die *erste Entscheidung* über ein Gottesgebot geht, steht also schon die Leitzahl von 63 Grundwörtern.

Schlußfolgerungen:

Daraus ergeben sich für die Formgeschichte wichtige Folgerungen. Die Einheiten sind nicht einfach nach dem freien Lauf der Gedanken lang oder kurz, je nach dem behandelten Thema, geformt worden; sie folgen vielmehr einem Ganzheitsprinzip. Am Anfang der Formung steht schon die Planzahl der Wörter, aber auch der Einheiten, die erreicht werden sollen. Es ist wie bei einem Gußverfahren: in die vorgegebene Form werden die Wörter hineingegossen. Der Bericht über Paradies und Sündenfall ist demnach in Wahrheit eine Ordnung, festgefügt aus Wörtern, Sätzen und Einheiten. Man kann kein einziges Wort herausbrechen, ohne das sinnvolle Gebäude zu zerstören.

Dies gibt uns einen tiefen Einblick in die Werkstätte jener Männer, die den Bibeltext endgültig geformt haben. Für den letzten Guß lagen sicher verschiedene Materialien vor, die die Pentateuchkritik als Quellen oder Schichten charakterisierte. Aber die Textgestalter sind mit diesem Material als selbständige Bauleute umgegangen.

Der Text der ORDNUNG I wird heute allgemein dem Jahwisten zugeteilt. O. EISSFELDT meint aber, noch eine eigene Laienquelle feststellen zu können (*Hexateuch-Synopse* 1962, 3 ff). G. FOHRER unterscheidet noch eine „nomadische Quellenschicht" (*Einleitung in das AT* 1965[10], 175). Es mag richtig sein, altes Spurengut in seiner Sonderheit zu erkennen, aber wie sich der Text heute gibt, kann man ihn nicht mehr zerschlagen. Da die Zahl als Strukturprinzip die kleinsten Teilchen durchdringt, ist es sehr wohl möglich, daß selbst die Texte, die man einhellig dem Jahwisten zuschreibt, umgearbeitet und in Form gegossen wurden. Daher scheint es fast unmöglich zu sein, aus dem heutigen Text die sogenannte frühe Gestalt, das Vorher, klar herauszuschälen.

Dies führt zur Erkenntnis, daß der Verfasser der Paradieseserzählung nicht nur Redaktor des Überlieferungsgutes sondern wirklicher Verfasser war, der Altes neu formte und mit neuen Ideen erfüllte. Für diesen komplizierten Aufbau kommt wohl nur ein einziger Planer in Frage. Möglich wäre es, daß das Werk unter seiner Führung in einem b e j t h a m m i d r a š, einer Schriftgelehrten-Akademie, geschaffen wurde.

Zur Hebung des theologischen Gehaltes können wir also nicht mehr in das Vorher des Textes flüchten, da dies nicht greifbar ist. Aufgabe der Biblischen Theologie kann daher nur sein, den jetzt vorliegenden Text nach seinem Sinngehalt zu befragen. Und hier stoßen wir auf die Tatsache, daß die Formung des Textes selbst schon den Schlüssel zum Verständnis der einzelnen Einheiten an die Hand gibt. Der Text ist von der *Weisheit* her aufzuschlüsseln.

Wenn wir Weisheit sagen, erhebt sich sofort die Frage, ob diese Weisheitsschrift, die nun ORDNUNG I der Genesis einmal ist, der *ersten oder zweiten Weisheitsperiode Israels* zuzuordnen ist. Als erste Weisheitsepoche gilt die davidisch-salomonische Ära; als Musterstück dieser Epoche die Erzählungen über den ägyptischen Joseph. Die zweite Weisheitsepoche folgte viel später und erreichte erst in nachexilischer Zeit ihre volle Blüte. — Beim Blick auf die kunstvolle Formung des Textes drängt sich die Frage auf, ob ein solches, nach sakralen Zahlen durchgebildetes Werk vom Jahwisten der davidisch-salomonischen Ära stammen kann? Wenn nicht, dann stammt eines der psychologischen Meisterwerke des Jahwisten nicht vom Jahwisten! Damit scheint der von der Kritik postulierte und gerühmte Jahwist in Frage gestellt. Doch zur endgültigen Entscheidung über dieses schwierige Problem sind noch weitere Strukturuntersuchungen notwendig.

Wie nun die Einzelerklärung zeigen wird, weisen derart viele Züge nach *Babylonien,* daß es nochmals unwahrscheinlich wird, die Paradieseserzählung dem Jahwisten der davidisch-salomonischen Zeit zuzuordnen. Es handelt sich vielmehr um das große Gleichnis von Weisheit und Gesetz, das sinngemäß bei der Abfassung des Pentateuch als Leitbild an den Anfang gestellt wurde. Daraus folgt weiter, daß wir es nicht mit urgeschichtlichen, primitiven Überlieferungen zu tun haben, sondern vielmehr mit tief theologischen, mystischen und kosmischen Deutungen des Menschen als solchen.

Die Untersuchung des Schöpfungsberichtes hat bereits gezeigt, daß Weltschöpfung ein göttlicher Sprachvorgang ist.

„Gott sprach — und es ward so!" Also ein urgewaltiger, göttlicher *Mono-log.* Im Paradiesesbericht aber setzt der *Dia-log* zwischen Gott und Mensch ein. Ort des Gespräches ist das *Gewissen* des Menschen, Anlaß des Gespräches ist das *Gebot Gottes.* Damit beginnt der göttliche Sprachvorgang in der Geschichte. An dem je neu in die Geschichte hineingesprochenen Wort Gottes entscheidet sich Heil oder Unheil des Menschen!

Drittes Kapitel
DEUTUNG DES GESANGES VOM PARADIES (Gn 2,4–3,21)

Welche Mühe aufgewendet wurde, um die vielen Rätsel, die der Paradiesesbericht in sich schließt, zu klären, zeigt ein Blick in die Kommentare. Wir können hier nicht auf Einzelerklärungen eingehen, sondern beschränken uns nur darauf, die verschiedenen Deutungen kurz zu skizzieren: zuerst den von WESTERMANN gebrachten Rückblick auf den Stand der Forschung. Im „Vierten Kapitel" (S. 83) greifen wir zurück auf die von PHILO entworfene Deutung des Paradieses. Besonders aufschlußreich dürfte dann die von uns im „Fünften Kapitel" (S. 88) gebrachte aramäische Übersetzung des Targum Neophyti sein, da daran zu ersehen ist, welche neuen Akzente im Verständnis des hebräischen Textes zu jener Zeit gesetzt wurden.

I. TAFEL: Das Paradies, Formung von Adam und Eva (Gn 2,4–25)

1) Via negationis als methodischer Ansatz:

Der Verfasser will bis zu den Uranfängen zurückstoßen; daher denkt er alles weg, was im Bereich Adams, des Ackermannes und Bearbeiters der a d a m a h, der Ackererde, vorhanden ist. Es gab noch keine Sträucher und Pflanzen, also überhaupt keine Vegetation. Warum gab es sie nicht? Weil JHWH noch keinen Regen auf die Erde gesandt hatte. Dazu gab es ja auch noch keinen Menschen, der den Boden bearbeitet hätte.

Die Wende trat dadurch ein, daß aus der Erde eine „Quelle" (' e d) emporstieg und den Boden mit Wasser tränkte. Manche deuten das aus dem Sumerischen stammende Wort ' e d auch als Bewässerungskanal. Mit der Erschaffung des Menschen Adam aus der Erde ' a d a m a h war die Möglichkeit zur Bearbeitung des Ackerbodens gegeben.

2) Der Garten mit Bäumen und Strömen:

Gott JHWH versetzte daher den Menschen in einen Garten in Eden. Hier ist darauf zu achten, daß „Garten" (hebr. g a n) den abgegrenzten, kultivierten Raum, E d e n dagegen die weite unwirtliche Steppe bezeichnet. Voraussetzung des Wachstums ist das Wasser; daher werden vier Ströme genannt: Euphrat (P e r a t) und Tigris (H i d d é g e l) sind aus der Geographie bekannt, P î š ô n (Strom) und G i c h ô n (Fluß) verlieren sich in märchenhafter Ferne. Aufgrund der Bewässerung wachsen im Garten allerlei Bäume, reizend zum Anschauen und gut zum Essen! Dazu bildet Gott JHWH noch die verschiedenen Tiere in der Umwelt des Menschen.

3) Erschaffung des Weibes:

Wenn der Ackermann Adam aus der Ackererde a d a m a h gebildet wurde, erhebt sich die Frage, ob das gleiche auch für das Weib gilt. Die Entstehung des Weibes erfährt Adam in einem traumhaften Trance-Zustand (t a r d e m a h). Das Weib stammt also nur mittelbar aus der Ackererde, aber unmittelbar aus der Seite des Ackermannes Adam. Ob man nun „Rippe" (ş ä l a ^{c}) wörtlich versteht oder dahinter ein sumerisches Wortspiel vermutet (t i = Lebenskraft), entscheidend ist: das

Zugeordnetsein von Mann und Weib ist nichts Zufälliges, sondern von uran bestimmt. Daher abschließend der Weisheitsspruch: „Sie werden eins sein!" Damit erreicht der Kulturhymnus seinen Abschluß. Die Ausgangsfrage nach dem „Woher" ist gelöst.

4) Theologische Akzente:

Der Bericht bringt aber nicht bloß Aussagen über den Menschen sondern auch solche über Gott.

a) J H W H - E l o h i m : Für die Paradieseserzählung ist der Doppelname JHWH-Elohim, der Gott-JHWH, kennzeichnend. Dieser hat alles geformt (j a ṣ a r) und gemacht. Das Verb b a r a ', „erschaffen", wird hier nicht verwendet. Von den anderen altorientalischen Kulturhymnen unterscheidet sich der biblische dadurch, daß nicht vielerlei Götter am Werk sind, sondern einzig und allein der Gott JHWH. Dieser theologische Akzent kommt in den Verba am stärksten zum Ausdruck. Man braucht nur nach dem Subjekt des Handelns zu fragen; überall stößt man auf das Aktivum Gottes: ER formt, haucht ein, pflanzt, versetzt, läßt sprießen (2,7–8) usw. (N.B.: Man hebe alle theologischen Aktiva aus, dann bekommt man ein anschauliches Bild!) – Gott ist einfachin JHWH, d. h. „ER ist da, ER ist am Werk!" In Gn 1 dominierte die Gegenwart des Wortes. Hier die Gegenwart des Weltenformers; denn jedes Ding trägt sozusagen die Handabdrücke Gottes.

b) D i e B ä u m e i n d e r M i t t e d e s G a r t e n s : Bis hierher bekommt man den Eindruck eines glückseligen Urzustandes ohne jede Bedrohung, wirklich das, was man in der Umgangssprache als Paradies versteht. Doch über dieser Urstandsidylle liegt bereits Ungewißheit und Wagnis. In Vs 9cd wurde erstmals auf den Lebensbaum und den Baum der Erkenntnis von Gut und Böse hingewiesen. Dort wirkt der Hinweis noch unproblematisch. Bedrohlich wird es erst in Vs 16 mit dem Verbot des Essens vom Erkenntnisbaum. In diesem Verbot meldet sich die theologische Unruhe an. Der Lebensbaum scheint sich gut in den Erzählungszusammenhang einzufügen; gehört er doch zum Requisit der Urstandsvorstellungen. Was soll aber der Baum der Erkenntnis von Gut und Bös? Tritt hier nicht auf dem mythischen Hintergrund plötzlich ein ethisches Prinzip in Erscheinung? Wird etwa gar im Neuen des Erkenntnisbaumes der eigentlich theologische Kern, das Sondergut des Jahwisten, sichtbar?

c) S t e l l e n w e r t d e r Z w e i g e s c h l e c h t l i c h k e i t : Aus Tafel I. kann jedenfalls geschlossen werden, daß die Ursünde mit Geschlechtlichkeit nichts zu tun hat. Mann und Weib sind von Gott geschaffen und zur Fruchtbarkeit durch Eins-Sein veranlagt. Hierin liegt nicht nur nichts Böses, die Zweigeschlechtlichkeit ist von Gott gewollt, geplant und daher in sich gut. Damit steht eigentlich schon in der ersten Tafel die Warnung, den Sündenfall ja nicht im Geschlechts- und Zeugungsakt zu sehen. Tafel I ist vielmehr die Gründungsurkunde der menschlichen Familie.

II. TAFEL: Sündenfall (Gn 3,1–21)

Der Bericht über Versuchung und Sündenfall gehört zu den psychologischen Meisterwerken der Weltliteratur. Beim ersten Lesen ist man tief beeindruckt; dann aber beginnen die Fragen. Worin bestand die eigentliche Sünde? Alles Fragen konzentriert sich auf die Bedeutung des Baumes der Erkenntnis von Gut und Bös.

WESTERMANN (330 f) faßt den *Stand der Forschung* zusammen; er bringt acht Lösungsvorschläge und seinen eigenen dazu. Wir heben die wichtigsten aus:

1) Ein sittlicher Entscheidungsakt?

Bei „Erkenntnis von Gut und Bös" sei der Akzent auf „Erkenntnis" und nicht auf „Gut und Bös" zu legen. Erkenntnis meine Anerkennung oder Nichtanerkennung des von Gott gegebenen Verbotes. Anerkennung und Gehorsam sei das Gute, Nichtanerkennung und Ungehorsam das Böse. Die Benennung „Gut und Böse" bekomme der Baum also je nach der Entscheidung des Menschen. Damit wird der Akzent auf die sittliche Entscheidung des Menschen gelegt; dies sei die traditionell-christliche Deutung gewesen!

2) Keine sittliche Differenzierung?

Der hebräische Ausdruck t ô b w a r a ^{c} bedeute nicht „Gut und Bös" im sittlichen Sinne, sondern nur so viel wie „heilsam und schädlich". Es sei keine Gegensetzung der Handlungen nach ihren sittlichen Werten beabsichtigt, sondern eine Zusammenfassung nach zwei polaren Eigenschaften, wonach sie den Menschen interessieren, ihm nützen oder schaden (WELLHAUSEN). „Gut und Bös" seien also nicht objektiv zwei verschiedene Aspekte, sondern nur zwei polare Bezeichnungen einer Ganzheit. „Gut und Bös erkennen" heiße daher praktisch „alles erkennen". Daraus folgt für die Übersetzung, daß t ô b w a r a ^{c} eigentlich mit „Gut und Schlecht" übersetzt werden müßte, weil „Gut und Bös" als Einschränkung auf die sittliche Erkenntnis verstanden werden könnte (331). Der Griff nach der Frucht des Baumes der Erkenntnis wäre demnach gleichbedeutend mit dem Griff nach Gottes Allwissenheit und Allmacht, um so selbst über Heil und Unheil verfügen zu können, wodurch der Mensch Gott gleich würde.

3) Sexuelle Erkenntnis?

„Da beginnen sie ihr Geschlecht zu erkennen, zu zeugen und Leben zu schaffen. Das ist das Wissen, das die Gottheit ihnen verwehren will, weil es Gott gleich macht; denn Zeugen und Leben-Wecken ist eine göttliche Kunst" (GRESSMANN). – Das Wissen oder Nichtwissen, das hier in Betracht kommt, ist also in erster Linie jenes um die Unterschiede der Geschlechter (GUNKEL). –

Contra: Doch Gn 1,26–29 und 2,4 ff wird Geschlechtlichkeit als Gottes Gabe beschrieben; der Vollzug des Geschlechtsaktes kann daher nicht Sünde oder gar Gottesraub sein. Die sexuelle Deutung krankt an der religionsgeschichtlichen Vorentscheidung, daß der Mensch, vom alogischen Entwicklungsstadium her kommend, plötzlich reif wurde. Die Sündenfall-Erzählung gehörte demnach in die Gattung der Geschlechtsreife; hinter der Erzählung stehe demnach ein prüder Verfasser, der etwas natürlich Gutes mit dem Anathema des Bösen belegte und dadurch viele Gewissensbisse auslöste. Aber mit solchen Vorentscheidungen kann man einen alten Text nicht deuten. – Daß es sich bloß um den Übergang von der Naivität zur Reflexion handeln solle, geht am *genus literarium* der Urgeschichte ebenfalls vorbei. Warum Strafsanktionen für einen „durchaus natürlichen Vorgang!?"

4) Magisches Wissen?

Der Baum der Erkenntnis stehe als Symbol für Magie: „Die Erzählung bekämpft die

Geisteshaltung, die in der Magie zum Ausdruck kommt. Es scheint uns unbestreitbar, daß die Pointe der Geschichte gegen die polytheistisch-magische Geisteshaltung der altorientalischen Welt gerichtet ist ... Gut und Bös erkennen wollen so wie Gott, d. h. über Gut und Bös verfügen wollen" (VRIESEN). – Das Essen vom Baum wäre gleichbedeutend mit dem Griff nach magischen Kräften. Mit der Verurteilung der ersten Menschen werde auch die Magie in all ihren Zweigen verworfen. Wie der Bericht über die Hexe von Endor zeigt, stand ja auf Totenbeschwörung und dgl. die Todesstrafe [1 Sam 28,9].

5) Die Schlange als phallisches Symbol?

Hier wird die sexuelle Deutung auf religionsgeschichtlichem Hintergrund neu aufgerollt. Daß die Schlange als männliches Sexsymbol galt, wird allgemein anerkannt. „Nun gehört auch die Schlange in Gn 3 zu jenen mythischen Schlangen, die Tod und Leben zugleich darstellen. Sie steht ... symbolisch für den kanaanäischen Fruchtbarkeitskult und verspricht als solche das Leben ... sie verkörpert die große Versuchung, der Israel nach dem Einzug in das Land Kanaan ausgesetzt war ... Israels Sünde war es, die Schlange (Ba^{c}al) dem Dienst JHWHs vorzuziehen" (LORETZ). – Dagegen wird eingewendet:
a) die Schlange in Gn 3 ist nicht dem Lebensbaum zugeordnet, wohin sie als lebenspendendes Symbol gehören könnte, sondern vielmehr dem Erkenntnisbaum. –
b) Ferner bleibt unerklärt, wie der kanaanäische Fruchtbarkeitskult (zu dem die Schlange den Menschen verführen will) die Erkenntnis von Gut und Bös bringen soll (West. 333).

6) WESTERMANNs neuer Deutungsvorschlag (Kommentar 338 ff):

a) D e r   b e g e h r e n s w e r t e   B a u m : „Gut zum Essen und lieblich zum Anschauen".
Es handle sich um die völlig normale, natürliche und von Gott dem Menschen freigegebene Einstellung zu den Früchten des Gartens: Sie sollen die Früchte schön finden, und die Früchte sollen ihnen gut schmecken. Die Lust der Sinne gehöre zu dieser Freigabe (Recht auf Lust!). Daher sei GUNKEL abzulehnen, der sagte: „Harmlos und kindlich lüstern tat sie die folgenschwerste Tat ihres Lebens". Desgleichen G. von RAD: „Das Unbegreifliche und Furchtbare ist denkbar einfach und unsentimental beschrieben". – Dagegen West.: „Nicht das Außerordentliche, Unerhörte, das Unbegreifliche und Furchtbare wird hier beschrieben, sondern das völlig Normale, das ganz und gar Menschliche" (339).

b) D i e   G r e n z e : Doch das Lustempfinden wird durch den Beisatz „ein Baum zum Weisewerden" überschritten. Über das Lustempfinden hinaus wird ein neuer, bisher verschlossener Daseinshorizont verheißen. Es gehöre zum Menschsein, durch Übertretung und Überschreitung der ihm gesetzten Grenzen sich selbst zu transzendieren" (340). Die Frau will ja gar nicht werden wie Gott, sie will nur klug werden, d. h. Erfolg haben.

c) V e r f ü h r u n g   d e s   M a n n e s   d u r c h   d a s   W e i b : Dies sei zwar ein häufiges Erzählungsmotiv; traditionsgeschichtlich sei jedoch dieser frauenfeindliche Abschnitt erst sekundär in den Text gekommen. In Wirklichkeit zeigt sich auch in der „Sünde" jene Gemeinschaft und Gemeinsamkeit zwischen Mann und Frau, wie sie im *jubilus* Adams nach der Erschaffung Evas zum Ausdruck kam. Die menschliche Gemeinschaft sei in ihrer Grundform eben die Gemeinschaft von Mann und Weib. Diese kann zur gemeinsamen Erfüllung, aber auch zur gemeinsamen Verfehlung führen. Beide seien also gleich schuld!

d) Die neue Erkenntnis: Das Essen der Frucht hatte tatsächlich eine wunderbare Wirkung; sie bewirkte die Wandlung des Menschen. Nun erkennen sie, was richtig und falsch ist. Dieses neue Wissen befähigt sie zu einem neuen Werk! Da sie merkten, daß sie jetzt nackt waren, halfen sie dem Mangel dadurch ab, daß sie sich Schurze machten. Die Erzählung bringe also nichts anderes zum Ausdruck als den Willen des Menschen zum *Fortschritt!*

e) Worin bestand der Fortschritt?

BUDDE: „Das Essen von dem Baum bringt dem Menschen den ersten Spruch des damit gewonnenen Gewissens in der Scham über ihr Nacktsein ...“

PROKSCH: „Die Erkenntnis wird im Menschen aus dem Wissen zum Gewissen, zum Bewußtsein der Verschuldung vor Gott; der Baum des Wissens ist als der Baum des Gewissens erwiesen.“

SCHMIDT: „Der Fortschritt bestehe im Bewußtwerden der Geschlechtlichkeit (Pubertät?!).“

WELLHAUSEN: „Die ersten Menschen machen jetzt die Entwicklung von Unwissenheit zum Wissen durch, die jeder von uns kennt. Dem Erzähler schwebt eine Idee schon undeutlich vor, daß die Aufklärung, die Reife, nur durch die Sünde hindurch erlangt wird“ (West. 341).

Abschließend meint WESTERMANN: Keine der angeführten Deutungen trifft das, was der Text als ganzer sagt. Wenn die Menschen auf das Essen der Frucht hin merken, daß sie nackt sind, dann ist damit *nur* gesagt: sie fühlen sich bloßgestellt, und das ist eine *neue* Erfahrung, die sie zum *Fortschritt* befähigt:

a') Wandlung vom Kind zum Erwachsenen, —

b') Daseinsbewältigung durch Fortschritt der Kultur, —

c') soziale Vergemeinschaftung; denn Kleidung sei ein soziales Phänomen! Die Menschen hätten ihre Unterentwicklung erkannt und wollten darüber hinaus.

Ergo:

Im Paradies sei also nichts Besonderes passiert. Die Kapitel Gn 2–3 mit „Sündenfall-Bericht“ zu überschreiben, sei daher falsch. Für die Sünden-Deutung sei erst das Spätjudentum verantwortlich zu machen (377); auch Paulus stehe im Schlepptau dieser spätjüdischen Theologie. Die Grundaussage von Gn 2–3 bestehe nur darin: „Zum Menschsein gehört es, daß der Mensch sich verfehlt; er kann nicht anders Mensch sein als in dieser Fehlsamkeit“ (377/78). Daher keine Aussage über ein bestimmtes Menschenpaar, sondern über den Menschen als solchen, eine Aussage, die immer und überall zutrifft.

Nun muß mit Recht gefragt werden, ob der neue Deutungsvorschlag WESTERMANNs der letztgültige und richtige ist, oder ob hier nicht wesentliche Aspekte der Biblischen Theologie vernachlässigt wurden? Also müssen wir das ganze Problem nochmals aufrollen.

Wir fragen daher, wie PHILO von Alexandrien das Paradies deutete, und weiter, wie die aramäische Übersetzung Targum Neophyti den hebräischen Text verdeutlichte.

Viertes Kapitel
PARADIES UND SÜNDENFALL NACH PHILO

Philo von Alexandrien: Die Werke in deutscher Übersetzung, hg. v. L. COHN, I. HEI-NEMANN, M. ADLER und W. THEILER, in 6 Bänden, photomechanischer Nachdruck bei W. de Gruyter, Berlin 1962.

Philo handelt zweimal ausführlich über unser Thema, und zwar im Buch „*Über die Weltschöpfung*", übersetzt von J. COHN, Berlin [2]1962 und in „*Allegorische Erklärung des heiligen Gesetzbuches*", übersetzt von I. HEINEMANN, ebd. [2]1962:

„Von Philos Schriften gilt dasselbe wie von den griechischen Apokryphen der Bibel: ihre Erhaltung ist der griechischen Kirche zu verdanken. Philo war wegen seiner allegorischen Bibelexegese für die alten Kirchenväter Muster und Vorbild; er wurde von ihnen viel zitiert und in ausgedehntem Maße benutzt. Deshalb wurden seine Schriften gesammelt und in derselben Weise und mit gleichem Eifer wie die Werke der Kirchenväter durch das ganze Mittelalter hindurch abgeschrieben" (Vorwort zu Bd. 1, S. 5).

Die Regeln, nach denen Philo die Bibel allegorisch deutete, sind zum Großteil dieselben, deren sich der palästinische Midrasch in der homiletischen Auslegung des Bibeltextes bediente (S. 18). Demnach scheint es eine gemeinsame, durch alle drei Bereiche hindurchgehende Ebene zu geben; Kirchenväter, Philo und Midrasch bevorzugen die allegorische Exegese. Damit stehen wir in schärfstem Gegensatz zur heutigen Grundeinstellung der Bibelwissenschaft, die primär nur die sogenannten historischen Fakten erarbeiten will. Es kann mit Recht die Frage aufgeworfen werden, ob nicht jene alten Autoren, die doch der Entstehung der biblischen Schriften viel näher standen, den von den biblischen Verfassern gewollten Sinn besser verstanden haben, wenn sie in ihrer Deutung nicht am äußeren Wortbild hängen blieben, sondern das dahinter stehende große Geheimnis zu erfassen suchten. Damit wird das Postulat der allegorischen Exegese und auch der biblischen Theologie neu gestellt.

1) In bezug auf den Paradiesesgarten sagt Philo:

„Der Menschengeist möge nicht in solcher Ruchlosigkeit befangen sein, um glauben zu können, daß Gott Feldarbeit tue und Gärten pflanze; denn wir müssen sofort fragen, warum er dies täte; doch gewiß nicht, um sich vergnügliche Erholung und Behaglichkeit zu verschaffen. – Solch mythisches Gerede möge uns nie in den Sinn kommen!" (Alleg. Erklärung I, § 43).

Die wörtliche Auffassung des Gartens und der Bäume bezeichnet Philo sogar als „unverbesserliche Torheit und Gottlosigkeit" (Weltschöpfung § 32). Was soll aber dann der Garten? Ist er ein geographischer Ort? Nein! Das Paradies befindet sich mitten im Menschen; denn der Garten, den Gott pflanzte, ist der Garten der *Tugend:* „Die irdischen Tugenden also säte und pflanzte Gott für das Menschengeschlecht, die Nachahmung und das Abbild der himmlischen." – Hier stoßen wir wieder auf das Analogie-Denken. Irdische und himmlische Weisheit entsprechen einander. Dort, wo Weisheit ist, da ist auch Glück. Daher ist der von Gott gepflanzte Garten der Tugenden notwendig ein Garten der Wonne und des Glückes: „denn zur

Tugend gehören Friede, Wohlbefinden und Freude, in denen in Wahrheit das frohe Genießen besteht" (Alleg. § 45).

Der Garten liegt im *Osten,* nach „Sonnenaufgang zu". Die Sonne vergleicht Philo mit dem „richtigen Logos" (ὀρθὸς λόγος), der rechten Vernunft, die nie untergeht und erlischt (§ 46). Daß Gott den Menschen in dieses Paradies der Tugend versetzt, beweist, daß Gott dem Menschen wohlgesinnt ist und sein Bestes will (Alleg. § 47).

Nach Philo müßte man daher folgern, daß das Paradies nicht bloß am Anfang der Menschheit war, sondern jederzeit da ist, wo immer ein Mensch der „Tugend" begegnet.

2) Lebensbaum und Erkenntnisbaum:

Ist das Paradies als solches schon eine innere Wirklichkeit, so noch mehr die Bäume in der Mitte des Gartens. Im „Buch über die Weltschöpfung" führt Philo mit einem sarkastisch zu nennenden Realismus aus: „Ich glaube jedoch, daß diese (die Bäume) sinnbildlich aufgefaßt werden müssen; denn Bäume des Lebens oder der Erkenntnis sind weder früher jemals auf der Erde zum Vorschein gekommen, noch ist es wahrscheinlich, daß sie in Zukunft sich zeigen werden." Vielmehr deutet er, wie es scheint, mit diesem Garten auf den führenden Teil der Seele (die Vernunft) hin, der ja gleichsam wie von Pflanzen von unzähligen Vorstellungen erfüllt ist. Mit dem Baum des Lebens deutet er auf die größte aller Tugenden hin, auf die *Gottesfurcht,* durch die die Seele unsterblich wird; und mit dem Baum der Erkenntnis des Guten und Bösen auf die Tugend der Mitte, nämlich auf die *Einsicht,* welche die von Natur gegensätzlichen Dinge unterscheidet (§ 154). – Nachdem Gott diese zwei in der Seele aufgestellt hatte, beobachtete er wie ein Richter, nach welcher von beiden Seiten sie sich neigen würde. Wie er sie aber zum Bösen sich neigen, und Gottesfurcht und Frömmigkeit, durch die das unsterbliche Leben gewonnen wird, geringschätzen sah, verwarf er sie mit Recht und jagte sie aus dem Garten hinaus (§ 155) ... Denn ihre Handlungsweise verdiente seinen Zorn, da sie an den Baum des unsterblichen Lebens, der Vollendung der Tugenden, durch die sie ein langes und glückliches Leben gewinnen konnten, vorübergegangen waren, und sich das flüchtige und sterbliche Leben, das eigentlich gar nicht Leben ist, sondern nur eine Zeit voll Mißgeschick, erwählt hatten (§ 156).

In der „Allegorischen Deutung" geht Philo ähnliche Wege. Nach Philo bedeutet der Lebensbaum die Tugend an sich, das Gutsein als solches, aus dem dann die übrigen Tugenden hervorströmen. Manche vergleichen den Lebensbaum mit dem Herzen, der Lebensmitte des Menschen. Der Boden, auf dem diese Bäume wachsen, ist die Seele (Alleg. § 59). Von ihrer Entscheidung hängt es ab, ob der Baum ein Lebensbaum oder ein Erkenntnisbaum wird. „Nimmt die Seele das Gepräge der vollendeten Tugend auf, so wird sie ein Baum des Lebens. Nimmt sie das Gepräge der Schlechtigkeit auf, wird sie der Baum der Erkenntnis des Guten und Bösen" (§ 61).

Es fällt auf, daß hier die Begriffe ineinander übergehen. Einmal wird der Garten Tugend genannt, dann wieder der Lebensbaum, und schließlich die Seele selbst. Man hätte es lieber, wenn Philo klar geschieden hätte! Warum dieses Fluktuieren? Um Gedanken zu verwischen? Keineswegs! Sondern um den gleichen Gedanken immer tiefer einzuhämmern. Paradies und Paradieses-Entscheidung ist ein inneres Geschehen, das sich in jedem Menschen neu vollzieht.

3) Die Paradiesesströme: Auch in bezug auf den Strom, der vom Paradies ausgeht, verliert sich Philo nicht in fragwürdiger irdischer Geographie. Für ihn ist die Symbolik in der Vierzahl der „Häupter" vorgegeben. Die 4 Ströme des Paradieses sind die 4 Kardinaltugenden: Einsicht, Besonnenheit, Tapferkeit und Gerechtigkeit (§ 63). Die Quelle aller Ströme aber ist die Weisheit Gottes (§ 64).

Damit spricht Philo klar aus, was wir mit Hilfe der logotechnischen Struktur erarbeitet haben. Die Paradieseserzählung gehört demnach auch nach Philo in die Gattung der Weisheitsliteratur.

4) Das Essen, die Sünde und der Tod: Auch hier geht es nicht um das primitive Essen einer Baumfrucht; denn „essen ist symbolischer Ausdruck für die Nahrung der Seele; die Seele aber nährt sich durch die Aufnahme schöner Dinge und durch die Ausübung vollkommener Handlungen" (§ 97). Das Verbot des Essens bezieht sich auf das Böse (§ 100). Der Mensch ist berufen, der Weisheit zu folgen, und durch das Essen der Frucht der Weisheit Leben zu finden (§ 103). Folgt er aber nicht der Stimme der Weisheit, so ißt er sich den Tod. Philo vermerkt, daß die Menschen nach dem Essen der verbotenen Frucht trotz Gottes Androhung nicht sofort gestorben sind. Was ist darauf zu sagen? Es gibt einen doppelten Tod, für den Menschen im allgemeinen und für die Seele im besonderen. Der Tod des Menschen besteht in der Trennung der Seele vom Körper; der Tod der Seele bedeutet die Vernichtung der Tugend und die Aneignung der Schlechtigkeit. Der Ausdruck „des Todes sterben" bezeichnet den Tod der Seele! (§§ 104—107).

Daraus kann gefolgert werden, daß nach Philo die Ursünde nicht bloß ein Anfangsereignis war, sondern daß sie sich jeweils neu ereignet. Der Mensch, der die Stimme der Weisheit ablehnt, ißt sich den Tod, mag er auch dem Leibe nach noch lange leben.

5) Sinn der Paradieseserzählung nach Philo: Wie schon erwähnt, bezeichnet Philo das sogenannte buchstäbliche Verständnis des Berichtes als „unverbesserliche Torheit", ja geradezu als „Gottlosigkeit". Der kurze Auszug aus seinen Gedanken zeigt schon, wie er den biblischen Bericht verstanden wissen will. Für ihn ist der Bericht nicht Mythos, sondern Typos: „Es sind das aber nicht etwa mythische Gebilde, an denen das Dichter- und Sophistenvolk Gefallen findet, sondern typische Beispiele, die zur allegorischen Deutung nach ihrem verborgenen Sinn auffordern" (Weltschöpfung § 157). Wenn es aber um typische Geschehnisse geht, dann gilt die Aussage sowohl für den ersten Menschen als auch für die Menschheit.

Den theologischen Gehalt faßt Philo in den folgenden fünf Punkten zusammen: 1) daß Gott existiert und waltet; 2) daß Gott einzig ist; 3) daß die Welt geschaffen ist; 4) daß die Welt einzig ist, weil der Schöpfer einzig ist; 5) daß Gott der Welt seine Fürsorge angedeihen läßt (Weltschöpfung §§ 170—171).

„Wer all diese bewundernswerten und kostbaren Grundsätze nicht mit dem Ohr sondern mit seinem Geiste erfaßt und seiner Seele eingeprägt hat ... der wird, durchdrungen von den Lehren der Gottesfurcht und Frömmigkeit, ein glückliches und seliges Leben führen" (Weltsch. § 172).

Fünftes Kapitel
DEUTUNG DES PARADIESES NACH TARGUM NEOPHYTI

Philo erklärte das wort-wörtliche Verständnis des Paradiesberichtes als unvernünftig, ja sogar als gotteslästerlich. Garten, Flüsse, Bäume, Essen waren für ihn transparent, d. i. auf eine höhere Wirklichkeit und Wahrheit hin durchscheinend. Nun muß aber gefragt werden, ob Philo bei seiner Deutung den Einflüssen der griechischen Philosophie unterlag, oder ob er altes jüdisches Erbe aufnahm und weiter entwickelte. Mit Philo stehen wir an der Zeitenwende, also in neutestamentlicher Zeit. Das aramäische TargNeoph führt uns aber weiter zurück in das 2. vorchristliche Jh. (nach manchen Autoren sogar in die Zeit des Esra, 5. Jh. v. Chr.).

Die Übersetzung des aramäischen Schöpfungsberichtes haben wir vollständig gebracht. An der Art der Übersetzung konnte man erkennen, wie der Übersetzer arbeitete. Im wesentlichen hielt er sich an die hebr. Vorlage. Aufgabe des Meturgeman war es aber auch, schwierige Stellen der Vorlage erweiternd zu erklären. Gerade diese Erweiterungen sind für die Theologie von größtem Wert; erfahren wir doch durch die Änderungen und Erweiterungen, wie man im 2. Jh. v. Chr. den Text verstand und deutete. Ohne TargNeoph hätte man wohl den Logos weiterhin aus der griechischen Philosophie zu erklären versucht. Nun aber wissen wir, daß Johannes im Prolog zu seinem Evangelium die Sprache des Targum aufnahm und auf Christus hin aktualisierte. Ähnliches gilt auch für Philo; sicher schrieb er im hellenistisch denkenden Alexandrien, doch seine griechisch anmutende Allegorese ist schon im TargNeoph vorgeprägt. Wir bringen diesmal nicht die vollständige Übersetzung, sondern heben nur die neuen Akzentsetzungen heraus:

1) Der sprechende, aufrechte Mensch:

Im hebr. Satz „Und der Mensch ward zu einem lebendigen Wesen" wird nur ein Wort eingefügt „Und der Mensch ward zu einem *sprechenden* Lebewesen" (2,7). Somit ist es gerade die Sprache, wodurch sich der Mensch von allen anderen Lebewesen unterscheidet. Durch die Gabe der Sprache wird der Mensch also erst richtig zum Menschen.

Der Urteilsspruch über Adam: „Disteln und Dornen soll er (der Acker) dir tragen, und Kräuter des Feldes sollst du essen" wird vollständig geändert und in eine Bitte Adams umgebaut: „Bei deiner Barmherzigkeit bitte ich dich, daß wir nicht wie Tiere betrachtet werden, welche Pflanzen fressen, die sie auf dem Felde finden; wir vielmehr wollen uns aufrichten können und arbeiten, und dank der Arbeit unserer Hände von der Nahrung der Erde essen; dadurch soll sich der Mensch von den Tieren unterscheiden" (3,18). Durch seinen aufrechten Gang, durch seiner Hände Arbeit, und vor allem durch seine Begabung mit Sprache unterscheidet sich demnach der Mensch vom Tier.

Doch es kommt noch ein überraschendes Moment hinzu: der Mensch ist zwar aus Staub gemacht und wird daher wieder zum Staub zurückkehren (3,19). Damit ist aber das Ende des Menschenweges noch nicht erreicht. Der Meturgeman fährt fort: „Und vom Staub sollst du nochmals zurückkehren und aufstehen und im Gericht Rechenschaft geben über alles, was du getan". Damit wird ein völlig neuer Verstehenshorizont sichtbar, der im hebräischen Text nicht vorhanden ist. Mit der Rückkehr zum Staub ist der Weg des Menschen nicht zu Ende; es folgt noch die Auferstehung von den Toten mit dem letzten Gericht. Das Targum bringt also nicht nur Urstandserzählung (Protologie), es weist klar auf die Ereignisse der Endzeit hin (Eschatologie).

2) Baum der Erkenntnis:

„Baum der Erkenntnis von Gut und Bös" wird zu einem ganzen Satz erweitert: „Wer von ihm ißt (Baum der Erkenntnis), weiß zu unterscheiden zwischen Gut und Bös" (2,9.17). Dadurch wird der Baum der Erkenntnis als Baum der Unterscheidung, oder besser als Baum der Entscheidung gekennzeichnet.

3) Das Urteil über die Schlange:

Der hebr. Text „Feindschaft will ich setzen . . ." (3,15) wird derart erweitert, daß es sich nicht mehr um eine Übersetzung, sondern vielmehr um einen Midraš, d. i. um eine Schrifterklärung, handelt:

Feindschaft setz ich zwischen dich und das Weib
Zwischen deinen Samen und ihren Samen.
Wenn ihre Söhne die Torah bewahren
Und die Gebote befolgen
Werden sie sich gegen dich wenden
Dir den Kopf zertreten und dich töten.
Wenn sie aber die Gebote der Torah verlassen
Darfst du sie angreifen
In die Ferse beißen und verwunden. –
Doch für ihre Söhne gibt es ein Heilmittel,
Für dich, Schlange, gibt es kein Heilmittel;
Denn sie werden am Ende Frieden erlangen
Am Tag des Messiaskönigs.

Daraus folgt, daß der Baum der Erkenntnis nichts anderes ist als die Torah mit ihren Geboten und Verboten. Die Torah ist demnach zugleich der Baum der Entscheidung und der Unterscheidung. Mit der Waffe Torah ist man gerüstet, die Schlange anzugreifen, sie zu verwunden und ihr sogar den Kopf zu zertreten. Aber wer die Torah nicht befolgt, liefert sich selbst der Schlange aus.

Der Same des Weibes ist daher niemand anderer als die Söhne Israels, die die Torah befolgen. Und Same der Schlange sind folgerichtig diejenigen, welche die Torah nicht befolgen oder sogar verletzen. Demnach könnte man meinen: der angesagte Kampf zwischen dem Samen des Weibes und dem Samen der Schlange sei ein kollektives Geschehen. Doch in der letzten Zeile taucht der Hinweis auf den personalen Messiaskönig auf. Eigenartig wirkt die Rolle, die dem Messias zugeteilt wird: er wird die Schlangenbisse heilen. Wenn er aber heilen kann, setzt dies voraus, daß er selbst die Schlange besiegen wird.

Bislang hat man gemeint, daß die messianische Deutung des Protoevangeliums erst späteres christliches Gedankengut wäre. Aufgrund des TargNeoph muß man aber folgern, daß das Judentum bereits im 2. Jh. v. Chr. den Spruch wider die Schlange messianisch deutete. Im Aramäischen liegt sogar ein Wortspiel zwischen „Ferse" und „Endzeit" vor: beide Wörter haben die gleiche Wurzel ^cqb, die das einemal mit „Ferse" übersetzt werden kann, genauer aber „(Fuß-)Ende" bedeutet — das anderemal mit „(Zeiten-)Ende" zu übersetzen ist.

4) Diese und die kommende Welt:

Wir haben den Abschnitt Gn 3,22—24 in unsere Übersetzung des Paradiesestextes nicht aufgenommen, weil er bereits zur II. Ordnung gehört. TargNeoph hat auch diesen Abschnitt so frei übersetzt, daß man von einem Midraš, einer selbständigen Erweiterung, sprechen muß. Wir bringen die Übersetzung der Vss 22 und 24, weil darin dem Urstand des Menschen (Protologie) sein Endstand (Eschatologie) gegenübergestellt wird. Dazu wird hier auch noch klar ausgesprochen, was unter Baum des Lebens und Baum der Erkenntnis damals verstanden wurde.

Vs 22   Und Gott-JJJ sagte:
Siehe, der erste Mensch, den ich erschaffen,
Ist allein auf der Welt
Wie ich allein im Himmel oben bin
Doch viele Völker werden aus ihm erstehen
Ja, aus ihm ersteht ein Volk
Das zwischen Gut und Bös zu unterscheiden weiß.

Diejenigen, die das Gesetz der Torah befolgen
Und Seine Gebote halten, werden leben
Und wie der Lebensbaum auf ewig bestehen.
Wer aber das Gesetz der Torah nicht befolgt
Und Seine Gebote nicht hält
Den vertreibt Er aus dem Garten Eden
Noch bevor er die Hand ausstreckt
Nach der Frucht des Lebensbaumes greift
Und lebe auf ewig

Vs 24   Und Er vertrieb den Menschen
Und stellte die Herrlichkeit der š^{e}kînah von Urbeginn an
Im Osten des Gartens Eden zwischen zwei Kerubim auf
Zweitausend Jahre, bevor Er die Welt erschaffen
Erschuf Er die Torah

Er richtete den Garten für die Gerechten ein
Die Gehenna für die Frevler

Den Garten Eden richtete er für jene Gerechten ein
Die von der Frucht des Baumes essen dürfen
Weil sie das Gesetz der Torah in dieser Welt befolgten
Und Seine Gebote hielten.

Für die Frevler richtete Er die Gehenna ein
Die einem scharfen Schwert gleicht,
Das auf zwei Seiten frißt
Er richtete für die Frevler darin ein
Feuerfunken und brennende Kohlen
Um sie in der kommenden Welt zu bestrafen
Weil sie das Gesetz der Torah
In dieser Welt nicht gehalten haben

Denn die Torah ist der Lebensbaum
Jeder, der sie studiert und ihre Gebote befolgt
Lebt und besteht wie der Lebensbaum
In der kommenden Welt
Denn die Torah ist für den
Der sie in dieser Welt verehrt
So gut wie der Lebensbaum

Daraus folgt, daß das TargNeoph die Paradieseserzählung genau so wie Philo allegorisch verstand. Vordergründig spricht der Text von einem Garten mit Flüssen und
Bäumen, vom ersten Menschenpaar und dessen Schicksal im Garten. Wer aber tiefer blickt, erkennt, daß das Paradies nicht bloß einmal war, sondern ständige Gegenwart ist. Der wahre Lebensbaum inmitten des Gartens ist die von Gott bereits vor
der Erschaffung der Welt erschaffene Torah. Sie ist der eigentliche Baum der
Erkenntnis, an dem sich die Wege der Menschen scheiden. – Der Blick des Meturgeman wendet sich ab von der Urzeit, er schaut schon das neue, kommende Paradies
der Gerechten, aber auch die Gehenna als den Ort der Bestrafung der Frevler. So verstanden wird die Erzählung über den Urstand des Menschen zu einem prophetischen Anruf an das Gewissen Israels und des Menschen überhaupt, sich in dieser
Welt für die Torah/das Gesetz zu entscheiden, um in der kommenden Welt des
Friedens des neuen Paradieses teilhaft zu werden. Das neue Paradies kommt aber
durch den Messiaskönig.

Sechstes Kapitel
ZUSAMMENFASSUNG DER URSTANDSTHEOLOGIE

Beim Rückblick auf die Deutungen des Urstandes erhebt sich die Frage, welchem Deutungsvorschlag das größere bibeltheologische Gewicht zukommt. Die Entscheidung muß wohl auf Grund des biblischen Kontextes getroffen werden; denn die Urgeschichte eröffnet nicht bloß die Torah sondern auch die Propheten, und vom christlichen Standpunkt her gesehen auch das Neue Testament. Nun fällt als erstes auf, daß all diese Bücher ein sehr geringes Interesse an rein historischen Tatsachen haben. Bis in die Königszeit hinein gibt es keine fixen Jahresdaten; ferner läßt sich aus den Evangelien keine gesicherte Chronologie des Lebens Jesu rekonstruieren. Historische Fakten werden aufgenommen, wenn dadurch das Religiöse, d. i. Gott und Gewissen, mitbetroffen werden. Dasselbe gilt auch von den Begleiterscheinungen der Geschichte, wie da sind: Fortschritt der Zivilisation, Entfaltung der Wissenschaften, Psychologie usw. – Vom Gesamtkontext der Bibel her wird man wohl sagen müssen, daß die Deutung des Sündenfalles als „Fortschrittsmythe" (Westermann) gewogen und zu leicht befunden wird. Ferner wird die Nivellierung von „Gut und Bös" als bloße Bezeichnung für „Gesamtheit" (Allwissenheit, Allmacht) dem sonstigen Sprachgebrauch der Bibel nicht gerecht, wo doch klar die sittlichen Gegensätze von Gut und Bös gemeint sind. – Am meisten Gewicht kommt m. E. der Deutung Philos zu, die als Allegorese allzu schnell abgetan wurde. Im folgenden seien nun thesenhaft die Grundzüge der Urstandstheologie skizziert.

1) In der Mitte des Paradieses standen zwei Bäume, der Baum der Erkenntnis und der Lebensbaum

Die Urstandserzählung des ersten Buches der Bibel wird im letzten Buch, in der Geheimen Offenbarung Johannis nochmals aufgenommen und klar gedeutet. Apk 2,7: „Dem Sieger, ja dem werde ich zu essen geben vom Baum des Lebens (ἐϰ τοῦ ξύλου τῆς ζωῆς), der da ist in der Mitte des Paradieses Gottes". – Wer darf also vom Lebensbaum essen? Doch der, der vorher gesiegt hat. Was ist damit gemeint? Man braucht nur den vorhergehenden Text zu lesen:
„Ich kenne deine Werke, deine Mühe und deine Geduld, daß du die Bösen (ϰαϰούς) nicht ertragen kannst" (Apk 2,2). D. h., dem Essen vom Lebensbaum geht die Entscheidung für das Gute und wider das Böse voraus. Es könnte hier geradezu „Erkenntnisbaum" stehen; denn das biblische Verbum „erkennen" (j a d a c) und das Nomen „Erkenntnis" (d a c a t) weisen nicht auf die intellektuelle, sondern auf die Gewissenssphäre. „Jemanden erkennen" heißt daher soviel wie „jemanden anerkennen, sich für jemanden entscheiden"! Statt Erkenntnisbaum wäre daher besser mit „Entscheidungsbaum" zu übersetzen. Dem Essen vom Lebensbaum geht also das Essen vom Baum der Entscheidung voraus. Auch nach Apk. werden also zwei Bäume vorausgesetzt, wenn auch nur der Lebensbaum direkt erwähnt wird (vgl. Apk 22,2.14.19).

2) „Gut und Bös" sind Leitworte der prophetischen Theologie

Man müßte die prophetischen Bücher nach der Verwendung von „Gut und Bös" untersuchen, um einen größeren theologischen Horizont zu bekommen. Der einfachste Weg wäre, anhand der Konkordanz eine Stichprobe zu machen. Wir begnügen uns mit dem Hinweis auf Jes 1,16—17: „Wascht euch, reinigt euch, schafft eurer Taten Bosheit von meinen Augen hinweg! Lasset das Bössein (h a r e a c) , lernet das Gutsein (h e j ṭ e b) . Tretet ein für Bedrückte, rechtet für Weise, streitet für Witwen!" — Hier wird also das prophetische Kerygma auf die elementare sittliche Maxime „das Gute tun, das Böse meiden!" zurückgeführt. Nun ist bei den Propheten die Entscheidung für das Gute identisch mit der Entscheidung für JHWH und seinen Bund.

3) „Gut und Bös" sind Leitworte der Bundestheologie:

In konzentrierter Form kommt die Kontrastierung von Gut und Bös beim zweiten Bundesschluß im Lande Moab zum Ausdruck (Dt 28, 69—30,20). Nach der Wüstenwanderung sollte das Volk neu auf den Bund mit JHWH verpflichtet werden. Hierbei stößt man auf die Leitworte der Paradieseserzählung. Hier wie dort wird das Gebot (m i ṣ w a h) zum Anlaß der Entscheidung: „Denn das Gebot, das ich dir heute gebiete, ist dir nicht zu hoch und nicht zu fern. Es ist nicht im Himmel, daß du sagen müßtest: Wer will für uns in den Himmel fahren und es uns holen, daß wir es hören und tun? Es ist auch nicht jenseits des Meeres, daß du sagen müßtest: Wer will für uns über das Meer fahren und es uns holen, daß wir's hören und tun? Denn es ist das Wort ganz nahe bei dir, in deinem Munde und in deinem Herzen, daß du es tust" (Dt 30,11—14). — Hier überrascht, daß das Gebot Gottes zwar öffentlich von Moses verkündet wurde, aber eigentlich auf eine Entscheidung im Innersten des Menschen hinzielt. Der Sitz der Entscheidung ist nämlich wieder das „Herz" (l e b a b) . Die Entscheidung fällt also im Gewissensbereich eines jeden Einzelnen. — Für diese Entscheidung ist ferner das „Erkennen" (j a d a c) mitbestimmend. Moses ruft die Wunder beim Auszug in Erinnerung: „Denn ihr wißt ja ... ihr sahet ja ...!" (Dt 29,15).

Dt 30,15—20 mutet wie eine Aktualisierung der Paradieses-Erzählung an. Hier liegt sozusagen der Schlüssel zum richtigen Verständnis der Paradieses-Entscheidung. Das erste und letzte Buch der Torah sind einander zugeordnet, daher bringen wir den Text vollständig:

Vss
___

(15) Siehe ich lege dir heute vor:
das Leben und das Gute (ḥ a j j î m — ṭ ô b)
Den Tod und das Böse (m a w ä t — r a c)
(LXX: Leben und Tod, Gut und Bös)

(16) Wenn ich dir heute gebiete,
deinen Gott JHWH zu lieben,
auf seinen Wegen zu wandeln
und seine Gebote, Gesetze und Satzungen zu befolgen,
wirst du leben und zahlreich werden
und dein Gott JHWH wird dich segnen in dem Lande,
in das du ziehst, um es zu erben.

(17) Wendet dein Herz sich ab und willst du nicht hören,
läßt du dich verführen, andere Götter anzubeten
und ihnen zu dienen,

Vss
___

(18) so verkünde ich euch heute:
      Fürwahr, zugrunde werdet ihr gehen, zugrunde!
      Nicht lange Tage auf dem Ackerboden (ᵃdamah) weilen,
      wohin du über den Jordan ziehst, um ihn zu erben.
(19) Himmel und Erde rufe ich heute als Zeugen an über euch!
      Leben und Tod (ḥajjîm – mawät) lege ich euch vor,
      Segen und Fluch (bᵉrakah – qᵉlalah).
      Du sollst das Leben wählen, damit du und dein Same lebest!
(20) Du sollst deinen Gott JHWH lieben,
      auf seine Stimme hören und ihm anhangen;
      denn Er ist dein Leben und die Länge deiner Tage;
      dann darfst du auf dem Ackerboden wohnen,
      von dem JHWH geschworen,
      ihn deinen Vätern Abraham, Isaak und Jakob zu geben.

Logotechnische Notiz: Der ganze Abschnitt zählt 110 Wörter, also die doppelte
Tetraktys (55 + 55). Die Aufgliederung ist im Satzbau vorgegeben. Wir verweisen
nur darauf, daß die Ich-Sätze genau die Aufgliederung 3 + 7 + 12 + X = 32 Wörter
ergeben. Der Text wurde also nach dem Modell der „Wunderbaren Wege der Weisheit" durchkomponiert.

Theologische Erklärung: Moses stellte Israel im Anblick des gelobten Landes in
dieselbe Entscheidung, in der sich einst Adam und Eva befanden. Es tauchen die
gleichen Leitworte auf. Die LXX hat „Leben und Tod", sowie „Gut und Bös" zusam-
mengezogen; in MT dagegen findet sich die klare Zuordnung: „Leben und Gut", so
wie „Tod und Bös". Damit wird auch das Verständnis für den „Baum der Erkenntnis
von Gut und Bös" aufgehellt. Es liegt nicht die von den Kommentaren vertretene Nivellierung der Aussage „Gut und Bös = Alles" vor. Die Akzente sind getrennt sowohl
auf „Gut" wie auf „Bös" zu setzen. – Was unter „Gut" gemeint ist, wird aus dem weiteren Text klar, nämlich: Gott lieben, auf seinen Wegen wandeln, seine Gebote
befolgen! Das Essen vom Baum der Erkenntnis des Guten ist daher gleichbedeutend mit der Entscheidung für Gott und seine Bundessatzungen. – Das Gegenteil:
„Das Herz abwenden, nicht hören, verführen lassen, andere Götter (Elohim) anbeten" ist gleichbedeutend mit dem Essen vom Baum der Erkenntnis des Bösen.
„Erkenntnis" (daᶜat) bezieht sich daher nicht auf den Intellekt, sondern auf das
sich entscheidende Herz. Israel befindet sich also in der gleichen Entscheidungssituation wie einst Adam und Eva im Paradies.
    Auch die Folgen des Ungehorsams sind hier wie dort die gleichen; im Paradies
Vertreibung aus dem Gottesgarten mit nachfolgender Mühsal des Lebens. In
Dt 28,15–69 stehen die furchtbaren Fluchandrohungen: „All diese Flüche werden
über dich kommen, dich verfolgen und treffen, bis du vertilgt bist, weil du der
Stimme deines Gottes JHWH nicht gehorchtest, seine Gebote und Satzungen nicht
gehalten hast" (Dt 28,45).

Ergo: a) Das Buch Deuteronomium verwendet zwar nicht das Bild vom Baum,
spricht aber von der gleichen Entscheidungssituation wie der Paradiesesbericht.
Auch in Dt könnte man von zwei Bäumen sprechen: dem Entscheidungsbaum
sowie dem Lebensbaum. Das Essen vom Lebensbaum ist erst nach der Entschei-

dung für das Gute möglich. An sich würde man noch das Bild vom Todesbaum erwarten; doch der Todesbaum ist ein Nicht-Baum, der keine Wurzeln und kein Leben hat, den es daher an sich nicht gibt.

b) Wo stehen im Dt die Bäume? – Einerseits mitten im Herzen (30,14), also nicht in utopischer Ferne!, andererseits „mitten im Volk", da es sich doch um Bundesschließung handelt.

c) Was ist also der Entscheidungsbaum? – Nichts anderes als die Torah, welche die Grundlage und Voraussetzung für den Bundesschluß bildet.

d) Dies würde heißen, daß die Ur-Situation des Paradieses noch andauert und dort jeweils neu gegenwärtig wird, wo Adam, d. i. der Mensch einfachhin, in die Entscheidung für oder wider Gott geworfen wird; denn der Baum der Erkenntnis von Gut und Bös, also der Baum der Entscheidung wächst mitten im Herzen, d. i. im Gewissen! Somit geht es im letzten um den Baum des Gewissens!

e) Da aber Adam kein Einzelner sondern ein Gemeinschaftlicher ist, wird auch die Gemeinschaft genau so wie der Einzelne in die Entscheidung zwischen Gut und Bös geworfen. In Dt wurde die Entscheidung auf den Bund hin ausgerichtet. Daher könnte hier geradezu die Torah mit dem Baum der Erkenntnis von Gut und Bös gleichgesetzt werden. Der Paradieses-Bericht wäre demnach eine Vorwegnahme der Bundesentscheidung. Anfang und Ende der Torah, das erste und das letzte der fünf Bücher Mosis, reichen demnach einander die Hand.

4) Der Erkenntnisbaum war einfältig und zweifältig!

Hier muß mit falschen Vorstellungen über das Böse gründlich aufgeräumt werden! Das Böse ist biblisch gesehen keine für sich selbst existierende Wesenheit, wie etwa in den dualistischen Weltsystemen, wonach sich der Mensch zwischen einem guten und einem bösen Gottwesen zu entscheiden hätte. Nicht einmal die sogenannte Chaos-Schilderung im Schöpfungsbericht Gn 1–2 gibt etwas für einen solchen Dualismus her. Woher kommt dann das Böse, wenn Gott seine Welt „gut" und „sehr gut" erschaffen und den Menschen sogar nach seinem eigenen Bild entworfen hat? Gott kann also für das Böse nicht verantwortlich gemacht werden. Die Antwort findet sich im Sündenfall-Bericht, der geradezu als kontroverstheologische Korrektur der heidnischen Auffassung vom Bösen betrachtet werden kann. Das Böse ist keine selbständige, neben- und widergöttliche Wesenheit. *Das* Böse für sich existiert überhaupt nicht; es gibt nur *den* bösen Menschen oder *den* bösen Geist! Denn das Böse wird und entsteht erst aus dem personalen Entscheidungsakt des Menschen. Gerade in der Betonung dieser personalen Entscheidungssituation liegt der Hauptakzent der Sündenfall-Erzählung. Die Entscheidung konzentriert sich auf das *Gebot*, d. i. auf Gott einfachhin. *Durch die Entscheidung für Gott wird der Mensch gut, durch die wider Gott wird er böse.* Der Baum der Erkenntnis ist demnach „*ein*fältig", so wie Gott nur EINER ist. Die Spaltung vollzieht der Mensch.

Wird dadurch die personale Freiheit des Menschen nicht von vornherein eingeschränkt? Wenn der Mensch schon frei ist, könnte er sich doch auch gegen Gott entscheiden, und diese Entscheidung müßte gut sein! Doch darin liegt schon die Fehlentscheidung, außer, der Mensch wäre, wie es die Schlange einflüsterte, „gleich Gott" = gleich Elohim! Dann wäre der Mensch die höchste Norm des sittlichen Handelns; was immer er täte, alles wäre gut. Die Unterscheidung von Gut und Bös fiele weg; der Mensch stünde nach diesem gottlosen Freiheitsbegriff jenseits von Gut und Bös. Daß es aber die Unterscheidung von Gut und Bös gibt, erklärt sich einzig

und allein aus dem Glauben an den personalen Schöpfergott; denn die Entscheidung für Gut oder Bös ist zugleich eine Entscheidung für oder wider Gott. Wo der
Glaube an Gott schwindet, schwindet auch das Sündenbewußtsein, d. h. die Unterscheidung von Gut und Bös.

Eines der größten Geheimnisse der Schöpfung besteht wohl darin, daß Gott den
Menschen in Freiheit zur Entscheidung geschaffen hat. Zur Entscheidung steht aber
nur Gott! — Von der Biblischen Theologie her müßte das viel mißbrauchte Wort
„Freiheit" geklärt und ins rechte Licht gerückt werden. Vielfach verbindet sich mit
dem Ruf nach „Freiheit" der Ruf nach Freiheit von Gott! Damit aber gehen alle Nor-
men von Gut und Bös verloren; denn wenn Gott ausgeschaltet wird, muß sich der
Mensch unter das harte Joch menschlicher Willkür beugen. Gott dienen aber heißt
herrschen in Freiheit. Der Mensch ist nach göttlichem Maß entworfen; er verwirklicht sich nur dadurch, daß er dem göttlichen Maß nachstrebt. Somit werden hinter
der Paradieseserzählung Horizonte sichtbar, die nicht bloß in die Urzeit sondern
auch in die Jetztzeit weisen.

Der Mensch tritt als Unvollendeter, d. i. als „Mangelwesen" (GELSEN) ins
Dasein. Im Schöpfungswort (1,28) wird aber die Möglichkeit seiner Entfaltung aufgezeigt: er soll sich mehren, sich die Erde unterwerfen und allen Tieren gebieten.
Die Herrschaft über die Welt kommt ihm aber nur deshalb zu, weil er als Abbild
nach dem Urbild Gottes geschaffen wurde. Er soll also den *göttlichen Entwurf*
verwirklichen. Der Weg zur vollen Entwicklung oder Entfaltung ist dem Menschen
vorgegeben, soll er doch seinem Urbild immer ähnlicher werden. Wie aber findet er
den Weg hierzu? Etwa aufgrund des Naturtriebes, der die anderen Lebewesen in der
Entwicklung vorantreibt? Keineswegs! Der wesentliche Unterschied zwischen dem
Menschen und den anderen Lebewesen liegt darin, daß der Mensch den Weg seiner
Entwicklung selbst entscheiden muß. Das Ziel der Entwicklung ist klar, nämlich
dem göttlichen Urbild so nahe wie möglich zu kommen. Der Mensch verwirklicht
sich erst dann, wenn er über den Menschen hinaus Gott zustrebt. Eine „Selbstver-
wirklichung des Menschen" (Karl Marx) ohne Gott gibt es also nicht, denn dann
würde dem Menschen die ihm eigene Zielrichtung auf Gott hin fehlen.

Wie soll aber der Mensch zu Gott finden? Als Wegweiser steht der Baum der
Erkenntnis von Gut und Bös. Was damit gemeint ist, spricht der Text selbst aus:
        „Und Gott JHWH legte auf den Menschen das Gebot (ṣ i w w a h) :
a) (pos)   Von allen Bäumen des Gartens sollst du essen, ja essen
b) (neg)   Doch vom Baum der Erkenntnis von Gut und Bös sollst du nicht essen"
Damit wird die im Spätjudentum übliche Zweiteilung der Gottesgebote (m i ṣ w ô t)
in „Du sollst tun" und „Du sollst nicht tun" schon in das Paradies zurückverlegt. Der
erste Mensch Adam unterscheidet sich demnach in keiner Weise von allen anderen
nachkommenden Adamskindern. Sicher könnte der Mensch die Größe Gottes und
die Größe seiner Werke aus der Schöpfung erkennen (Ps 8), den persönlichen An-
Spruch erfährt er aber durch das Gebot, also durch das ihn ansprechende Wort Gottes im Gewissen. Der Mensch wurde als Hörender und Gehorchender erschaffen.
Daher beginnt das Hauptgebot Israels mit dem Ruf: „Höre Israel".

NB.: Logotechnische Notiz:

Wir haben bereits darauf verwiesen, daß der Paradiesesbericht mit 63 Grundwörtern
arbeitet (vgl. Seite 76). Mišnah und Talmud sind in 63 Traktate gegliedert. Die Zahl
63 kommt einer Kurzformel für *Gesetz* überhaupt gleich. — Im einzelnen werden

aber die verpflichtenden Gesetze in 248 Gebote und 365 Verbote gegliedert, was zusammen 613 Verpflichtungen ergibt.

Da dem Urmenschen Adam 248 „Glieder", d. i. Knochenteile zugeordnet werden, und Eva als das mit der Sonne (365) bekleidete Weib ausgewiesen ist, wären *in Adam und Eva* sowie in der Bezeichnung *gut und bös* die positiven und negativen Gebote/Verbote symbolisiert. In Adam und Eva stünden sozusagen das „du sollst" und das „du sollst nicht" vor dem Baum der Entscheidung. Daraus würde folgen, daß der Erkenntnisbaum — entsprechend der Zwiefalt von Gebot und Verbot — *zwei*fältig gedacht werden muß; aber zugleich auch *ein*fältig, weil Gebot und Verbot die *eine* Gewissensforderung des *einen* Gottes ausspricht.

5) Das Paradiesesgebot ist Zeichen des ersten Bundes Gottes mit den Menschen:

Gn 2 bringt den Bericht über die Erschaffung von Adam und Eva. Auch der Erkenntnis- und Entscheidungsbaum wird zweimal erwähnt (2,9.17); doch über dem ganzen Kapitel liegt etwas wie paradiesischer Friede. Dies kommt im Schlußsatz Gn 2,25 zum Ausdruck: „Und die zwei waren nackt, Adam und sein Weib, und sie schämten sich nicht voreinander". WESTERMANN sieht darin den eigentlichen Höhepunkt der Paradieses-Erzählung. Daß sie ihre Nacktheit erkannten, hätte den ersten Anstoß zum Fortschritt gegeben; denn sie machten sich Kleider! Diese Deutung liegt aber völlig außerhalb des biblischen Kontextes. Der Satz: „sie schämten sich nicht" muß vom Bericht über den Sündenfall her gedeutet werden; denn nach dem Sündenfall heißt es: „Da öffneten sich die Augen der beiden, und sie erkannten, daß sie nackt waren" (3,7). Das Erkennen der Nacktheit hängt also mit der falschen Entscheidung zusammen.

Soll das heißen, daß der Mensch vorerst undifferenziert, naiv lebte, und daß die Differenzierung erst durch das Gebot kam? Jedenfalls wird der Mensch durch das Gebot aus seiner „paradiesischen Naivität" herausgeworfen. Das Gebot ist aber mehr als eine bloße Einzelverfügung; wie der Dekalog und die anderen Sinai-Gebote die Grundlage und Voraussetzung für den Bundesschluß mit Israel bildeten, so kann das Paradieses-Gebot als Angebot zum Bund Gottes mit den Menschen überhaupt verstanden werden. Nicht so sehr mit der Erschaffung als vielmehr mit Gebot und Verbot, also mit Tôrah und Gesetz, beginnt das Wagnis Gottes mit den Menschen, und umgekehrt das Wagnis des Menschen mit seinem Bundespartner Gott, ein Wagnis in Ungewißheit und Freiheit! Der Bundesbruch im Paradies ist das düstere Vorspiel der nachfolgenden, von den Propheten gegeißelten Bundesbrüche. Somit ist es das „Gesetz", das den Gott-Menschlichen Dialog in der Geschichte eröffnet.

Die Paradieses-Erzählung ist demnach nichts anderes als die Eröffnung des Bundes Gottes mit den Menschen, also das Offenbarwerden Gottes vor dem menschlichen Gewissen. Der Erkenntnisbaum ist daher identisch mit Tôrah einfachhin. Daher ist die Urgeschichte kein erratischer Block im Pentateuch; hier ist wie in einem Medidationsbild die Ursituation des Bundes zusammengefaßt. Die alten Ausgaben der Mišnah zeigen daher auf der Titelseite den Lebensbaum, der erst durch den Erkenntnisbaum der Tôrah zum eigentlichen Lebensbaum wird.

6) Das Protoevangelium:

Auch hier können wir den vordergründigen mythischen Sinn und den tiefer liegenden kosmisch-theologischen Sinn unterscheiden:

a) D e r M y t h o s : Den Schlangen-Drachen trifft das schwerste Urteil Gottes. Er wird mit Fluch belegt. Der Ausdruck „auf dem Bauche kriechen" und „Staub fressen" bezeichnet Vernichtung und Demütigung eines Feindes. Daß der Schlangendrache vorher Füße gehabt und sie dann verloren haben soll, könnte mit den ägyptischen Bilddarstellungen des Urdrachen Apophis erklärt werden. Dieser wird auf den alten Papyri mit Füßen dargestellt. Er gilt als der Feind des Menschen auf dessen Jenseitsweg. Vielleicht klingen hier ähnliche Vorstellungen mit. Der. Sinn der Aussage liegt jedenfalls darin, daß der Drache zu siegen vermeinte, nun aber als Verfluchter − aber noch nicht Vernichteter − dahinkriecht, auf Gelegenheit zur Rache lauernd. Statt des freundschaftlichen Gespräches am Anfang der Begegnung zwischen Drache und Weib folgt nun ewige Feindschaft zwischen beiden. Doch die „Hauptdarsteller" treten in den Hintergrund, denn der Kampf wird von beider „Same" fortgesetzt.

Im sogenannten *Protoevangelium* werden nun Drachensame und Weibessame einander gegenübergestellt: „Feindschaft setze ich zwischen dich und das Weib, und zwischen deinen Samen und ihren Samen" (3,15). Diese Feindschaft wäre demnach keine Naturgegebenheit, sondern vielmehr eine Setzung Gottes! Spricht nun der Text von einem Sieg des Weibessamens − worin ja das Urevangelium bestünde −? Nach der durch LXX und Vulgata bezeugten Überlieferung sicher ja! Denn Hieronymus übersetzt das zweimal vorkommende hebr. Verbum š û p h verschieden, einmal mit „du wirst nachstellen" (i n s i d i a b e r i s) in bezug auf die Schlange, das anderemal mit „zertreten" (c o n t e r e t) durch den Weibessamen. Daraus ergibt sich von selbst das Bild vom Drachensieger und Drachentöter.

Eine ähnliche Ausformung findet diese Vorstellung an allen Stellen, die vom Sieg JHWHs über die geringelte Schlange, über Leviathan und Rahab singen (Ps 74,14; Ps 89,11; Jes 27,1). JHWH der Drachensieger und Chaosbezwinger ist innerhalb des AT ein häufiges Bild. Von daher wächst der triumphale Glaube Israels an den endgültigen Sieg Seines Reiches und Seiner Herrschaft.

Der Glaube an den Sieg des Lichtes und des Guten, zusammengeballt im Bild des Drachensiegers, verbindet das AT mit anderen alten Religionen. Unserem Kulturraum am nächsten steht der lichte Apoll von Delphi, der die pythische Schlange schlug und das Orakel der Weisheit eröffnete. Apoll ist der Drachensieger der Hellenen. (Vgl. auch das Siegfried-Motiv in der germanischen Sage.)

b) D e r Z u s a m m e n s t o ß i m G e w i s s e n : Liegt nun diese Auffassung in Gn 3,15 vor? Zunächst muß vermerkt werden, daß nicht JHWH sondern der Same des Weibes als Sieger erscheint. Bei näherem Hinschauen muß man aber fragen, ob er tatsächlich einmaliger Sieger ist? Nun scheint es, daß nicht ein einmaliges Ereignis, sondern ein Dauerzustand im Bild festgehalten wird, und zwar der Zustand des ständigen Aufeinanderprallens beider Kräfte. Zwar wird durch das Fluchwort die Besiegung der Schlange schon vorausgenommen, aber zur Zeit dauert der Kampf noch an. Martin BUBER übersetzt daher beidemal das Verb š û p h gleich: „Er stößt dich auf das Haupt, du stößt ihn in die Ferse". Same stößt also gegen Same. Same des Weibes könnte man allgemein als Bezeichnung für den Menschen auffassen, der Drachensame wäre das immer weiter wirkende personale Böse. Denn es geht ja nicht bloß um Naturgegensätze; der Drache tritt doch als Person auf, er spricht und verführt. Desgleichen ist auch Eva keine Naturkraft, sondern ebenfalls sprechende, sich entscheidende Person. Dies führt uns also wieder in die Mitte des menschlichen Personkerns, der sich nach jüdischer Auffassung im Herzen befindet. Der Zusammenstoß von Drache und Samen erfolgt also auf dem Feld des menschlichen Herzens, oder, ohne Bild ausgesagt, im Raum des Gewissens. Folgerichtig weitergedacht verwirklicht sich auch die für alle Zeiten angekündigte Feindschaft zwischen dem Samen der Schlange und dem Samen des Weibes im Gewissen. Somit hätten wir eine allgemein gültige Existenzaussage über den Menschen.

c) Die messianische Deutung:
Wir haben das Urteil über die Schlange nach der aramäischen Übersetzung im Targum Neophyti bereits gebracht (siehe S. 87). Hier wird nicht allgemein von der Menschheit gesprochen; „Same des Weibes" sind diejenigen, welche Tôrah und Gesetze befolgen. Durch das Befolgen der Tôrah sind diese befähigt, der Schlange das Haupt zu zertreten und sie sogar zu töten. „Same des Drachen" sind dagegen diejenigen, welche die Gebote der Tôrah verlassen. Dadurch bieten sie eine Blöße, welche die Schlange benutzt, sie in die Ferse zu beißen, zu verwunden und zu vergiften. Damit steht die Frage im Raum: Gibt es ein Heilmittel gegen den Schlangenbiß? Die Frage wird bejaht! Aber das Heilmittel steht erst am Tag des Messiaskönigs bereit. Wenn aber der Messias das Heilmittel gegen den Schlangenbiß reichen kann, setzt dies voraus, daß er stärker ist als die Schlange. Wenn schon diejenigen, die die Tôrah befolgen, der Schlange das Haupt zertreten, dann erst recht der kommende Messiaskönig. Da er das Heilmittel gegen den Schlangenbiß bringen wird, ist er zugleich der Messias-Heiland.

Das TargNeoph ist daher das älteste literarische Zeugnis für die messianische Deutung des Protoevangeliums. Die bereits erwähnten Übersetzungen, Septuaginta und Vulgata, haben also eine tiefe, altjüdische Wurzel. Wenn in der christlichen Glaubensentwicklung Christus als Drachensieger verstanden wird, ist dies nur eine nähere Konkretisierung des jüdischen Messiasglaubens. Selbst die weitere Deutung von „Weib" auf Maria, die der Schlange den Kopf zertritt, ist nicht wesentlich neu. Wenn es im Targum heißt: „Wenn *ihre Söhne* die Tôrah bewahren ... doch für *ihre Söhne* gibt es ein Heilmittel", fragt man doch, wer die *Mutter* dieser Söhne ist? Aus dem Sprachgebrauch des Targum folgt, daß „das Weib" oder „die Mutter" niemand anderer ist als „die Gemeinde Israels" (k^e n i š t a — e k k l e s î a). Da Maria Mutter des Messias Jesus und daher Typus für die Kirche ist, kann sie ebenfalls als „das Weib" bezeichnet werden, das den Drachen besiegt.

Somit scheint sich der bibeltheologische Kreis zu schließen. Ausgehend vom Elementarakt der Zeugung des Lebens durch das Einssein im Fleische von Mann und Weib und all den harten Folgen des Lebenskampfes, die sich aus dem Kreislauf der Geburten ergeben, tief vorstoßend in den Raum des Gewissens als den Ort der Entscheidung für Gut oder Bös, bis hin zur messianischen Deutung, finden wir eine grandiose Konzeption, die am Beginn der Bibel stehend, die Grundstruktur des Heils und Unheils bereits in sich schließt und damit den Bund Gottes mit den Menschen eröffnet.

d) Typus der Weisheit: Nicht aus dem direkten Wortlaut, wohl aber aus dem Bau der Sätze und Wörter trat uns an vielen Stellen die Gestalt der Weisheit entgegen. Die Paradiesesbäume scheinen geradezu eine Zusammenballung all dessen zu sein, was man der Weisheit zudachte. Gott hat auf den 32 wunderbaren Wegen der Weisheit das All geschaffen und durch die „231 Pforten" alles Seiende ins Dasein treten lassen. Die Entscheidung im Paradies war daher eine Entscheidung für oder wider die Weisheit. Vor sie hingestellt, konnte und kann der Mensch zwischen Gut und Bös wählen. Sie ist der Baum der Erkenntnis von Gut und Bös, von

Heil und Unheil. Im Gespräch mit Eva schwieg sie, weil das Weib auf die Torheit der Schlange hörte.

Schon in der biblischen Weisheitslehre, und erst recht in der rabbinischen Mystik verkörpert sich Weisheit in der Tôrah, d. i. im Gesetz. Damit haben wir den „Sitz im Leben" für die Paradiesesgeschichte erreicht. Die Paradieseserzählung ist kein sogenannter zweiter Schöpfungsbericht! Die Weltschöpfung durch die 10 Worte Gottes wird bereits im ersten Kapitel erzählt. Im zweiten und dritten Kapitel geht es um die *Tôrah.* Diese zwei Kapitel bilden den Aufklang oder den Stirnschild zum ganzen Pentateuch! Die Tôrah ist der Baum der Erkenntnis von Gut und Bös, von Heil und Unheil. Gott gab nicht bloß im Paradies ein Gebot, seine volle Lichtherrlichkeit und sein Gesetz offenbarte er am Sinai. Die Paradiesesgeschichte ist daher auf die Sinai-Gesetzgebung und Bundesschließung hin veranlagt. Wie das Paradies nach den Apokryphen auf einen Berg verlegt wurde, von dem die vier Weltströme ausgehen, so wurde auch Gottes neues Gesetz auf dem Berg Sinai gegeben, um von da aus in alle Welt zu strömen. Israel vor dem Berg der Entscheidung ist das gleiche wie Adam und Eva vor dem Baum der Entscheidung. Gott bietet Gnade und Unheil an, der Mensch wählt lieber das Nein. Dadurch wird auch der Weg Israels durch die Geschichte zu einem Weg voll Mühsal und Leid. Aber dennoch zieht JHWH seine Lichtherrlichkeit von Israel nicht zurück.

NB.: Rabbinische Mystik:

Wo sich auch nur ein Einziger über das Buch der Tôrah beugt und sein Herz dem Willen Gottes unterwirft, läßt sich die Lichtherrlichkeit Gottes auf ihn nieder. Gott wandelt noch heute unter den Menschen wie einst im Paradies, von dem die Tôrah nicht bloß berichtet, das sie vielmehr tatsächlich selber ist [Abôt III,6].

7) Der Kosmische Adam:

Nach Gn 1,26 wurde Adam als Abbild (d ^{e} m û t) nach dem Urbild (ṣ ä l ä m — e i k ō n) Gottes geschaffen. Hier taucht die platonisch genannte Idee von Urbild und Abbild auf. Alle irdischen Wesen wurden den in Gott vorexistenten Ideen nachgeformt. Die Kirchenväter meinten, daß Plato bei Moseh „in die Schule gegangen" sei. Jedenfalls ist das Urbild-Abbild-Denken älter als Plato. Schon Moseh bildete das Bundeszelt und die Bundeslade nach jenem Modell (t a b n î t) (Ex 25,9.40), das ihn Gott hatte vorher schauen lassen. Überprüft man die Maßangaben von Bundeszelt und Bundeslade, stößt man auf kosmische Ordnungen: im Allerheiligsten Israels wurde der ganze Kosmos eingefangen: der Tempel war ein Abbild des Kosmos, also ein Mikrokosmos!

Dasselbe scheint nun auch für Adam, bzw. für den Menschen als solchen zu gelten. Aus dem Paradiesesbericht ergaben sich folgende kosmische Bezüge:

a) Der Gesamttext der I. Ordnung mit seinen 584 Wörtern und den 15 eingebauten direkten Reden weist auf den Abend-Morgenstern, also auf *Ištar/Venus*! Die Erschaffung des Menschen geschah beim Jubel des Morgensternes.

b) Die 318 Bericht-Wörter im Schöpfungsbericht (siehe oben S. 72) weisen auf das Lichtmond-Jahr mit 318 Tagen, an denen der Mond am Himmel sichtbar ist. Aus der Struktur des Schöpfungsberichtes ging weiters hervor, daß der Verfasser mit dem sakralen Sonnenjahr von 364 Tagen rechnete. Dem Lichtmond-Jahr fehlen zum vollen Sonnenjahr demnach $364 - 318 = 46$ Tage.

Nun wurde bei Evas Erschaffung dem Adam eine „Rippe" (şälaᶜ) entnommen; die Buchstaben von şälaᶜ geben, nach dem Stellenwert gerechnet: ş - l - c = 18 + 12 + 16 = 46. Liegt etwa gar ein Sonnen-Mond-Mythos in Zahlen ausgedrückt vor? Dem Mond fehlen jedenfalls 46 Tage. Ein Hinweis auf Adams Tiefschlaf? Ist mit den 46 Tagen die „Rippe" gemeint, die Gott dem Adam nahm und zum Weibe ausbaute? Die Sonne wäre demnach das „Gegenüber" zum Mond. Nun sagte ja Gott selbst: „Ich mache ihm eine Hilfe als sein Gegenüber" (Gn 2,18). Daher meinte schon A. JEREMIAS, ATAO 47: „Die Erzählung benutzt Motive des Mondmythos". Im Mann/Adam wird die *Mond-Symbolik,* im Weib/Eva die *Sonnen-Symbolik* erkennbar.

c) Das Stoßen des Drachen- und das gleiche Gegenstoßen des Weibes-Samens ist ebenfalls am Himmel fixiert. Die ausführliche dichterische Beschreibung findet sich im Werk „*Sternbilder und Wetterzeichen"* (φαινόμενα καὶ διασημεῖα) von ARATOS, um 270 vor Chr. geschrieben. Aus dem Anfang dieses Werkes zitiert auch Paulus in der Areopagrede folgenden Satz: „Denn sein Geschlecht sind wir!" (Apg 17,28). (Deutsche Ausgabe: ARATOS, *Sternbilder und Wetterzeichen,* übersetzt und eingeleitet von A. SCHOTT. Das Wort der Antike, Bd VI, München 1958). In der Einleitung wird hingewiesen auf das sonderbare Ineinandergehen von griechischen und babylonischen Sternbildern. Das Aufeinanderstoßen von Drachen und Knienden sei im 5. vorchr. Jahrhundert in den griechischen Sternenhimmel aufgenommen worden; d. h. daß es in Babylonien schon früher bekannt war. Dieses 5. vorchr. Jh. weist jedenfalls auf das babylonische Exil, in dem die Urgeschichte, nach unserer Auffassung, verfaßt wurde. Der einschlägige Text lautet:

Aratos I,45: Schau, der wundersame Drache wallt wütend hin und her
gleich einem jähen Bach in wildgewundener Klamm,
zu beiden Seiten leuchten die Bärinnen ...

63: Beim Haupt des Drachen kreist ein mühbeladener Mann —
ein Sternbild, dessen Sinn niemand ergründen kann.
Man weiß nicht, welche Fron ihn zwingt;
so nennt man ihn einfach den „Knienden" ...

70: *Dem Ringeldrachen hält er mitten auf das Haupt*
den rechten Fuß gestellt.

Daraus würde folgen, daß der Mensch zwar aus Erdenstaub geformt wurde, daß er aber mehr ist als Erde; er wurde als Abbild Gottes und näherhin als Abbild des Kosmos entworfen. Die paulinische Theologie vom kosmischen Christus wäre daher Wiederaufnahme und Vollendung dessen, was schon im Entwurf der Paradieses-Erzählung vorgegeben ist.

Schlußfolgerungen:

Die Paradieses-Erzählung ist daher vielschichtig:

1) Der vordergründige Erzählstoff zeigt altbabylonisches, sogar sumerisches Kolorit: Land der Bewässerungskultur — Garten — der Mensch als Bearbeiter des Ackerbodens.

2) In der Problemstellung wird ebenfalls babylonisch-mythische Philosophie greifbar. Warum muß der Mensch sterben? Die Götter haben sich das Leben vorbehalten, den Tod aber den Menschen zugeteilt (Gilgamesch Epos). Es gäbe zwar

ein Lebenskraut, das der Mensch aber verliert. Das Problem konzentriert sich demnach auf das irdische Leben und den irdischen Tod. Hier regiert ausweglos die Herrschaft des Todes.

3) Die biblische Problemstellung ist völlig neu. Die babylonische Überlieferung kennt zwar das Lebenskraut, nicht aber den Lebensbaum! Neu ist auch der Baum der Erkenntnis von Gut und Bös. Wie unsere Ausführungen gezeigt haben, geht es hier nicht mehr um irdisches Leben und irdischen Tod; der Mythos wurde auf die Ebene des geistigen Lebens und des geistigen Todes erhoben, und dadurch eigentlich entmythologisiert. Aus dem Mythos wurde ein Anruf an das Gewissen.

4) Die Erzählung bietet sich dar als Ursprungs- und Anfangsbericht über die ersten Menschen. Historisch können wir zwar über den ersten Menschen nichts aussagen, aber das eine ist sicher, daß zum Menschsein das Gewissen und die Gewissensentscheidung gehört. Insofern bringt der Paradiesesbericht eine echt historische Aussage über den ersten Menschen und über den Menschen überhaupt. Daraus folgt, daß das Paradies auch heute noch existiert und jederzeit verloren und gewonnen werden kann.

5) Wie K. RAHNER im „Grundkurs des Glaubens" näher ausführt, ist auch das, was wir dogmatisch mit *Erbsünde* bezeichnen, eine historische Tatsache. Denn jede böse Tat wirke weiter; und so sammle sich von Geschlecht zu Geschlecht ein Erbe der bösen Taten in immer steigendem Maße. Dem gegenüber muß aber auch die Erbfolge des Guten klar herausgestellt werden. Geschichte sei Entfaltung der bösen und guten Taten des Menschen, über die im Gericht Gottes entschieden wird.

Zum besseren Verständnis muß noch näher unterschieden werden: Die Sünde ist ein personaler Entscheidungsakt, der als solcher einmalig ist und daher weder auf einen anderen übertragen noch vererbt werden kann. Vererbt werden höchstens die Folgen einer falschen Entscheidung, für die auch unschuldige Nachkommen büßen müssen. In den lateinischen Dokumenten wird daher nicht die Bezeichnung „Erbsünde" sondern „Ursprungssünde" *(peccatum originale)* verwendet; d. h. der heutige Mensch steht noch in der gleichen Situation, in der der erste Mensch war: er wird in die Entscheidung geworfen und ist der Verführung zum Bösen ausgesetzt. Im Verführungs-Bericht hat sich gezeigt, daß der Mensch lieber auf die Stimme des Versuchers als auf die Stimme Gottes hört. Im Vorwort zum Sintflut-Bericht steht daher: „Und JHWH sah, daß die Bosheit des Menschen sich mehrte auf Erden, und daß der ganze Trieb der Gedanken seines Herzens nur böse ist alle Tage" (Gen 6,5). Die altjüdische Theologie entwickelte daher die Lehre vom „bösen Trieb" oder besser vom „Trieb zum Bösen" (jeşär haraᶜ). Durch den Biß der Schlange sei das Wesen des Menschen von Anfang an vergiftet worden, und dieses Gift wirke von Geschlecht zu Geschlecht weiter, bis der Messias das Heilmittel bringen wird (TargNeoph).

Da der Mensch kein Einzelner ist, sondern durch die weitverzweigten Wurzeln seiner Abstammung mit den Vielen verbunden wird, umfaßt der Ausdruck „Erbsünde" sowohl die persönliche Sünde des Einzelnen, wie auch die überkommenen Folgen der Sünden der Vorfahren. Der Mensch kann aber diese Unheilslast der Geschichte allein nicht abschütteln, er kann sich nicht allein befreien.

Was soll dann das Dogma der *unbefleckten Empfängnis:* „Vom ersten Augenblick ihres Daseins von der Makel der Erbsünde bewahrt"? Wenn wir wieder auf TargNeoph zurückgreifen, wirkt diese Aussage keineswegs so fremd, wie man zunächst glauben möchte. Wie schon ausgeführt, wird der Messiaskönig das Heilmittel gegen den Schlangenbiß bringen. In bezug auf Maria würde dies heißen, daß ihr dieses Heilmittel schon bei ihrer Empfängnis geschenkt wurde, weil sie zur Mutter des Messias auserkoren war. Sie ist die erste der um des Messias willen Geheilten und daher „heilen" Menschen. Daher wird sie die „zweite Eva" genannt, mit der die neue Menschheit beginnt. Sicher ist damit nicht alles über dieses Dogma gesagt; von der biblischen Urgeschichte und der altjüdischen Deutung her läßt es sich aber leichter verstehen.

6) Der *literarischen Gattung* nach haben wir es nicht mit Früh- oder Urgeschichte zu tun. Wenn unsere Fixierung auf die Zeit des babylonischen Exils richtig ist, stehen wir sogar im Zenit der babylonischen Kultur. Unter Nabuchodonosor erlebte die Literatur eine ungeahnte Renaissance. Alte Epen wurden neu abgeschrieben! In dieser geistigen Atmosphäre ergab sich für das Judentum die Notwendigkeit, sich mit der babylonischen Theologie auseinanderzusetzen. Daher ist die Paradieses-Erzählung ein Muster von *Kontrovers-Theologie*. Man sollte also bei der Textanalyse nicht bei den babylonischen Parallelen stehen bleiben, sondern vielmehr die Neuheit des JHWH-Glaubens herausarbeiten.

7) Zusammenfassend können wir also sagen, daß der Paradieses-Bericht eine *Symbol-Theologie* bringt. Garten, Bäume, Ströme, Adam, Eva, sind mehr als bloß einmalige irdische Realitäten; hinter diesen konkreten Namen wird eine größere Wirklichkeit sichtbar. Der Vollsinn des Textes wird erst dann erkannt, wenn man beide Ebenen in einem einzigen Blick umfaßt, oder beide Ebenen „zusammenwirft" (συμβάλλειν = zusammenwerfen). – Diese Art einer Theologie in Bildern beschränkt sich aber nicht auf die Paradieses-Erzählung. Sicher verwenden auch die Propheten auf vielerlei Weise die Bildsprache, das Buch der konzentriertesten Bildtheologie ist aber das *Hohelied*, das Lied der Lieder, wo das Bild von Adam und Eva, Braut und Bräutigam, Garten und Bäumen nochmals aufgenommen wird. Das Hohelied scheint vordergründig nur ein profanes Liebeslied zu sein, und ist doch in der Tiefenschicht nichts anderes als ein Lied auf den Bund JHWHs mit Israel, und mit den Menschen überhaupt. Daher wundert es nicht, daß Rabbi Akiba Urgeschichte und Hoheslied als „das Allerheiligste Gut Israels" bezeichnete.

NB.: *Zum Werkbuch Seite 84:* Im Werkbuch wird die zentrale Stellung des Gewissens zu wenig beachtet. Als praktische Anweisung folgt „Das konkrete Verhalten angesichts des Leides und des Todes". Im weiteren Text wird auf die *Krankensalbung* verwiesen. Dies paßt ganz und gar nicht in den biblischen Kontext. Wenn man schon in Anschluß an den Sündenfall-Bericht ein Sakrament behandeln wollte, müßte man das *Bußsakrament* hernehmen, denn hier wird die Paradieses-Situation je neu aktualisiert.

Dritter Abschnitt
DAS ENDE DER ERSTEN MENSCHHEIT UND DER NOAH-BUND

THEOLOGIE DES SINTFLUTBERICHTES (Gn 6,9–9,17)

Vorfragen zum Sintflutbericht

1) Altorientalische Fluterzählungen:

Von außerbiblischen Fluterzählungen berichtet bereits EUSEBIUS von Caesaraea (± 350 n. Chr.) in seinem Geschichtswerk *praeparatio evangelica* (IX, 12, 414–15). Er beruft sich auf das ältere Werk *Babyloniaca* des Belspriesters BEROSSOS von Babel, am Beginn der hellenistischen Ära (± 250 v. Chr.) griechisch verfaßt. Es sollte der griechischen Welt die ruhmreiche Geschichte Babylons vermitteln. – Im Jahre 1875 wurde in Ninive die erste Keilschrifttafel gefunden, auf der von der Landung eines Schiffes und von der Aussendung von Vögeln die Rede war. Damit war man dem babylonischen Flutbericht auf die Spur gekommen. Die Funde mehrten sich so sehr, daß man den literarischen Werdegang der Fluterzählung bis ins 3. vorchristliche Jahrtausend zurückverfolgen kann. Der älteste Beleg stammt aus der Grabung von Dur-Ebla (südlich von Aleppo) aus der Zeit um 3000 v. Chr. Die klassische Ausformung steht im Gilgamesch-Epos (Zwölf-Tafel-Epos). Die XI. Tafel bringt den Flutbericht nach dem gleichen Aufbau wie die Bibel: Auftrag zum Schiffsbau – Einbruch der großen Flut (7 + 40 + 7 Tage) mit Vernichtung der Menschheit – Landung des Schiffes auf einem Berg. Held der Erzählung ist Ut-napištim = „Lang an Leben", also der Lang- oder Überlebende, dem die Götter Unsterblichkeit verliehen. – Im Gilgamesch-Epos bildet die Fluterzählung nur einen Akt im großen Heldengeschehen. Gilgamesch zieht aus, um zu erfahren, wie man den Tod überwinden und unsterblich werden könne. Nach vielen überwundenen Gefahren kommt er zu seinem Urahn Ut-napištim, der ihm den umfassenden Flutbericht erzählt. Der Sintflutbericht wird im Epos einem großen Thema, der Suche nach Unsterblichkeit, untergeordnet. Der Urahn gibt Gilgamesch die Auskunft, daß das Lebenskraut in der Tiefe des Meeres wachse. Gilgamesch holt es zwar herauf, aber auf der Rückkehr in seine Stadt Uruk frißt eine Schlange das Lebenskraut. Grundthema des Epos: Unsterblichkeit ist für den Menschen nicht erreichbar.

2) Archäologische Spuren:

Bei den Ausgrabungen in UR hat man an mehreren Stellen eine Schwemmsand-Schicht in der Stärke von 2,5–3,7 Metern festgestellt, die der Ausgräber L. WOOLLEY als Zeugen der großen Flut deutete. Eine Zwischeneiszeit (Interglacial) um 5000 vor Chr. hätte im Zusammenhang mit einer Sturmflut die frühen Stadtkulturen des südlichen Stromlandes vernichtet. Daher rechnen schon die sumerischen Königslisten mit einer Zeit vor und nach der Flut. Der große Untergang der frühen Menschheit habe bald Dichter inspiriert, die die geschichtliche Katastrophe zum Gegenstand ihres Singens und Sagens machten, und mit je verschiedenen Motivierungen eine Menschheitsdichtung schufen.

3) Der biblische Bericht:

Die Text- und Literarkritik löste den biblischen Text in mehrere Quellenschriften auf. E. A. SPEISER: Genesis (The Anchor Bible 1964, 54 ff) begnügt sich mit den beiden Quellen J = Jahwist und P = Priesterschrift. Dabei zeigt sich, daß J ganz und gar der literarischen Tradition des AO (= Alter Orient) folgt; das Neue und typisch Biblische finde man dagegen in P! Ein selbständiger Flutbericht könne nach P nicht herausgeschält werden. Hier könne man mit Händen greifen, wie ein biblischer Autor altorientalischen Stoff übernahm und neu bearbeitete. Worin liegen nun die n e u e n A k z e n t e ?

a) I m U n i v e r s a l i s m u s ! Die Flut wird geographisch („bis zu den höchsten Gipfeln der Berge") und zeitlich (volles Mondjahr auf ein Sonnenjahr erhöht: 354 + 11 = 365 Tage) universal entworfen. –

b) S i t t l i c h e M o t i v a t i o n : Die Flut wird nicht auf die Laune der Götter, sondern auf die universale Verderbtheit und Sündigkeit des Menschen zurückgeführt und als Strafgericht Gottes verstanden. –

c) Die altheidnischen Fluterzählungen sind für den biblischen Verfasser nur literarisches Mittel, um die noch größere, alle Menschen umfassende Sünd-Flut zur Sprache zu bringen. –

d) Wer wird gerettet? Der Glaubende! –
Der biblische Flutbericht ist daher mehr als ein Epos; er ist eine aufrüttelnde erzählende Theologie, die bis zu den Tiefen von Heil und Unheil vorstößt.

4) „Sitz im Leben":

Selbst SPEISER meint, daß es kaum gelingen werde, J und P klar zu scheiden. Unsere logotechnischen Untersuchungen haben ergeben, daß beide Quellen nach den gleichen Strukturprinzipien durchkomponiert wurden. Dies würde heißen, daß die Hand des P auch in den J-Partien spürbar ist. Daraus würde weiters folgen, daß P den ganzen Stoff als neue literarische Ganzheit geformt hat. – Nun wird die Quelle P in die exilische oder nachexilische Zeit datiert. Man könnte als Richtwert die r e l i - g i o n s g e s c h i c h t l i c h e A c h s e n z e i t ± 500 v. Chr. annehmen. Im Exil mußte sich das Judentum mit der heidnischen Umwelt auseinandersetzen. Daher überrascht es nicht, daß ein typisch babylonischer Stoff aufgenommen, neu geformt und gedeutet wurde. Der Flutbericht ist daher ein D o k u m e n t d e s D i a l o g s zwischen Offenbarungsreligion und altheidnischer Überlieferung, ein Musterbeispiel dafür, wie Öffnung zur Welt hin realisiert werden kann. Die Flut-Saga wäre mitsamt der anderen altorientalischen Literatur der Vergessenheit anheim gefallen, wäre sie nicht vom biblischen Verfasser „getauft" worden. Worin besteht wohl diese „Taufe"? – Doch im Einbau des ganzen Geschehens in das große Konzept der Bundestheologie! Auf die Exegese des Flutberichtes gehen wir hier nicht näher ein. Der Bundestext selbst (Gn 9,8–17) muß aber näher analysiert werden, um aus dem konkreten Sprachgebrauch zu erfahren, was Bund überhaupt bedeutet. [Ausführlicher zum Sündflutbericht vgl. Cl. SCHEDL: *Geschichte des Alten Testaments,* I. Bd.: Alter Orient und Urgeschichte, 2. Aufl. (1964), 341–374 — überarbeitet in der amerikanischen Ausgabe: *History of the Old Testament,* Vol. I (1972), 375–406. — Zum Forschungsstand vgl. Cl. WESTERMANN, *Genesis* BK I/1 (1974), 518 ff.]

Erstes Kapitel
DER NOAH-BUND (Gn 9,8–17)

I. Spruch (9,8–11)

Vss	HS	NS	E:	R
(8)	Und Elohim sagte zu Noah			
	Und zu seinen Söhnen mit ihm			
	Sagend (hebr.: Infinitiv: zu sagen):		8:	
(9)	1. Siehe ich werde mit euch meinen Bund *errichten*			
	Und mit eurem Samen nach euch			9
(10)		1' und allen Lebewesen, *die* bei euch,		
		Vögel, Vieh und alles Wild der Erde bei euch		
		2' von allen, die aus der Arche *herausgehen* (Part. p.)		
		bis zu allem Wild der Erde		18
(11)	2. Und ich *errichte* meinen Bund mit euch			
	3. Nicht mehr werde *vernichtet* alles Fleisch			
		von den Wassern der Flut		
	4. Und eine Flut soll nicht mehr *sein*			
		3' Um die Erde zu *verderben* (Inf.)		17
			8: + 44	= 52

II. Spruch (9,12–16)

(12)	Und Elohim sagte:		2:	
	5. Dies *(ist)* das Bundeszeichen			
		4' *das* ich zwischen mich und euch gebe		
		5' und allen Lebewesen, *die* mit euch		
		Für Geschlechter auf ewig		16
(13)	6. Und ich *gebe* meinen Bogen in die Wolke			
	7. Und er *wird* zum Zeichen des Bundes			
		zwischen mir und der Erde		10
(14)	8. Und es wird *sein*			
		6' wenn ich mit Wolken die Erde *bewölke* (Inf.)		
	9. Da *wird* der Bogen in der Wolke *sichtbar*			8
(15)	10. Und ich *gedenke* des Bundes			
		7' *der* zwischen mir und euch		
		und allem Fleisch		
	11. Und das Wasser *wird* nicht mehr zur Flut *werden*			
		8' um alles Fleisch zu *verderben* (Inf.)		20
(16)	12. Und *ist* der Bogen in der Wolke			
	13. Da *schau'* ich auf ihn			
		9' um des ewigen Bundes zu *gedenken* (Inf.)		
		zwischen Elohim und allen lebenden Wesen		
		10' und allem Fleisch, *das* auf Erden		18
			2: + 72	= 74

Vss	HS	NS		E:	R
(17)		*III. Spruch* (9,17)			
	Und Elohim sagte zu Noah:			4:	
14.	Das *(ist)* das Bundeszeichen				
	11'	*das* ich errichte zwischen mir			
	12'	und allem Fleisch, *das* auf Erden			12
				4: + 12	= 16

Summen: 14 HS + 12' NS' = 26 SFü   142 Wörter = 14 E: + 128 R

ZUR STRUKTUR

1) Satzstruktur der drei Reden unter dem Siegel JHWH's:

Wir haben in der Übersetzung den Text der Reden nach HS und NS gegliedert, beide durchgezählt und die Summe von (14 HS + 12' NS =) 26 SFü erhalten. Nun ist die Zahl 26 die Summe des Zahlenwertes der Buchstaben des Gottesnamens JHWH; der Text wurde also mit diesem Gottesnamen versiegelt. Wenn die Zahl 26 kein Zufall sein soll, müßte auch die übliche Aufgliederung in ihre Teilwerte ausgeprägt sein. Die Zahl 26 wird über die *22* Buchstaben des hebräischen Alphabets erreicht; daher die zu postulierende Aufgliederung in $(3 + 7 + 12) + 4 = 22 + 4 (!) = 26$. Der Erhöhungswert 4 (!) wird durch die *4* Inf.-Sätze signalisiert (3' 6' 8' 9').

Die mit dem Rel.-Pronomen 'ªšär eingeleiteten NS geben den Wert *7* (mit „der, die, das" übersetzt).

Von den 14 HS werden *12* mit einem Verbum konstruiert; nur 2 HS sind Nominalsätze ohne Verbum (5. 14.). Demnach sind die Werte *4 - 7 - 12* durch den Satzbau klar abgegrenzt. Es verbleiben die 2 nominalen HS (5. 14.) und das Partizipium 2', die zusammen den Restwert *3* ergeben.

Daraus folgt, daß die 3 Reden über den Noah-Bund tatsächlich mit dem Gottesnamen JHWH versiegelt wurden. Dies überrascht, da dieser Gottesname im Text selbst gar nicht verwendet ist. Es kann demnach auch ein sogenannter „elohistischer" Text eine „jahwistische" Prägung aufweisen. Diese Beobachtung dürfte für die Quellenscheidung von Bedeutung sein.

2) Der Wortbestand

a) Nach den Versen erfaßt (E: + R):
Wir haben den Wortbestand nach Versen am rechten Rand vermerkt. Die 10 Vss zeigen folgende Verteilung:

Vss   8 – 9 – 10 – 11   –   12   –   13 – 14 – 15 – 16   –   17
Wörter: 8: + 9 + 18 + 17 + (2: + 16) + 10 + 8 + 20 + 18 + (4: + 12)
                                                        = 142 Wörter

Wendet man das Kriterium *grad - ungrad* an, ergibt dies die Gliederung in 116 grad + 26 ungrad. Damit tritt nochmals das Siegel des Gottesnamens JHWH in Sicht. Hinter dem Wert 116 verbirgt sich die Umlaufzeit des Planeten Merkur = Hermes = Nabu. Nach dem Schöpfungsbericht der Genesis beginnt die Zeitrechnung am 4. Tag, da an diesem die Zeitweiser Sonne, Mond und Sterne geschaffen wurden.

Der im Buch der Jubiläen entwickelte Kalender, der auch in Qumran Verwendung fand, läßt folgerichtig das Jahr mit dem 4. Tag beginnen. Im Sintflut-Bericht werden dem entsprechend die wichtigsten Ereignisse ebenfalls auf den 4. Tag (Mittwoch) datiert. Daher dürfte das Auftauchen der Zahl 116 im obigen Text kein Zufall sein.

b) Wortbestand der Reden:
Wir haben die Summen bereits in der Übersetzung erfaßt: die 3 Reden bringen (44 + 72) + 12 = 116 + 12 = 128 Wörter. In der III. Rede wird der Hinweis auf das Bundeszeichen ein zweites Mal gebracht, daher ist unsere Gliederung berechtigt. Demnach stoßen wir nochmals auf die Zahl 116, durch die der Beginn einer neuen Ära ausgedrückt werden soll.

ergo: Aus all dem folgt, daß der in CodLen als offener Abschnitt (-P-) abgegrenzte Text tatsächlich eine Baueinheit bildet, die sowohl in den Satzfügungen als auch im Wortbestand klar nach Modellzahlen durchkomponiert wurde. Es handelt sich demnach nicht um gewöhnliche Prosa, sondern um eine kunstvolle Komposition aus Sätzen und Wörtern.

ERKLÄRUNG

1) Die Bundespartner:

a) Alles Fleisch (kol baśar): Der Bundesschluß erfolgte nach der Sintflut-Katastrophe, in der alle Menschen und Tiere, einfachhin „alles Fleisch", zugrundegegangen waren, ausgenommen: Noah, seine Söhne (Sem, Cham und Japhet) und die in die Arche geretteten Tiere. Die Frauen werden nicht eigens angeführt; sie werden aber als anwesend vorausgesetzt, da der Bund sich auch auf den „Samen" (zāra ᶜ), die Nachkommenschaft, bezieht. Partner sind also: einerseits Gott-ELO-HIM, andererseits der in der Arche gerettete Rest allen Fleisches (Vgl. den Rest-Gedanken bei Jesajah 7,3: š ᵉ 'ar jašûb, „ein Rest bekehrt sich"). Von diesem Rest stammt die kommende Menschheit ab, und auch alle anderen Lebewesen; daher hat der Noahbund universalen Charakter, ist also ein Bund mit und für das Leben der Welt. Da ausgerechnet der Regenbogen als Bundeszeichen bestimmt wird, nennt man den Noahbund auch einfachhin einen *kosmischen Bund* oder Bund mit dem Kosmos.

b) Gott des Bundes: Daß Bund überhaupt möglich wird, ist einzig auf die Spontaneität Gottes als Letztursache zurückzuführen. Wie kann man diesen theologischen Ansatz im Textgefüge erkennen?
a': Die drei Einleitungen *„es sprach ELOHIM"*: Von keinem Menschen gezwungen, aus sich selbst heraus beginnt Gott zu sprechen. Durch das *Wort* erschließt er sich den Menschen. Im Wort konkretisiert sich das unsagbare Wesen Gottes. Wort ist daher Einschränkung und Offenbarung Gottes zugleich.
b': *Die ICH-Formen des Verbum:* Ist b ᵉ rît ein Abkommen zwischen zwei gleichwertigen Partnern? Sicher sind zwei Partner erforderlich, aber der eine (Gott) ist der Gebende, der andere (Mensch) der Entgegennehmende. Dies kommt klar in den Verba zum Ausdruck. Vss 9.11.17 wird das Verbum qûm in der Ursachform (Hiphil) verwendet. Im Grundstamm (Qal) heißt qûm „aufstehen" (bekannt aus dem Evangelium: talita qûmi, „Mädchen, steh auf!"), im Ursachstamm „aufstehen lassen, aufwecken, erwecken". Damit gewinnen wir einen ersten Aspekt von

dem, was b^{e}rît meint. Es kommt einer schöpferischen Auferweckung, geradezu einer *Neuschöpfung* gleich. In den ICH-Formen sagt Gott an, wozu er sich spontan entschlossen habe. b^{e}rît ist also zutiefst an das sich erschließende ICH Gottes gebunden. — Dies wird noch durch die Verba „ich gebe" (13a) und „ich bewölke" (14b) bestärkt. — Man könnte daher b^{e}rît mit Spontanentwurf Gottes zum Heil des Menschen umschreiben. Die Sintflut hat vom Menschen her gesehen ein Ende gesetzt, von Gott her eröffnet sich aber die neue Möglichkeit der Zukunft. Man kann jetzt schon vorausgreifend sagen, daß mit dem Wort b^{e}rît die je neuen Etappen des Offenbarwerdens Gottes markiert werden. „ICH erwecke meinen b^{e}rît mit euch" könnte daher paraphrasiert werden: „ICH erwecke euch aus dem Grabe der Sintflut und schenke euch neues Leben".

Da es sich um ein freies Angebot Gottes handelt, ist b^{e}rît im letzten Gnade! Die Gnaden-Theologie beginnt nicht erst mit dem NT; das ganze AT ist ohne die spontan geschenkte Gnade Gottes undenkbar.

2) Die Bundesworte:

Was mit b^{e}rît konkret gemeint ist, wird in der Bundesformel ausgesprochen (Vss 11 bc).

wah^{a}qîmôtî ät-b^{e}rîtî itt^{e}käm:
w^{e}lo' - jikkaret kol-baśar ^{c}ôd mimmej hammabbûl
w^{e}lo' - jihjäh ^{c}od mabbûl l^{e}šaḥet ha'aräṣ

Ich erwecke meine b^{e}rît mit euch:
Niemals werd' von den Wassern der Flut
mehr vertilgt alles Fleisch
niemals soll eine Flut wieder sein,
die Erd' zu verderben!

Diese beiden Sätze bilden den Gegenpol zur Sintflut. Dort wurde „alles Fleisch" (b a ś a r) vertilgt und die Erde durch die Flut zugedeckt. Das Gerichtswort zur Vernichtung der Menschheit (Gn 6,13) wird in ein Gnadenangebot zum Leben verwandelt. Formal liegt die gleiche Sprechweise wie im Dekalog vor: „du sollst nicht...!" — hier aber: „Es soll nicht mehr geschehen!"

Gegenstand (Objekt) der b^{e}rît ist b a ś a r , wörtlich „Fleisch, sinngemäß „Menschheit" oder „Lebewesen". Daher die Gegensatzpaare ELOHIM — baśar. Es wird sofort klar, daß es sich hier nicht um gleichgestellte Vertragspartner handelt. Die Initiative geht von Gott allein aus, der der Menschheit einen neuen Seinshorizont eröffnet. b^{e}rît bekommt in diesem Zusammenhang tatsächlich den Sinn von Zukunftsschau, Entwurf, Neuordnung, geradezu von Neuschöpfung, da es Gott allein ist, der das Neue „erweckt" (h^{a}qîmôtî) . Das deutsche Wort „Bund" müßte daher vom biblischen Text her aufgefüllt und vertieft werden.

3) Das Bundeszeichen ('ôt-habb^{e}rît):

Der Mensch ist wesenhaft ein körperliches, sinnenhaftes Geschöpf. Daraus folgt notwendig, daß zutiefst innere, geistige Geschehnisse ihr Abbild (d^{e}mût) im Leibhaften haben müssen. Manchen Dingen wohnt Symbolcharakter kraft ihres Seins inne. Das Wasser reinigt, das Brot stärkt. Für den Bund nach der Sintflut wird der Regenbogen gewählt, ein Symbol, das nach den Stürmen und Regen der Flut an sich schon Frieden und neue Zeit ankündigt. Regenbögen hat es schon vor der Flut gegeben und in der gleichen Art auch nach der Flut, ohne daß sich am Naturgeschehen etwas änderte. Symbol wird ein Naturding nur durch das hinzutretende, deutende Wort. Für den Glaubenden — das ganze Geschehen spielt sich doch im Raum des Glaubens ab! — ist der Regenbogen kein bloßes Naturding mehr; er hat eine neue Sinnrichtung (Transfinalisation) bekommen.

4) Das Gedenken des Bundes (z i k k a r ô n):

b^erît bezeichnet keineswegs bloß den einmaligen historischen Bundesschließungsakt; er ist auf je neue Gegenwärtigsetzung veranlagt. Es handelt sich nicht bloß um ein menschliches Erinnern an den vergangenen Vertragsabschluß; denn wer sich erinnert, ist auf Grund des Textes nicht der Mensch sondern Gott. Beim Erscheinen des Bundeszeichens wird daher Gott jeweils neu gegenwärtig. Damit wird in der Bibel das Problem der wirkenden Gegenwart Gottes im Zeichen das erstemal gestellt. Im Zeichen (ô t) realisiert sich je neu das Bundeswort. Das ganze Geschehen wird mit „Gedenken, Gedächtnis" (z i k k a r ô n) zusammengefaßt, auf das wir später nochmals stoßen werden. — Da Gott ewig ist, ist der von ihm angebotene Bund ein „ewiger Bund" (b^erît ^côlam).

5) Die Einsetzungsformel:

Bekannt ist die Einsetzungsformel des Abendmahls. Voraus steht ein Nominalsatz, der durch einen nachfolgenden Relativsatz näher bestimmt wird. Da das Hebräische kein Hilfszeitwort „sein" kennt, werden die Wörter unvermittelt nebeneinander gestellt:
zo't 'ôt habb^erît ... das (ist) das Zeichen des Bundes,
a^šär h^aqîmôtî bejni ... den ICH erwecke zwischen mir und ...
Philologisch gesehen besteht überhaupt kein Zweifel über die Art der Aussage. Es handelt sich nicht um eine Wunschaussage „es soll sein, es soll gelten", sondern um eine Seinsaussage „es ist!". Von diesem Augenblick an wird neues Sein geschaffen. Von biblischem Denken her ist mit dem Sein des Regenbogens das Sein des Bundes unzertrennlich verbunden.

Im Noahbund finden sich keine Sanktionen wie in den folgenden Bundesschließungen. Dadurch wird der unwiderrufliche Wille Gottes zum Leben und nicht zum Tod des Menschen mit fast naturgesetzlicher Sicherheit (Regenbogen) als gültig verkündet. Hier wird noch keine Einschränkung auf ein bestimmtes Volk, eine bestimmte Familie, einen bestimmten Erwählten sichtbar; die nach der Sintflut geschenkte Möglichkeit neuen Lebens gilt der Menschheit und dem Lebewesen einfachhin.

Ergo:

Wenn der Ansatz der Quelle P um ± 500 v. Chr. richtig ist, haben wir es in diesem Bundesschließungs-Text mit rückblickender Geschichtstheologie zu tun. Zwei Akzente seien abschließend hervorgehoben: a) Der Bund ist universal; hier treten *die Grundelemente der Sakramenten-Theologie* das erstemal in Erscheinung, weshalb der Noahbund als *sacramentum mundi* bezeichnet wird. — b) Der Bund ist ein Bund der gebenden und neuschaffenden Gnade Gottes. Auch dieses Element ist strukturnotwendig für *die Sakramenten-Theologie.* — Die theologischen Entwürfe, die in dieser erzählenden Theologie faßbar werden, bestimmen auch die prophetische

Verkündigung. „Die biblische Sintflutgeschichte trägt bis heute in sich die Kraft, das Gewissen der Welt zu wecken. Und der biblische Verfasser hat sie in dieser pädagogischen, sittlichen Absicht niedergeschrieben. Von einer solchen Absicht wissen die außerbiblischen Sintflutberichte nichts" (A. JEREMIAS, ATAO ⁴1930, 160).

Zweites Kapitel
ZUM SINTFLUT-KALENDER

Der biblische Text bringt folgende Kalenderdaten:

Gen 7,11: Im 600. Lebensjahr Noahs, am 17. II.: an eben diesem Tag brachen alle Quellen der Urtiefe auf und die Schleusen des Himmels wurden geöffnet.

8,4: Und es ruhte die Arche am 17. VII. auf den Bergen Ararats.

8,5: Und die Wasser sanken allmählich bis zum X. Monat. Am 1. X. wurden die Köpfe der Berge sichtbar.

8,13: Es geschah im Jahre 601: am 1. I. hatten sich die Wasser verlaufen.

8,14: Am 27. II. war die Erde trocken.

Diese Datierungen machen den Eindruck von exakten Angaben mit Jahr, Monat und Tagen der Flut. Aber leider sagt der Verfasser nicht, nach welchem Kalender er datiert. Wir müssen daher die verschiedenen Möglichkeiten überprüfen.

1) Nach dem babylonischen Kalender:

Da wir als Ursprungszeit des biblischen Flutberichtes die religionsgeschichtliche Achsenzeit, und als Ursprungsort das babylonische Exil angenommen haben, legt sich die Vermutung nahe, daß nach dem babylonischen Kalender datiert wurde. Über die Art dieses Kalenders stehen genaue Tabellen zur Verfügung (R. A. PARKER and W. H. DUBBERSTEIN: *Babylonian Chronology 626 B.C. – A.D. 75*. Providence, Rhode Islands 1956). Aus diesen folgt, daß die Babylonier einen luni-solaren Kalender hatten; das Normaljahr zählte 354 Tage, die geraden Monate wurden mit 29, die ungeraden mit 30 Tagen gerechnet. Zum Ausgleich mit dem Sonnenjahr wurde je nach Notwendigkeit ein Schaltmonat von 29 Tagen eingeschoben. Ein Kalenderjahr mit 365 Tagen war in Babylonien nicht gebräuchlich.

Wenn wir nun die obigen Datierungen in diesen babylonischen Kalender eintragen, erhalten wir genaue Zahlen für die Abstände der einzelnen Daten voneinander. Dabei ist darauf zu achten, daß mit dem Zieldatum „*bis*" eine neue Zählung beginnt.

1. S t e i g e n d e r F l u t : ab 17. II. *bis* 17. VII. (Gen 7,11):
Monate: II. III. IV. V. VI. VII.
Tage: 13 + 30 + 29 + 30 + 29 + 16(!) = *147* Tage

2. R u h e d e r A r c h e a u f d e m B e r g : ab 17. VII. bis *1. X.* (Gen 8,4)
Monate: VII. VIII. IX.
Tage: 14 + 29 + 30 = *73* Tage

3. A b n a h m e d e r W a s s e r : ab 1. X. bis *1. I.* 601 (Gen 8,5):
Monate: X. XI. XII.
Tage: 29 + 30 + 29 = *88* Tage

4. V e r s c h w i n d e n d e r W a s s e r : ab 1. I. bis *27. II.* (Gen 8,13):
Monate: I. II.
Tage: 30 + 26 = *56* Tage

5. E r d e t r o c k e n : ab 27. II. (Gen 8,14)

	Anstieg Stehen		Abnahme Verschwinden		Erde trocken	
Zusammenfassung:	(147 + 73)	+	(88 + 56)	+	(1)	
	220	+	144	+	(1)	
	364			+	(1)	= 365 Tage

Das Ansteigen der Flut erfaßt 13 Tage + 7 volle Monate = 147 + 73 = 220 Tage; das Vorkommen der Zahl 220 ist überaus auffällig, weist sie doch auf die Anzahl der 22 hebräischen Buchstaben in potenzierter Form. Daher kann man fragen, ob auch die Teilwerte des hebräischen Alphabets (3 + 7 + 12) durch die Verteilung auf die Monate sichtbar werden. Nun haben die geraden Monate 29, die ungeraden 30 Tage. Hebt man bei den geraden Monaten die Einer aus, gibt dies:

Monate: II.   IV.   VI.   VIII.
Tage: (10+3) + (20+9) + (20+9) + (20+9) = 70 + 30 *Tage*

Monate: III. + V. + VII. + IX. = 4 x 30 = *120 Tage*

Damit treten auch die Teilwerte des Alphabets in Sicht, ebenfalls in potenzierter Form.

Da mit dem letzten Datum (27. II.) die Jahre der trockenen Erde wieder beginnen, dauert die Zeit der Flut vom Hervorbrechen der Quellen bis inklusive Verschwinden der Wasser nicht 365 Tage − wie meist angenommen − sondern nur 364 Tage, d. i. die Zahl eines sakralen Sonnenjahres nach dem sogenannten Priesterkalender.

2) Nach dem Priester- oder Jubiläenkalender:

Im Buch Henoch (6,23−38) und im Buch der Jubiläen (5,21−32) wird dieser Kalender genau beschrieben. Das Jahr wird hier in 4 gleich lange Jahreszeiten mit je 3 Monaten zu 30 + 30 + 31 = 91 Tage gegliedert. Sowohl der Jahresbeginn als auch die Anfänge der anderen Jahresviertel fallen immer auf einen Mittwoch, also auf den 4. Wochentag. Der Flutbericht nach Jub 5,21−32 verwendet diesen Kalender. Da aber das Sonnenjahr um 11 Tage länger ist als das Mondjahr, mußte der Verfasser des Jubiläen-Buches den Beginn der Flut vom 17. II. 600 auf den 27. II. 600 verschieben. Daher seine Datierungen:

27. II. 600 = Mittwoch, Beginn der Flut. Gott schloß die Luke der Arche.
 1. X. 600 = Mittwoch, die ersten Berggipfel erscheinen
 1. I. 601 = Mittwoch, die Erde taucht auf
17. II. 601 = Sabbat, die Erde ist trocken
27. II. 601 = Mittwoch, Öffnen der Arche, Auszug der Tiere

Wenn wir diese Datierungen in Tage umsetzen, erhalten wir vom Beginn der Flut bis zum Trockenwerden der Erde:
ab 27. II. 600 bis 17. II. 601 = 354 Tage.
Vom Trockenwerden der Erde bis zum Auszug aus der Arche:
ab 17. II. 601 bis 27. II. 601 =   *10 Tage + 1(!) Tag*
                                  364 + 1 (!) Tage

Mit dem Auszug aus der Arche am 27. II. 601 beginnt das Neue Jahr. Die Zeit der Flut umfaßte also ein volles sakrales Sonnenjahr von 364 Tagen. Daraus folgt, daß im Buch der Jubiläen trotz anderer Kalenderberechnung das gleiche Zeitmaß für die

Sintflut verwendet wurde, aber um den Preis, daß das Anfangsdatum geändert wurde. Man legte offenbar großen Wert darauf, die Flut ein volles Sonnenjahr dauern zu lassen.

3) Der Grundentwurf:

Wenn schon die Flut auf die Zeit eines vollen Sonnenjahres festgelegt wird, warum ließ der Verfasser dann die Flut nicht am 1. I. beginnen? Dies wäre doch viel einfacher gewesen. U. E. griff er die babylonische Überlieferung auf, nach der die Flut 40 Tage dauerte und mit der Aussendung der Vögel *7 Tage dazu*. Dies macht zusammen 47 Tage. Im biblischen Bericht werden diese Angaben ebenfalls vermerkt. Nun sind es vom Jahresbeginn bis zum Beginn der Flut 30 + 17 = 47 Tage; dies mag vielleicht der Grund dafür sein, weshalb der Beginn der Flut auf den 17. II., d. i. auf den 47. Tag, festgesetzt wurde. – Hier mag man sehen, wie altüberlieferte Strukturelemente aufgenommen und in einen neuen Plan umgewandelt wurden. Allen Datierungen gemeinsam ist aber, daß sie keine historischen sondern symboltheologischen Aussagen bringen wollen.

Die alten Leser mußten doch den Widerspruch in der Zeitangabe von 40, bzw. 364 Tagen sofort gespürt haben. Warum wurde hier keine Korrektur vorgenommen? Weil in der Symbolsprache diese beiden Werte gleich sind: den 40 Tagen liegt das Modell der Vierheit der Welt zu Grunde; die babylonischen Herrscher bezeichneten sich als „Herrscher der vier Weltgegenden". Die 40 Tage sind an sich schon eine Bezeichnung für Gesamtheit, die die Allgemeinheit der Flut schon ausdrückt. Der biblische Verfasser hat diese räumliche Gesamtheit in die zeitliche Gesamtheit eines Jahres umgesetzt. Damit kommt er zur eindringlichen theologischen Aussage: Die ganze Welt in Raum und Zeit steht unter der Sünde, und daher unter dem Gericht Gottes; gerettet wird nur der „Gerechte und Vollkommene" (Gn 6,9), der das Gesetz Gottes erfüllt.

4) Das Jahr der Flut „nach der Schöpfung" (Weltära)

Das Judentum rechnet die Zeit noch heute „nach dem Jahr der Schöpfung". In welchem Jahr demnach die Flut begann, läßt sich aus den Zahlenangaben der Genesis ohne Schwierigkeit errechnen. Die Summe der Zeugungsalter von Adam bis Noah beträgt 1556 Jahre. Nun zeugte Noah seinen Sohn im Alter von 500 Jahren, die Flut jedoch begann in seinem 600sten Jahr. Daher muß man zur Summe der Zeugungsalter noch zusätzlich 100 Jahre hinzurechnen. Die Flut begann demnach im Jahr 1656 nach der Erschaffung der Welt. Steht dieses Datum isoliert für sich, oder bestehen Beziehungen zu den nachfolgenden Jahreszahlen?

Der „archimedische Punkt", von dem aus die Zahlen verständlich werden, ist die Berechnung der *Präzession des Frühlingspunktes*. Nach babylonischer Berechnung beträgt sie in einem Jahr 50 Sekunden, in 72 Jahren daher 1 Grad. Wenn man diesen Schlüssel auf das Datum der Flut anwendet, erhält man 1656 : 72 = 23, d. h. vom Beginn der Schöpfung bis zur Flut verschob sich der Frühlingspunkt um 23 Grad. Wurde die biblische Chronologie etwa gar nach dem Modell der pythagoreischen *Tetraktys* aufgebaut? [Ausführlicher in: Cl. SCHEDL: *Baupläne des Wortes.* Einführung in die Biblische Logotechnik. Wien 1974; 49 ff.] Bei dieser handelt es sich um ein kosmisches Modell. Auf die Frage, was existiere, wurde geantwortet: die Vierheit (Tetras): Punkt – Linie – Fläche – Raum. Alles andere sei nur Entfaltung dieser VIER. Die Summe der arithmetischen Reihe von 1 bis 4 ergibt 10, die Zehnheit

(Dekade); die arithmetische Reihe von 1 bis 10 gibt die Summe *55*, die Zahl der
Tetraktys. Schreibt man die Zahlen von 1 bis 10 in das pythagoreische Dreieck,
erhält man:

Eckpunkte + Mitte = = 23

das verbleibende Sechseck = 32

55

Wenn also von der Weltschöpfung bis zur Sintflut 1656 Jahre verflossen sind, denen
23° Frühlingspräzession entsprechen, legt sich die Vermutung nahe, daß in der weiteren biblischen Chronologie irgendein Einschnitt vorliegen müßte, der der spiegelbildlichen zweiten Hälfte des Modells, 32° Präzession, entspricht.

Die Lösung des Problems ist sehr einfach. Man braucht nur die Jahreszahlen aus
Pentateuch und Geschichtsbücher bis zur Zerstörung des Tempels auszuheben. Die
1. Datierung *nach* der Sintflut steht Gen 11,10: „Im 2. Jahr nach der Flut"! Von der
Flut bis zum Bau des salomonischen Tempels in Jerusalem erhalten wir:

nach der Flut	(Gn 11,10)	II
Zeugungsalter Arpachšad bis Terach	(Gn 10–11)	290
Zeugungsalter Abraham	(Gn 17)	100
Zeugungsalter Isaak	(Gn 25,20)	40
Jakob in Ägypten	(Gn 47,18)	130
Israel in Ägypten	(Gn 15,13)	400
bis Tempelbau	(1 Kg 6,1)	480
		II + 1440

Die Zeit von der Flut bis zum Tempelbau umfaßt demnach 4 Sonnenperioden
(4 x 360 = 1440), oder nach der Frühlings-Präzession gerechnet 20° (20 x 72 = 1440).
Die bisher angeführten Zahlen sind nicht als historisch, sondern als *symbolisch* zu
betrachten. Wenn wir aber die Jahreszahlen aus den Büchern der Richter und
Könige ausheben, treten konkrete *historische* Zahlen in Sicht. Das Buch der Richter
bringt 18, das der Könige 21, zusammen also 39 Jahreszahlen. Wir führen hier nur
die Ergebnisse an:

Richter	I + 392
Könige	469
	I + 861

Faßt man symbolische und historische Jahreszahlen zusammen, erhält man:

symbolisch (Gen + 1 Kg 6,1)	II + 1440 = 1442
historisch (Ri + Kg)	I + 861 = 862
	2304 (32 x 72)

Unsere Rechnung mag gekünstelt erscheinen, da wir symbolische und historische
Zahlen miteinander verbunden haben. Unser Ziel war jedoch, die in den Büchern
tatsächlich angeführten Zahlenangaben zu erfassen. Dies führt dann zu dem über-
raschenden Ergebnis, daß von der Flut bis zur Zerstörung des Tempels ein gezielter
Plan sichtbar wird. Wie wir für die Zeit vor der Flut 23° Frühlings-Präzession erhielten, so für die von der Flut bis zur Zerstörung des Tempels den spiegelbildlichen
Wert 32°. Damit dürfte der Sinn der biblischen Jahreszahlen verständlich werden:
denn alle zusammen und jede einzeln sind einem übergeordneten Bauplan unter-

geordnet, um eine in sich geschlossene Epoche auf die kürzeste Formel zu bringen: Die Menschheit erreicht in der Sintflut das erste Ende, gekennzeichnet durch die 23° Präzession; Israel erreichte sein Ende in der Zerstörung des Tempels, gekennzeichnet durch die 32° Präzession.

Die Jahreszahlen *nach* dem Untergang Jerusalems fügen sich in dieses System nicht mehr ein. Der Prophet Daniel fragte zwar: „Wann ist das Ende dieser schrecklichen Ereignisse?" (Dan 12,6), erhielt aber nur die rätselhafte Antwort: „Zeit — Doppelzeit — Halbzeit".

Anm.:

Die Aufschlüsselung der Zahlen mit Hilfe der Präzession des Frühlingspunktes habe ich von P. PAVELKA übernommen, der in einem tschechischen Konzentrationslager seine Studien über die biblischen Zahlen in einem Manuscript *Záhadna čisla* (1968) niedergelegt hat. Eine deutsche Übersetzung mit Einarbeitung der westlichen Literatur wäre wünschenswert.

Leitsätze der Urstandstheologie

I. Die biblische Urgeschichte ist *kein historischer Bericht* über die Entstehung des Menschen. Sie gehört daher nicht in die Gattung der Geschichtsschreibung, etwa in den Abschnitt „Frühgeschichte des Menschen".

II. Obwohl die Urgeschichte am Beginn der Bibel steht, gehört sie beinahe an das Ende des goldenen Zeitalters der hebräischen Literatur. Wahrscheinlichste Hypothese: Entstehungsort Babylonien, Entstehungszeit Exil oder nachexilische Zeit (±500 v. Chr. = *religionsgeschichtliche Achsenzeit!*). Sprachlich und inhaltlich ergeben sich daher Querverbindungen zwischen Bibel und Babel.

III. Babylonische Urzeitüberlieferungen wurden vom biblischen Verfasser zwar aufgenommen, aber mit vollständig neuem theologischen Akzent versehen. Es liegt das genus literarium einer *Controverstheologie* vor. Dem babylonischen Heidentum gegenüber mußte sich das monotheistische Judentum entschieden profilieren und seine Auffassungen über Gott-Welt-Mensch klar artikulieren. Damit wird die Urgeschichte zu einer *Urstandstheologie*.

IV. Was über Adam und Eva ausgesagt wird, gilt für jeden Menschen; also auch für den ersten, über dessen Existenzweise wir geschichtlich nicht aussagen können. In der biblischen Urgeschichte geht es also um *Existenzerhellung des Menschen* überhaupt. Mensch-Sein beginnt dort, wo Begegnung mit Gott beginnt. Der Ort der Begegnung, also der Erkenntnisbaum, ist das Gewissen. Die Berichte über Sündenfall, Ermordung Abels, Gewalttätigkeiten Lameks und Sintflut sind daher Bußpredigten, die das Gewissen aufrütteln sollen. Mensch-Sein heißt daher: in Entscheidung sein für oder wider Gott!

V. Die Urgeschichte zeichnet den Menschen als *kosmisches Wesen*. Die Stammbäume mit ihren Zahlen zeigen den Menschen in seiner Schicksalsverbundenheit mit Sonne, Mond und Gestirnen. Trotz dieser kosmischen Einbindung wird sein Schicksal nicht von den Sternenbahnen, sondern von seiner Gewissensentscheidung bestimmt.

VI. *Die Geschichte Gottes mit den Menschen* beginnt in strengem Sinne nicht mit der Erschaffung des Menschen! Der „naturhafte Mensch" *(homo naturalis)* hätte sich mit einer Gotteserkenntnis wie „hinter Bildern" begnügen können; aus der Schöpfung hätte er auf die Existenz des Schöpfers schließen können. Doch damit begnügt sich die Urgeschichte nicht. Der Schöpfergott ist dem Menschen offenbar geworden. Er hat ihn angerufen. Der Anruf konkretisiert sich im Paradiesesgebot. Erst mit diesem Angebot beginnt die Geschichte Gottes mit den Menschen, die von Anfang bis zum Schluß Offenbarungsgeschichte ist. Am jeweiligen Offenbarwerden Gottes wird die *Struktur des Bundes* (b ᵉ r î t) immer klarer erkennbar. Bund ist kein Vertragsabschluß zwischen zwei gleichberechtigten Partnern! Am Beginn steht das spontane freiwillige Angebot Gottes; denn Gott ist es, der den Bund gibt, aufrichtet, schließt. Daher ist Bund gleich Gnade! Durch das Bundesangebot wird der Mensch in die Entscheidung für oder wider Gott geworfen, wodurch er selbst sein Schicksal entweder zum Segen oder zum Fluch entscheidet.

VII. Die Urgeschichte ist bereits *auf Zukunft hin* angelegt. Dies ergibt sich schon aus der Struktur des Bundes mit seinem Entscheidungscharakter. Auch wenn die Rebellion gegen Gott übermächtig wird, auch wenn Katastrophen die Menschheit zum Untergang treiben, läßt sich Gott nicht ermüden. Dies künden die äußeren Zeichen an, unter denen Bund geschlossen wurde: der Drachensieger im Paradies, der Friedensbogen nach der Sintflut usw. bis hin zum Neuen Bund, der die gleiche Doppelstruktur zeigt: Vernichtung und Verneinung Gottes auf Golgotha, und trotzdem ANASTASIS.

Ergo: Urgeschichte ist Urstandstheologie! Hier wird die existentielle Tiefe des Menschen aufgehellt, das Tor zum wirklichen Sein aufgestoßen. Der Mensch wird aus seiner irdischen Vereinsamung herausgestellt (ex-sistere); der Kosmos tut sich vor ihm auf. Das Größte aber, das vom Menschen ausgesagt werden kann, besteht darin, daß Gott ihn anspricht, daß Gott mit ihm sein will (^ci m m a n û - E l). Die Seinserhellung des Menschen wird aber nur durch das je größere Offenwerden Gottes möglich, d. i. durch die Offenbarung.

Die Urstandstheologie ist daher e i n   g r a n d i o s e r   t h e o l o g i s c h e r   E n t w u r f , dem in der ganzen altorientalischen Literatur nichts an die Seite gestellt werden kann. Ob seiner unauslotbaren Tiefe, Länge, Höhe und Breite ist er unüberholbar.

ZWEITER TEIL

Der göttliche Sprachvorgang in der Geschichte

Bundestheologie

VORWORT

Die Untersuchung des Schöpfungsberichtes hat ergeben, daß die Welt durch das Wort ins Dasein gerufen wurde. Schon die altjüdische Theologie griff diese Aussage auf und deutete demnach Weltschöpfung als Sprachvorgang. Im Johannesprolog wird dieser Sprachvorgang bis zur Menschwerdung des Wortes weitergeführt.

Der Kosmos an sich ist nicht stumm; denn „Die Himmel erzählen die Herrlichkeit Gottes" (Ps 18). Doch als eigentliche Antwort auf das Schöpfungswort Gottes wurde der Mensch ins Dasein gerufen. Das Gespräch des Menschen mit Gott geschieht aber nicht in wunderbaren Erscheinungen; es ereignet sich vielmehr am Baum der Erkenntnis, den wir als „Baum des Gewissens" deuteten. Gottes Wort wird mit Menschen also in der Stimme des Gewissens erfahrbar. Durch seine Antwort mit JA oder NEIN entscheidet der Mensch über seinen Weg zum Heil oder zum Gericht.

Der Sintflutbericht zeigte kosmische Ausmaße. Das Gericht brach herein, weil die Bosheit des Menschen sich gemehrt hatte und „alles Fleisch verderbt" war. Der Mensch war zum JA auf Gott hin erschaffen (vgl. 1 Kor 1,19; Jesus, das JA Gottes). Der Sintflutbericht will anschaulich darlegen, was aus dem NEIN erfolgte: Gericht und Untergang. Eine neue Zukunft eröffnet sich nur dem „Gerechten und Vollkommenen" (Gn 6,9), der Gottes Wort hörte, im Herzen bewahrte, und in seinem Tun verwirklichte. Den Weg in die neue Zukunft zeigt der Regenbogen, also ein kosmisches Zeichen, an.

Damit haben wir einen Grundentwurf für Kosmos und Mensch gewonnen, der für jeden Ort und für jeden Menschen gültig ist. Der Vergleich mit den altorientalischen Schöpfungsmythen erwies sich als sehr wertvoll, weil man im Vergleich erkennen kann, wie sehr das AT in seiner Umwelt verwurzelt ist. Durch diesen Vergleich tritt aber der Eigenwert der Bibel klar ans Licht. Sicher kann man sagen, daß sich der biblische Schöpfungsbericht durch den Eingottglauben von seiner Umwelt unterscheidet; aber diesen Monotheismus hätte man auch anders darstellen können. Das Typische und daher Einmalige der biblischen Urgeschichte liegt darin, daß Weltschöpfung als göttlicher Sprachvorgang entworfen wird. Die ersten 10 Kapitel der Genesis sind also universal ausgerichtet: Kosmos und Mensch, durch das Wort ins Dasein gerufen, der Mensch in die Entscheidung der Antwort gestellt.

Mit dem Turmbau von Babel (Gn 11) und der Berufung Abrahams (Gn 12 ff) betreten wir den eigentlichen Raum der Geschichte. Beim Lesen dieser Texte wird man bald merken, daß es nicht so sehr um Geschichtsschreibung über Helden und Heroen geht; sicher werden menschliche Schicksale anschaulich geschildert, aber nicht der Mensch ist das Entscheidende, sondern das in die Geschichte hineingesprochene Wort Gottes. Daher besteht unser Untertitel „Der göttliche Sprachvorgang in der Geschichte" zurecht.

Aufgabe der folgenden Untersuchungen wird es daher sein, das jeweils neu in die Geschichte hineingesprochene Wort Gottes aus der Fülle des Erzählten herauszuheben. Als Marksteine und Führer durch diesen Arbeitsgang wählen wir das Wort b^{e}rît, das gewöhnlich mit „Bund" übersetzt wird. Hierbei konzentrieren wir unsere Aufmerksamkeit auf zwei *Epochen*, an denen die Geschichte sozusagen den Atem anhielt (ἐπ–έχειν = „anhalten"): den Bund mit den Patriarchen und den Bund mit Israel am Sinai. Beide gründen im Wort. In den Abrahams-Erzählungen findet

sich die Einleitung: „Und es geschah das Wort Gottes" (Gn 15,1: w a j ^{e} h î   d ^{e} b a r -
J H W H). Der Sinai-Bund wurde geschlossen „auf Grund all dieser Worte" (Ex
24,8: d ^{e} b a r î m). *Bund* und *Wort* sind daher nur verschiedene Aspekte des gleichen
Sprachvorgangs.

Vorausblick auf den dritten göttlichen Sprachvorgang:

Im Davids-Bund wird ein neuer Ansatz dieses Sprachvorganges erkennbar, der in
den Weissagungen der Propheten immer mächtiger aufklingt. Das Wort Gottes,
durch das die Welt geschaffen, und auf das hin der Bund mit den Patriarchen und mit
Moses geschlossen wurde, soll aus dem Samen Abrahams als Sohn Davids Mensch
werden. Der göttliche Sprachvorgang findet daher in der Menschwerdung des Wortes, d. i. in Jesus, dem Sohn Davids, dem Sohn Abrahams, dem Sohn Adams, seine
letzte Vollendung.

NB.: Als Grundlage für das Studium der alttestamentlichen Messianologie verweise ich auf die
entsprechenden Abschnitte meiner *„Geschichte des Alten Testaments"*, vor allem Bd III: Zeitalter
der Propheten; Bd IV: Die Fülle der Zeiten (Tyrolia-Innsbruck 1959 und 1962), dazu noch: *Rufer
des Heils in heilloser Zeit.* Der Prophet Jesajah, Kap. I—XII (Schöningh-Paderborn 1973).

Vorfragen: Was heißt „BUND"?

Philologische Untersuchung

Dem deutschen Wort „Bund" entspricht hebräisches b^{e}rît, das im AT 286mal (nach anderen 287 oder 288mal) vorkommt. Fast alle Lexika vermerken: Die sprachliche Urbedeutung von b^{e}rît ist ungeklärt. — Das gleiche gilt für das Verbum „Bund *schließen"* (karat) (288mal). Über den Stand der Forschung informiert man sich am leichtesten in folgenden Lexika:

Bibellexikon, hg. v. H. HAAG, Benziger Verl, ²1968 (unter „Bund")

Theol. Wörterbuch zum AT, hg. v. G. J. BOTTERWECK und H. RINGGREN, Kohlhammer Verl. 1. Band 1973 (unter b^{e}rît)

Theol. Handwörterbuch zum AT, hg. v. JENNI/WESTERMANN, Verl. Kaiser, München, 1. Band 1971 (unter b^{e}rît)

Calwer Bibellexikon, hg. v. Th. SCHLATTER, Calwer Verl. Stuttgart ³1973 (unter *Bund)*

Die Bibel und ihre Welt, hg. v. G. CORNFELD und G. J. BOTTERWECK, G. Lübbe Verl. 1. Band 1969 (unter *Bund)*

Lexikon zur Bibel, hg. v. Fr. RINECKER, Brockhaus Verl. Wuppertal 1960 (unter *Bund)*

Encyclopaedia Biblica (hebr.). Jerusalem. II. Bd 1954. (unter b^{e}rît)

Theologisches Wörterbuch zum NT, hg. v. G. KITTEL. Stuttgart. 2. Bd (1935), 106, (unter Diathēkē, b^{e}rît).

1) Die Wurzelbedeutung von b^{e}rît

Da es sich um ein hebräisches Wort handelt, und da Hebräisch zu den semitischen Sprachen gehört, ist es Aufgabe der sprachvergleichenden Semitistik (comparative linguistic), dieses Problem zu lösen. Als Vergleichssprachen wurden das Akkadische, das Ugaritische und das Altarabische beigezogen, wodurch der sprachliche Horizont ab 2000 v. Chr. erfaßt wird. Wir heben nur die wichtigsten Ableitungen aus:

a) „Zwischung", von der akkadischen Präposition birît = „zwischen" abgeleitet (Mari-Texte aus der Zeit Hammurabis). Die ursprüngliche Präposition sei substantiviert und zur Bezeichnung des Bundesschließungsvorganges, der doch ein Geschehen *zwischen* zwei Partnern betrifft, also ein „Zwischung" ist, verwendet worden. — Wird abgelehnt!

b) „Band, Fessel", vom akkadischen Hauptwort birîtu abgeleitet. Auch dieser Vorschlag steht auf tönernen Füßen, da nur mit sprachlichen Analogien hantiert wird. Weil im Akkadischen das geläufige Wort für Bund und Vertrag rikšu, „Band, Bindung", bedeute, könne auch birîtu im übertragenen Sinn die gleiche Bedeutung angenommen haben. Man verweist darauf, daß hethitisch isḫiul, arabisch ^{c}aqdun, lateinisch vinculum, in gleicher Weise Band, Bindung, Bund, Vertrag bedeuten. Damit wäre die geläufige Übersetzung Alter und Neuer BUND sprachgeschichtlich gerechtfertigt. Widersinnig wird aber diese Ableitung, wenn man das Verbum karat, das am häufigsten mit b^{e}rît verbunden wird, beizieht; es heißt doch „schneiden, zerhauen"; karat b^{e}rît würde demnach „die Fessel zerschneiden" und nicht „Bund schließen" bedeuten. Ergo stat difficultas!

c) „Mahl", von der hebräischen Wurzel b a r a h I = „essen" abgeleitet (II Sam 3,35; 12,17; 13,5.6). Da in der Antike Verträge mit einer Opfermahlzeit beschlossen wurden, habe man den Bundesschluß einfachhin „Mahl" = b ^{e} r î t genannt *(pars pro toto)*. Ein Nachklang davon sei noch im Wort *Sponsion,* die doch eine feierliche Verpflichtung auf die Gesetze von Wissenschaft und Forschung ausdrückt, vorhanden. Das lateinische Wort s p o n s i o kommt vom griechischen σ π ο ν δ ή = Ausgießen (des Opfers von Wein, Milch oder anderen Säften). Dagegen spricht, daß im AT das Verbum b a r a h I im Sinn von „essen" nur im Zusammenhang von Trauer und Krankheit verwendet wird.

d) „V o r - S e h u n g , B e s t i m m u n g ", von der hebräischen Verbalwurzel b a r a h II = „sehen, schauen", abgeleitet (I Sam 17,8). Die Ausgangsbasis ist äußerst gering, nur ein einziger Beleg im AT. Doch die verwandten Verba r a ' a h = „sehen" und ḥ a z a h = „schauen" weisen auf die Bedeutung „für sich ersehen, auswählen, vorsehen, bestimmen, verordnen". Das Hauptwort b ^{e} r î t würde demnach „Schauung, Vorausblick, Erwählung, Vorsehung, Bestimmung" bedeuten. Theologisch mag diese Ableitung sehr brauchbar sein; denn b ^{e} r î t wäre der von Gott vorausgeschaute Zukunftsentwurf, eine dem Menschen angebotene neue Möglichkeit. Philologisch gesehen ist dagegen auch hier die Basis zu klein. Der Hinweis auf das akkadische Wort b a r û = „Wahrseher = Wahrsager" führt nicht viel weiter. [Stellen zum Vergleich nachschlagen: r a ' a h Gn 22,8 Dt 12,13; 1 Sam 16,1; 2 Kg 10,3; Est 2,9; zu ḥ a z a h : Ex 18,21; Jes 28,12.18].

2) Wurzelbedeutung von k a r a t :

Wie schon oben 1b angeführt, heißt k a r a t „schneiden, zerteilen".

a) P r o f a n e V e r w e n d u n g :
Die Übersetzung richtet sich nach dem Objekt: Bäume umhauen, Ranken abschneiden, Tiere zerteilen, Feinde ausrotten.

b) R e l i g i ö s e V e r w e n d u n g : Vor allem im Zusammenhang mit Bundesschluß gebraucht. Was soll dann aber k a r a t b e r î t = „Bund schneiden" heißen? Für die ursprüngliche Bedeutung „schneiden" gibt es zwei Belegstellen:

J e r 3 4 , 1 6 :
„Ich mache die meinen Bund (b ^{e} r î t i) übertretenden Männer (^{c} b r) 6
welche die Worte des Bundes (d i b r e j - h a b b ^{e} r i t) nicht halten .. 3
welche sie vor mir geschnitten (k a r ^{e} t û) 3
dem Stierkalb gleich, ... 1   12
welches sie in zwei Teile geschnitten (k a r ^{e} t û) 6
und zwischen dessen Stücke sie hindurchgeschritten (^{c} b r) " .... 3 !

$$22 = 7 + 12 + 3 !$$

Ein Musterstück prophetischer Sprachkunst! Der in sich geschlossene Satz wurde exakt nach dem Alphabetmodell durchkomponiert:
1 Hauptsatz + 3 Relativsätze mit ' ^{a} š ä r (welcher) + 1 Relativsatz ohne ' ^{a} š ä r, mit 7 + 12 + 3 = 22 Wörtern; die Verteilung der Wörter entspricht genau der Einteilung der 22 Buchstaben in die 3 Urbuchstaben + 7 doppelte + 12 einfache Konsonanten.

Inhaltlich spielt Jeremiah mit den Verba k a r a t und ^{c} a b a r , und zwar in der ursprünglichen Bedeutung „zerschneiden, zerteilen" und „durchschreiten, übertreten". Hier wird ein konkreter Bundesschließungs-Ritus faßbar. Die Partner mußten zwischen den geteilten Hälften des geschlachteten Stierkalbes durchschreiten. Aus dem Kontext geht hervor, daß es sich um einen Droh-Ritus handelt. Die das zerteilte (karat) Tier Durchschreitenden (^{c}abar) sollen in Stücke gehauen werden (karat), wenn sie den Bund (b^{e}rît) überschreiten (^{c}abar). – Von diesem Ritus her würde der ursprüngliche Sinn von b^{e}rît karat = eine „Zwischung schneiden" für „Bund schließen" verständlich.

Abrahams Bundesschluß zwischen den geteilten Tieren (Gn 15,7–20):
Auf diese Perikope kommen wir noch eigens zu sprechen. In ihr wird nun ausführlich entwickelt, was Jeremiah in nur einem einzigen Vers zusammenfaßt.

NB.: Auf Grund der Mari-Texte (± 18. Jh. v. Chr.) wissen wir, daß bei Bundesschlüssen der Amuru-Beduinen das kostbarste Tier, der Esel = ḥ^{a}môr, geschlachtet und geteilt wurde. Die Verbündeten heißen daher benej-ḥamôr = „Eselssöhne" (Gn 33,19; 34,2–26: Sichem).

c) Formelhafte Verwendung:
Die Sprache ist etwas Lebendiges. Die philologische Urbedeutung von Wörtern kann verlorengehen. Wer nicht germanistisch gebildet ist, denkt z. B. bei Gründonnerstag an die Farbe grün und nicht an das altdeutsche greinen = klagen. Einen ähnlichen Vorgang müssen wir auch im Hebräischen annehmen. Mag auch karat ursprünglich „schneiden, zerteilen" bedeuten, an den meisten Stellen heißt es im Zusammenhang mit b^{e}rît einfach „schließen, etwas festsetzen, bestimmen, verordnen".

ergo: Das Ergebnis der philologischen Untersuchung ist verhältnismäßig mager. Je nachdem, für welche der vorgeschlagenen Möglichkeiten man sich entscheidet, bedeutet b^{e}rît entweder vom Ritus abgeleitet „Zwischung" oder von anderen Wortwurzeln abgeleitet „Bund/Fesselung, Bundes(Mahl), Schauung, Bestimmung, Erwählung, Verordnung". Im Griechischen wird b^{e}rît zum Großteil – nicht immer! – mit δια-θηκη übersetzt, wobei man ebenfalls an den „Zwischen"-Charakter (δία/δύο) des Bundes denken könnte; im gewöhnlichen Sprachgebrauch heißt es aber einfach „Verfügung, Verordnung", wozu auch die Verordnung eines Bundes gehören kann. Das lateinische testamentum ruft das Beisein von Zeugen (testes) beim Bundesabschluß wach, entspricht aber nicht so sehr hebräischem b^{e}rît, sondern dem mit b^{e}rît synonym verwendeten Wort ^{c}edût, „Bezeugung, Zeugnis". – Im aramäisch-syrischen Sprachraum wird qijāmā, die „Aufrichtung" (einer neuen Ordnung) verwendet. (Mk 5,41: talîta qûmi! = „Mädchen, steh auf!")

Um Sinnumfang und Bedeutung von b^{e}rît zu erfassen, muß man die abstrakte Philologie hinter sich lassen und den wirklichen, lebendigen Sprachgebrauch abhorchen, wie er in den Bundesschließungs-Texten vorliegt. RIENECKER zählt im LzB Seite 254 folgende Bundesschließungen auf: 1) Noahbund (Gn 8,21–9,17); 2) Abrahambund (Gn 15,7–21); 17,3–14); 3) Sinaibund (Ex 19–24); 4) Josuabund (Jos 24); 5) Josiabund (2 Kg 22–23); 6) Esrabund (Neh 8–10; Esr 10,3); 7) Davidbund (2 Sam 7; Jes 66,3 Jer 33,21.26); 8) Pinchasbund (Num 25,12); 9) Levitenbund (Mal 2.4.8); 10) Zedekiabund (Jer 34,8). – Da das Protoevangelium (Gn 3,14–19) ebenfalls Bundcharakter zeigt, könnte man von XI Bundesschlüssen im AT sprechen.

Vierter Abschnitt
DER BUND MIT DEN PATRIARCHEN

Vorfragen

Innerhalb der Genesis bilden die Berichte über den Patriarchen Abraham, beginnend mit der Notiz über seine Geburt (Gn 11,26) und schließend mit dem Bericht über seinen Tod und sein Begräbnis (Gn 25,11), einen großen Erzählblock. Als Höhe- und zugleich Wendepunkt gelten die beiden Bundesschließungstexte:
a) Der Bund über den geteilten Tieren (15,1–21), nach der im Text verwendeten Kurzform des Namens *ABRAM-Bund* genannt;
b) Der Bund im Zeichen der Beschneidung (17,1–27), nach der Langform *ABRA-HAM-Bund* genannt.
Um den literarischen Werdegang, den geschichtlichen „Sitz im Leben", das Zeugnis der Ausgrabungen und die theologische Bedeutung dieser Texte richtig einordnen zu können, müssen einige Vorfragen geklärt werden.

Unsere Aufgabe kann es nicht sein, das ganze Pentateuchproblem hier aufzurollen. Wir begnügen uns mit einigen Hinweisen zum Stand der Forschung.

1) Theologische Einheit:

Orthodoxes Judentum und Christentum betrachten die Abraham-Texte als Glaubensquelle, und daher auch als eine in sich geschlossene literarische Aussageeinheit; so der Theologe Paulus und die jüdischen und christlichen „Väter", so auch die liturgischen Lesungen im Gottesdienst von Synagoge und Kirche. Auch nach dem Vatikanum II wurden die liturgischen Lesungen nicht nach Quellenschriften geteilt, sondern als Texteinheit in die Verkündigung aufgenommen. Für das Kerygma ist der literarische Werdegang irrelevant.

2) Literarische Vielfalt:

Daß der heute abgeschlossen vorliegende Pentateuch einen literarischen Werdegang durchmachte, gilt als sicheres Ergebnis der seit der Aufklärung ($\pm$ 1750) einsetzenden Pentateuchkritik. In der Art, wie die literarischen Vorstufen abzugrenzen seien, ist man über mehr oder weniger überzeugende Hypothesen nicht hinausgekommen. Die von GRAF und WELLHAUSEN entworfene 4-Quellen-Hypothese (J - E - D - P) hat sich in differenzierter Form zwar weithin durchgesetzt, ihre Richtigkeit wurde aber in den letzten Jahrzehnten immer häufiger in Frage gestellt. In unserem Zusammenhang sei nur darauf verwiesen, daß die Quelle J (der klassische Erzähler und Psychologe!) in die davidisch-salomonische Glanzzeit datiert wurde. John van SETERS: A b r a h a m i n H i s t o r y u n d T r a d i t i o n (Jale University Press, New Haven und London 1975) tritt den Beweis an, daß der Jahvist in der exilisch-persischen Zeit einzuordnen ist. Die Abraham-Berichte seien „Folklore" aus Israels Spätzeit! RENTTORF und teilweise schon Gerhard von RAD stellten den literarischen Charakter einer Quelle J schon in Frage. Daß es eine eigene Quelle E gegeben haben soll, wurde schon von VOLZ und RUDOLPH 1923 angefochten. – Es muß also festgestellt werden, daß wir auf dem Gebiet der literarischen Quellenscheidung uns auf einem Versuchsfeld befinden, wo zwar eine *opinio communis* feststellbar ist, die aber nicht unangefochten blieb.

3) „Sitz im Leben":

H. GUNKEL (1920) verlegte die Problemstellung vom Text weg in das Vorher des Textes; denn erfolgreicher als die Untersuchung der literarischen Form sei die Untersuchung des Entstehungsortes der Texte („Sitz im Leben"). Diese seien an verschiedenen Orten (Lokalerzählungen, Heiligtumslegenden), in verschiedenen sozialen Umgebungen (Stammessagen, Herrschererzählungen, Weisheitsschulen, Priesterschulen) als Einzelüberlieferungen entstanden und erst später zu einem Gesamtwerk zusammengefaßt worden. Dadurch wird die literarische Quellenscheidung zwar von einer anderen Seite her unterstützt, als neues Element kommt das Postulat *mündlicher Überlieferung* hinzu.

Hier setzte dann vor allem die skandinavische und weiterhin die angelsächsische Schule ein. Die Problemstellung wurde völlig umgekehrt. Die mündliche Überlieferung sei sogar zuverlässiger als die schriftliche. So postulierte Cyrus GORDON: *Geschichtliche Grundlagen des AT/* 1956,29, daß am Anfang des Pentateuchs der einheitliche Entwurf eines *Nationalepos Israels* gestanden sei. Dieses habe zwar im Laufe der Jahrhunderte verschiedene ausschmückende Schnörkel erhalten. Daß Israel, genauso wie Hellas, ein großes Nationalepos besessen habe, könne nach der Entdeckung der Epen von Ugarit als verantwortbares wissenschaftliches Postulat gelten. Die griechischen Epen haben nämlich das Kulturkolorit der Mykenischen Zeit (1500–1200 v. Chr.) getreu bewahrt; das gleiche gelte auch vom Abraham-Epos, das altorientalisches Überlieferungsgut bewahrt habe.

4) Der archäologische Befund:

Solange nur die babylonischen Quellen zur Verfügung standen, bemühte man sich, die Abraham-Erzählungen vor allem mit Hilfe des Hammurapi-Codex in den Geschichtsablauf einzuordnen; doch bald zeigte es sich, daß das Hammurapi-Recht anders geartet sei als jenes, das den Hintergrund der Patriarchenerzählung bildet. Erst durch die Ausgrabungen in NUZI (bei Kirkuk), MARI (am oberen Euphrat, heute an der syrisch-irakischen Grenze) und neuerlich in EBLA (bei Aleppo) kamen Keilschrifttexte zum Vorschein, die zeigen, daß in den Patriarchenerzählungen sozusagen archaisches Urgestein bewahrt wurde: Wanderung der Amurru-Beduinen, Eherecht, Erbrecht, politische Machtverhältnisse usw. Daher datierte R. de VAUX Abraham in die Zeit der großen Amurru-Wanderung ± 1850 v. Chr., dies deshalb, weil es die historische Konstellation, die in den Patriarchenerzählungen aufscheint, später nicht mehr gegeben hat (ausführlicher R. de VAUX: *Das Alte Testament und seine Lebensordnungen,* II Bde, 1962²). Wenn auch andere Forscher diesen Frühansatz als zu hoch gegriffen ablehnen, ändert sich nichts an der Tatsache, daß wir es mit einem *Erzählgut* zu tun haben, das *die geschichtlichen Verhältnisse der Mittleren Bronzezeit (MB ± 2000–1500 v. Chr.)* getreu widerspiegelt.

Damit ist aber noch nicht gesagt, daß das Abraham-Epos in der gleichen Frühzeit entstanden ist. Man verweist auf die Analogie mit der Entstehung der griechischen Epen. *HOMER* (8. Jh., Zeitgenosse des Propheten Jesajah) schrieb seine Epen erst lang nach dem Untergang der Mykenischen Zeit ($\pm$ 1200 v. Chr.) und hat trotzdem das Kolorit der untergegangenen mykenischen Epoche getreu bewahrt. Ähnliches könnte auch für das Abraham-Epos gelten.

Man könnte also folgern, daß sowohl in Hellas als auch in Israel zu einem bestimmten Zeitpunkt das Wiedererwecken der Vergangenheit (Renaissance) zu einer nationalen Notwendigkeit geworden war. Durch den Blick in den Spiegel der Geschichte wollte man sich selbst neu finden, um den Weg in die Zukunft wagen zu können. Bei diesem Rückblick wurde altes Überlieferungsgut, etwa Heldenlieder, Einzelberichte, nicht mechanisch übernommen, sondern dem Ruf der Zeit entsprechend auch neu und ganzheitlich geformt. Erst dadurch entstand das Epos.

Ergo:

Die Analogie mit Hellas wirkt bestechend, doch bei Israel kommt als Neues der theologische Gesichtspunkt hinzu. Geschichte wird nicht als Heldengeschichte sondern als Heilsgeschichte mit Gott dargestellt. Das Leitwort dieser Geschichtsschau ist nichts anderes als das Wort b ^{e} r î t , „Bund", in seinen verschiedensten Nuancen.

Geschichtstheologisch muß man fragen, in welchen Epochen BUND sozusagen virulent werden konnte? Neuansätze im theologischen Denken scheinen in Umbruchs- und Krisenzeiten auf. Wenn man nun den Geschichtsablauf des Alten Testaments abtastet, kann man *drei Umbruchszeiten* feststellen, welche eine Rückbesinnung auf die vergangene Geschichte mit einer neuen Renaissance geradezu mit innerer Notwendigkeit fordern: a) Unterdrückung in Ägypten mit Rückbesinnung auf die Väterverheißungen und folgendem Bundesschluß am Sinai – b) Zusammenbruch des Stammessystems mit Aufrichtung des Königtums – c) Untergang des Königtums, Exilzeit und Neubesinnung. – Damit sind zugleich die Möglichkeiten verschiedener literarischer Vorstufen (Quellenschriften) angedeutet. Die endgültige literarische Form nahm das Abraham-Epos aber im babylonischen Exil an. Von Ur in Chaldäa (Babylonien) begann einst Abrahams Weg der Verheißung; hier in Babylonien endete auch Israels Weg der Verwerfung (Zerstörung des Tempels, Vernichtung des Königtums, Aussiedlung des Volkes). Gerade diese Katastrophensituation scheint der theologische Ort der Rückbesinnung auf den durchschrittenen Weg und der Hoffnung auf eine neue Zukunft gewesen zu sein. Das Abraham-Epos ist daher mehr als ein *Nationalepos.* Es ist Geschichtstheologie in epischer Sprache! Will man diese Theologie erarbeiten, darf man den geschichtlichen Werdegang der Texte, also die historische Perspektive mit möglicher Quellenscheidung, zwar nicht aus dem Auge verlieren; will man sich aber nicht in ein Labyrinth verschiedener Hypothesen verirren, bleibt als sicherer Ausgangspunkt der Arbeit der jetzt vollendet vorliegende, handschriftlich bezeugte *ganzheitliche Text.* Denn bevor man nach den Vorstadien des Textes fragt, muß der jetzige Text nach seiner Struktur und theologischen Aussageart untersucht werden. Hierbei kann die *logotechnische Methode* wertvolle Dienste leisten, da sie mit Hilfe der *Strukturanalyse* die Baupläne des Wortes ins Licht zu heben sucht. Von dieser Analyse her eröffnen sich dann nicht bloß neue Perspektiven in bezug auf die Quellenschriften J - E - D - P, sondern auch in bezug auf den Gesamtentwurf der Patriarchentheologie.

Erstes Kapitel
DER BUND MIT ABRAM (Gn 15,1–21)

A. VERHEISSUNG DES SAMENS IM ZEICHEN DER STERNE (Gn 15,1–6)

Diesmal bringen wir auch den hebräischen Text, damit sich der Leser ein kritisches Urteil darüber bilden kann, ob Logotechnik bloße Zahlenspielerei oder ernst zu nehmende wissenschaftliche Strukturanalyse ist. Wir gliedern den Text einfach nach seinen „literarischen Gattungen": erzählender Bericht (B) – Einleitungen zur direkten Rede: hierbei unterscheiden wir die doppelte Einleitung (!) mit d a b a r + ' a m a r (Wort + sprechen) und die einfache Einleitung mit ' a m a r (sprechen) allein (E:) – schließlich die direkten Reden (R), über deren Abgrenzung kein Zweifel besteht. – Damit wird eine „Quellenscheidung" gewonnen, die von jedermann nachgeprüft werden kann, und daher als objektiv gelten muß. Es liegen drei Redegänge vor: JHWH/Abram – Abram/JHWH – und JHWH allein. Die Reden werden mit dem Glaubenssatz abgeschlossen.

Gen 15,1–6

Vss	HS	NS	B	E:	R
(1)	1.	'aḥar haddebarîm ha'elläh			
		hajah debar JHWH 'äl-Abram bammaḥazäh		9!	
		1' le'mor:		1!	
	2.	'al-tîra' Abram		3	⎱
	3.	'anokî magen lak			9
		śekareka harbeh me'od		6	⎰
(2)	4.	wajjomär Abram:		2:	⎱ 23
	5.	Adonaj JHWH mah-titten-lî		5	⎱
	6.	we'anokî hôlek carîrî		3	14
	7.	ûbän-mäšäq bejtî hû' dammäśäq 'Elicäzär		6	⎰
(3)	8.	wajjomär Abram:		2:	
	9.	hen lî lo' natatta zarac		5	⎱
	10.	wehinneh bän-bejtî jôreš 'otî		5	10
(4)	11.	wehinneh debar JHWH 'elajw		4!	
		2' le'mor:		1!	
	12.	lo' jîrašeka zäh		3	⎱
	13.	kî-'im — 3' 'ašär ješe' mimmecäjka			10
		hû' jîrašäka		7	⎰
(5)	14.	wajjoṣe' 'otô haḥûṣah	3		
	15.	wajjomär:		1:	
	16.	habbeṭ-na' haššamajmah		3	⎱
	17.	ûsepor hakkokabîm		2	9
		4' 'im tûkal		2	
		5' lispor 'otam		2	⎰
	18.	wajjomär lô:		2:	
	19.	koh jihjäh zarcäka		3	
(6)	20.	wehä'ämîn bJHWH	2		
	21.	wajjaḥšebäha lô ṣedaqah	3		
	21 HS + 5' NS = 26 SFü		8 + 22 + 55 = 85		

Übersetzung:

Vss	HS	NS
(1)	1.	Nach diesen Worten geschah das Wort JHWHs in der Schau an Abram
		1' lautend:
	2.	Fürchte dich nicht Abram
	3.	Ich (bin) dein Schild, dein übergroßer Lohn
(2)	4.	Und Abram sagte:
	5.	Adonaj-JHWH, was willst du mir geben?
	6.	Ich geh doch unfruchtbar dahin
	7.	Und der Erbe meines Hauses (ist) der von Damaskus, Elicäzär

Vss	HS	NS	B	E:	R

(3)   8. Und Abram sagte:
       9. Siehe, mir gabst du einen Samen nicht
      10. Und siehe, der Sohn meines Hauses beerbt mich
(4)   11. Und siehe, das Wort JHWHs an ihn
          2' lautend:
      12. Nicht der soll dich beerben
      13. Vielmehr — 3' der aus deinem Schoße hervorgeht
          Der wird dich beerben

_____

(5)   14. Und er führte ihn hinaus
      15. Und sagte:
      16. Blicke zum Himmel hinauf
      17. Und zähle die Sterne
          4'   wenn du im Stande
          5'   sie zu zählen
      18. Und er sagte ihm:
      19. So soll dein Same sein!
(6)   20. Und er glaubte an JHWH
      21. Und rechnete es ihm als Großtat an

21 HS + 5' NS = 26 SFü

ZUR STRUKTUR

Wir haben oben den hebr. Text nach seinen SFü gegliedert und dementsprechend auch den Wortbestand erfaßt. Die Zahlen sind untrügliche Wegweiser: der Text hat eben so und soviel Wörter oder er hat sie nicht; dasselbe gilt auch für die Satzfügungen. Darüber läßt sich nicht feilschen! Um die Zahlen deuten zu können, muß man aber die Grundmodelle der antiken Symbolik kennen, die bis in die Zeit Keplers eine lebendige Wirklichkeit waren. Diese Spuren wieder aufzunehmen, sollte an der „Kepler"-Universität Graz nicht verabsäumt werden (vgl. Cl. SCHEDL: *Baupläne des Wortes*. Einführung in die Biblische Logotechnik. Wien - Herder 1974).

1) Zu den Satzfügungen (SFü):

Wir haben den Text nach HS und NS gegliedert und erhielten als Summe 26 SFü. Damit stoßen wir wieder auf das Siegel des Namens JHWH, dessen Zahlenwert — wie bereits geläufig — 26 beträgt. Nun aber ist zu fragen, ob auch die Teilwerte dieses Modelles, die 22 Buchstaben des hebr. Alphabets (gegliedert in 3 + 7 + 12) mit IV als Erhöhungswert: (3 + 7 + 12) + IV = 26): an der Textstruktur abzulesen sind.

a) Auf die Reden (R) kommen *12* HS + *3* NS; damit werden gleich zwei Modellwerte sichtbar.

b) Unter den Einleitungen zur Rede fallen die zwei mit „Wort JHWHs" gebildeten aus der Reihe; sie bringen zusätzlich noch 2 Infinitive, mit l e ' m o r, die wir mit „lautend" übersetzten. Wegen der eigenwilligen Satzverbindung können diese 2 HS + 2 NS als der Erhöhungswert *IV* betrachtet werden.

c) Es verbleiben noch 4 Einleitungen mit w a j j o m ä r , „und sagte“, und 3 Sätze Bericht (14. 20. 21.), die zusammen den Wert 7 in der üblichen Teilung (4 + 3) ergeben.

Ergo:

Da die Teilwerte des JHWH-Modells klar ausgeprägt sind, darf man wohl sagen, daß die Perikope über die Verheißung des Samens mit dem JHWH-Namen versiegelt wurde.

2) Zum Wortbestand

a) Die direkten Reden (R):
Die Gesamtsumme von 55 Wörtern wirkt alarmierend, da es sich hier um die Modellzahl der *großen Zehnheit* oder einfachhin *Tetraktys* handelt. Die Zahl 55 ist die Summe der arithmetischen Reihe von 1 bis 10 (= 1 + 2 + 3 + 4 + 5 + 6 + 7 + 8 + 9 + 10 = 55). Schreibt man die Zahlen bis 10 in das sogenannte pythagoreische Dreieck, erhält man:

$$
\begin{array}{c}
1 \\
2\!-\!3 \\
4\ \ 5\ \ 6 \\
7\ \ 8\!-\!9\ \ 10
\end{array}
$$

Die drei Eckzahlen mit der Mitte ergeben die Summe von 23, die Sechseckpunkte dagegen 32, zusammen 55!

Die Tetraktys gilt als kosmisches Urmodell einfachhin, da sie die Vereinigung von Weltachse (Y) und den 6 Weltgegenden (4 Himmelsrichtung + oben und unten) sinnbildlich ausdrückt. Wird ein literarischer Text nach diesem Modell gestaltet, müssen IV Satzeinheiten die Summe von 23, und 6 Satzeinheiten jene von 32 Wörtern aufweisen.

Ein Blick auf die Randzahlen des hebräischen Textes zeigt nun, daß im ersten Redegang JHWH/Abram tatsächlich IV Sätze mit 3 + 6 + 8 + 6 = 23 Wörtern vorhanden sind. – Der zweite Redegang Abram/JHWH zeigt die Werte (5 + 5) + 3! + 7! – Das Schlußwort JHWHs, das trotz wiederholter Einleitung „und er sprach zu ihm“ nur einen einzigen Satz bildet, bringt 9 + 3 = 12 Wörter. Daraus folgt, daß die Bauelemente der *„32 wunderbaren Wege der Weisheit“* mit 6 Satzeinheiten im Text klar ausgeformt wurden.

Die „32 wunderbaren Wege der Weisheit“ sind nichts anderes als das Modell für Weltschöpfung durch das WORT. Das hebräische Alphabet hat 22 Buchstaben, die in die 3! Urbuchstaben (amš), 7! doppelt ausgesprochenen (bgdkprt) und die 12! einfachen Konsonanten aufgegliedert werden.

b) Berichte (B):
Das Grundmodell der Tetraktys konnte durch weitere Symbolwerte erhöht werden; ein beliebter Erhöhungswert ist die Ogdoade, die wieder kosmischen Symbolwert hat. Da die Berichte mit den direkten Reden das feste Gerüst eines Textes bilden, können beide zusammengefaßt werden. Wir erhalten demnach: 55R + 8B = 63 Wörter. Die Zahl 63 bildet das Aufbaugerüst für den Talmud, das Bundesgesetz des Judentums einfachhin. Dadurch soll der universale Charakter dieses Gesetzeswerkes betont werden. Auch für den Bauplan des babylonischen Turmes war die Zahl 63 bestimmend.

c) Die Einleitungen (E:):

Wir unterscheiden doppelte (!) und einfache (E:) Einleitungen. Beide zusammen ergeben wieder 15! + 7 E: = 22 Wörter, also nochmals die Summe des Alphabets. Liegen auch hier die strukturnotwendigen Teilwerte vor? Wir brauchen die Einleitungen nur nach den drei Redegängen zusammenzufassen, und erhalten: (10: + 2:) + (2: + 5:) + (1: + 2:) = 12! + 7! + 3! = 22 Wörter.

(NB.: Die Bedeutung der doppelten Einleitungen wird bei der Schlußzusammenfassung Seite 140 als notwendiges Bauelement erkennbar.)

ergo: Auf Grund dieser Tatsachen, die von jedermann überprüft werden können, und die in keiner Weise Ergebnis subjektiver Zahlenspielereien sind, muß gefolgert werden, daß der ganze Textabschnitt nach einem vorgewählten Planmodell durchkomponiert wurde. Auch wenn man nur ein einziges Wort korrigiert, tilgt oder hinzufügt, zerstört man ein harmonisch gebautes Textgefüge.

Was ergibt sich daraus für die übliche Quellenscheidung der Pentateuchkritik! O. EISSFELDT: *Hexateuchsynopse* (1962, 23*) ordnet Vs 2 dem Jahwisten (J), die anderen Verse 1 und 3—6 dem Elohisten (E) zu. E. A. SPEISER: *The Anchor Bible,* Genesis (1964, 114) dagegen entscheidet, daß der ganze Abschnitt der Quelle J zugeordnet werden muß, wobei aber in den Vss 2—3 verschiedene Hände des J spürbar seien. Andere Autoren bringen andere Quellenzuordnungen. — Über mehr oder weniger überzeugende Vermutungen kommt die Quellenscheidung nicht hinaus. Dem jetzigen Text mögen sicher ältere Überlieferungen vorausgehen, die aber nicht sicher abgrenzbar sind. Als sichere Grundlage der biblischen Theologie gilt aber der vorliegende Text, der sich auf Grund unserer logotechnischen Bestandsaufnahme nicht als zufälliges Konglomerat von Textverschmelzungen, sondern als wunderbare Baueinheit ausweist.

Zusatz: Randmasorah Gn 15,1—6

Die Handschrift CodLen bringt an den Seitenrändern des kolumnenartig geschriebenen Textes zu gewissen Wörtern Randnotizen mit Zahlen; daher *masorah marginalis* oder *parva* genannt. Diese wurden in der alten Ausgabe der BIBLIA HEBRAICA (BH) von R. KITTEL genau nach der Handschrift abgedruckt. Der Textabschnitt Gn 15,1—6 bringt 11 Randzahlen in der Reihenfolge: (3 + 1 + 2) + 4 + 17 + 1 + (2 + 1 + 12 + 11) + 1 = 32 + 23 = 55. Die von uns in Klammern gesetzten Zahlen beziehen sich auf JHWH, die anderen auf Abram. In den Randzahlen taucht also nochmals das Grundmodell des Textes auf. Es kann sich daher nicht bloß um einen philologischen Apparat handeln; vielmehr scheint so etwas wie ein symboltheologisches *Meditationsmodell* vorzuliegen. Die Randzahlen beziehen sich nämlich auf einen bestimmten Buchstaben im Text, der mit Ringelchen *(circellus)* versehen ist. (In BH nicht genau abgedruckt!). Der Leser sollte dadurch auf eine bestimmte Art der Schriftmeditation aufmerksam gemacht werden. Man braucht nicht viel herumzurätseln, welches Modell angepeilt wird, man muß sich bloß der Mühe unterziehen, die angeringelten Buchstaben als Zahlen zu lesen. Die einfach angeringelten Buchstaben ergeben die Summe 354, also den Wert des normalen Mondjahres. (NB.: Der Name Eli°äzär als Zahl gelesen ergibt das Lichtmondjahr von 318 Tagen.) Somit scheint die *Mondsymbolik,* obwohl nur verschlüsselt angedeutet, den ganzen Textabschnitt still zu beleuchten. Es gäbe noch andere Rechnungsmöglichkeiten, die wir hier beiseitelassen. — Diese kurzen

Hinweise mögen aber genügen, den forschenden Geist auf eine Spur zu lenken, auf der noch viel Neues zu entdecken wäre. — Mit der Neuausgabe der BIBLIA HEBRAICA STUTTGARTENSIA (BHS) kann man leider nicht mehr arbeiten, weil *masorah magna* und *parva* vermischt und das Ringelchen willkürlich gesetzt wird.

ERKLÄRUNG

Auf Grund der Textstruktur konnten wir drei, in dynamischer Steigerung aufeinander folgende Szenen unterscheiden.

1) Belehnung mit Macht und Besitz (15,1–2):

Gott offenbart sich durch das Wort. Sein Offenbarwerden wird durch die zwei Ausdrücke „Wort Gottes" (d ^{e} b a r) und „sprechen" (' a m a r) angesagt. Dazu kommt als drittes das Wort „Schauung" (m a ḥ ^{a} z ä h). Handelt es sich hier um so etwas wie um eine Vision? Daß sich Gott durch Wort und Schau offenbart, wird in der prophetischen Literatur vielfach bezeugt. Wenn dieses Wort aber in einem Bundesschließungstext auftaucht, legt sich ein anderes Verständnis nahe. Bei den philologischen Vorfragen haben wir darauf verwiesen, daß ḥ ^{a} z j o n , „Schauung", als Synonym zu b ^{e} rît , „Bund", verwendet wird. Das hebräische b a - m a ḥ ^{e} z ä h könnte daher auch als b a - e s s e n t i a e , als nähere Bestimmung zu „Wort JHWHs", verstanden werden; daher: „Das Wort JHWHs erging an Abram *als* Vorausschau (= Entwurf = Angebot des Bundes)".

Worin bestand dieses Angebot? Aufgrund der hebräischen Vokalisation haben wir zwar Vs 1 wie folgt übersetzt: „Ich bin dein Schild, dein Lohn, überaus groß" (Echterbibel). Diese Übersetzung verbirgt aber philologische Schwierigkeiten; es scheint archaisches Sprachgut vorzuliegen, das mit Hilfe der Texte von Ugarit geklärt werden könnte.

Statt m ā g ē n = Schild, vokalisiere m ā g ā n = Gebieter, Bundesherr, Oberherr, Souzerain, Imperator;

statt ś ^{e} k ā r ^{e} k ä = dein Lohn, vokalisiere Partizip ś ô k ē r ^{e} k ā = der dich Belohnende, also dein Belohner, oder besser „dein Belehner"!

So verstanden erhebt sich sofort die Frage, womit der Oberherr seinen Vasallen belehnen will? Die Antwort verbirgt sich in den zwei Wörtern h a r b ē h m ^{e} ' o d , die man adverbiell mit „überaus viel" übersetzt. Im Ugaritischen dagegen konnte ein direktes Verb, hier das Partizip, durch einen Infinitivus absolutus (h a r b e h) fortgesetzt werden. Hier also die Gedankenfolge: „Der dich belehnt, der viel macht/ mehrt ..."; daher kann m ^{e} ' o d hier kein Adverb „sehr" sein, es handelt sich vielmehr um das Substantiv in der Bedeutung „Macht, Lebenskraft, Vermögen" [wir kommen darauf noch ausführlicher in der Besprechung von Gn 17 (S. 151) zurück].

Der Sinn ist also klar. Der Gebieter und Oberherr sagt seinem Vasallen Belehnung und Mehrung von Macht und Lebenskraft und Besitz zu. Es handelt sich also um ein Belehnungs- oder Bundesangebot. Das altertümlich klingende Wort m ā g ā n , „Oberherr" oder „Souzerain" würde demnach die Vertragsverhältnisse des Alten Orients exakt festhalten.

Wie reagiert Abram? Seine Antwort zeigt, daß für ihn Mehrung von Macht und Besitz sinnlos sei, da er doch ohne Erbsohn scheiden müsse; sein ganzer Besitz würde Eliͨäzär aus Damaskus (?) zufallen. Vs 2, Satz 7 bildet eine *crux exegetica*, und gilt weithin als ungeklärt, dies deshalb, weil das Wort m ä š ä q ein hapax legomenon ist. In den Text fügt sich die Deutung der Echterbibel zwar gut ein, wonach m ä š ä q von m i m š a q = Erbe, Besitz (Soph 2,9) abzuleiten wäre. Demnach wörtliche „Sohn des Besitzes meines Hauses" bedeuten würde. Trotz dieses scheinbar einleuchtenden Erklärungsversuches muß man sich dessen bewußt bleiben, daß der m ä š ä q - Satz ungelöste Rätsel birgt. Da der Name Eliͨäzär, als Zahl gelesen (1 + 30 + 10 + 70 + 7 + 200 = 318), den Wert des Lichtmondjahres ergibt, der jene Tage umfaßt, an denen der Mond am Himmel sichtbar ist, wäre es durchaus möglich, daß mit den rätselhaften Worten irgendeine Leben/Tod-Symbolik verschlüsselt wurde.

Damit erreicht der erste Redegang seinen ausweglosen Endpunkt. Abram weiß das Angebot seines Gebieters und Oberherrn zu schätzen. Er muß sich aber sagen, daß Macht und Besitz für ihn sinnlos geworden sind, da er ohne Erben scheiden müsse. Damit ist aber schon der Knoten für den zweiten Redegang geschürzt. (NB.: Mit der Zuordnung von Vs 2 zu einer anderen Quellenschrift verliert der erste Redegang völlig seinen Sinn!).

2) Verheißung des Sohnes (15,3—4):

Abram spricht sein tiefstes Anliegen „Same" (z a r a ͨ) und „Erbe" nochmals aus. Darauf folgt die Bundeszusage Gottes, daß der eigene Sohn ihn beerben werde. Damit wird zugleich das lebenschaffende Wort Gottes als große Wende angekündigt. Hier folgt nun nicht ausdrücklich die Frage, „Wie soll das geschehen?", sie wird aber vorausgesetzt.

3) Die Sterne als Bundeszeichen (15,5)

Daß Gottes Macht über die Möglichkeit des Menschlichen hinausragt, wird mit dem Aufblick zu den Sternen klargemacht. Abram kann nicht einmal die Sterne zählen. Gott aber hat sie alle gezählt und geschaffen. Daher überragt seine Macht auch die Macht des Menschen. Er kann aus unfruchtbarem Leibe einen neuen „Samen" (z a r a ͨ) erwecken. Daher die eigentliche Bundeszusage: k o h j i h j ä h z a r ͨ ä k a , „so wird dein Same sein". Damit wird der Wunsch Abrams in wahrlich göttlicher Großzügigkeit erfüllt; nicht bloß Erbsohn, sondern sternengleiche, unzählbare Generationen werden ihm zugesagt.

4) Abrams Glaube (15,6):

Gott verwirklicht seine Zukunftsentwürfe (= Bund) nicht ohne den Menschen. Es sind dies Angebote, die der Mensch in seiner Freiheit auch ablehnen könnte. „Abram aber glaubte an JHWH" (h ä ' ä m i n b J H W H). Der Grundstamm ' a m e n heißt „fest, zuverlässig, treu sein", der Ursachstamm (Hiphîl) „fest sein lassen" oder „als fest annehmen", d. i. „trauen, vertrauen, glauben"! Abram traute also dem Wort Gottes und glaubte fest, daß es sich verwirklichen werde.

Was soll aber der letzte Satz:
„Und ER glaubte an Gott und ER rechnete es ihm als ṣ ͤ d a q a h an"? Das erste ER bezieht sich klar auf Abram. Soll man beim zweiten ER einen Wechsel des Subjektes annehmen und den Satz JHWH zuordnen? Die alten Übersetzungen: Septuaginta, Targum Onkelos und Pešitta, haben das Problem dadurch gelöst, daß sie das aktive

hebräische Verbum „er rechnete an" in die passive Form „e s w u r d e ihm zur Gerechtigkeit a n g e r e c h n e t " übertragen. Paulus argumentiert in Röm 4,3 mit diesem Passivum theologicum der LXX; denn „es wurde angerechnet" ist doch gleichbedeutend mit „Gott hat angerechnet".

Folgt man aber dem hebräischen Text, findet man, daß es höchst unwahrscheinlich ist, daß ein Subjekt-Wechsel vorzunehmen wäre, da ein solcher Gedankensprung in der Satz-Konstruktion nirgends angedeutet ist. Wenn wir daher beidemale Abram als Subjekt annehmen, erhalten wir folgenden Parallelismus:

„Und ER (Abram) glaubte an JHWH
Und er (Abram) rechnete es (die Verheißung)
ihm (Gott) als ş ^{e} d a q a h an"

Das Problem entspann sich an der Bedeutung von ş ^{e} d a q a h . Verstand man es als „Gerechtigkeit" oder gar als „Rechtfertigung", mußte man notwendig Gott als Subjekt von „anrechnen" annehmen. Nun aber gibt es in den Psalmen zahlreiche Stellen, an denen ş ^{e} d a q a h die Bedeutung von „generosity, Großzügigkeit, Großmut" hat (M. DAHOOD: Psalms-Anchor-Bible). So verstanden bildet der letzte Satz den krönenden Schluß des ganzen Abschnittes. Abraham war an die Grenze des Todes gekommen (vgl. Röm 4,19), Gottes Großmut eröffnete ihm aber eine ungeahnte Zukunft.

ZUR STRUKTUR DES BUNDES

Der Sternenbund mit Abram zeigt die gleichen Strukturelemente wie der Noah-Bund.

1) Spontaneität Gottes:

Bund ist keine Abmachung zwischen gleichgestellten Partnern. Die Letztursache des Bundes liegt in der Spontaneität Gottes, der seinen Zukunftsplan dem Menschen durch das Wort offenbart. Gerade dieser archaisch anmutende Text trägt viel zur Klärung des Bundesverständnisses bei. Wenn JHWH als m ā g ā n , „Gebieter, Oberherr und Befehlshaber" eingeführt wird, sagt dies allein schon, daß er, von niemandem gezwungen, aus spontaner Freiheit sein Bundesangebot stellt. Wenn er zugleich „Belehner" genannt wird, erinnert dies an die altorientalischen Vasallenverträge, die auf großmütige Schenkung, Belehnung und Zusage des Großkönigs (Souzerain), und nicht auf Abmachung zweier gleichgestellter Partner zurückgehen.

2) Das schöpferische Bundesangebot:

Der Vorrang Gottes im Bundesschluß wird dadurch erhellt, daß Gott eine Zusage gibt, die des Menschen Kräfte übersteigt; denn nur Er kann Leben schaffen. Daher kommen die Bundeszusagen: „der aus deinem Leibe hervorgeht, der wird dich beerben" und „... so wird dein Same sein!" einem von Gott gesetzten schöpferischen Neubeginn gleich. Wenn Abram „unfruchtbar" genannt wird, heißt dies doch, daß der Mensch an ein Ende gelangt ist, und keinen Weg in die Zukunft mehr sieht. Gott aber öffnet durch seine Bundesmacht die Horizonte der Zukunft. Bund ist daher sinngleich mit Neuschöpfung (nova creatura).

3) Freiheit und Glaube

Hätte Abram „nein" gesagt, hätte er damit die Chance seines Lebens, aber auch die große Chance Gottes vertan. Durch seinen Glauben machte er den Weg für Gottes Wunder und für seine eigene Zukunft frei. Wenn „Bund" auch strukturmäßig von dem sich selbst erschließenden Gott ausgeht, so ist er in seiner Zielrichtung immer schon auf das Du des Menschen als Partner veranlagt. Gottes Spontaneität und des Menschen Glaube bilden also die beiden Spannungspole dessen, das wir in Ermangelung eines anderen Wortes als „Bund Gottes mit den Menschen" bezeichnen. Bund ist von Ungewißheit und Wagnis umwittert, ein Wagnis des Menschen mit seinem Gott; aber auch ein Wagnis Gottes mit den Menschen.

B. BUND ZWISCHEN DEN GETEILTEN TIEREN (Gn 15,7—21)

I. *Verheißung des Samens,* Gn 15,1—6

(wie oben Seite 130 f)

II. *Verheißung des Landes* (Vss 7—9)

Vss	HS	NS	B	E:	R
(7)	1.	Und ER sagte zu ihm:		2:	
	2.	ICH (bin) JHWH			2
		1' der dich aus Ur-Kasdîm herausgeführt			4
		2' um dir dieses Land zu geben			5
		3' zu erben			1
(8)	3.	Und er sagte:		1:	
	4.	Adonaj JHWH			2
		Woran soll ich erkennen			2
		4' daß ich es erben soll?			2
(9)	5.	Und ER sagte zu ihm:		2:	
	6.	Nimm für mich ein 3jähriges Stierkalb			4
		und eine 3jährige Ziege und einen 3jährigen Widder			4
		und eine Turteltaube und eine junge Taube			2
				5: + 28 = 33	

Vss	HS	NS	B	E:	R

III. Teilung der Tiere (Vss 10–11)

Vss	HS / NS	B	E:	R
(10)	7. Und er nahm all diese	5		
	8. Und teilte sie in der Mitte	3		
	9. Und legte die Teile einander gegenüber	5		
	10. Und die Vögel teilte er nicht	4		
(11)	11. Und es stießen Raubvögel auf die Teile herab	4		
	12. Und Abram scheuchte sie fort	3		
		24		

IV. Zukunft des Samens (Vss 12–16)

Vss	HS / NS	B	E:	R
(12)	13. Und es war die Sonne	2		
	5' beim Untergehen	1		
	14. Und ein „Tiefschlaf" fiel auf Abram	4		
	15. Und siehe, Schrecken, große Finsternis	4		
	6' fallend auf ihn	2		
(13)	16. Und ER sagte zu Abram:		2:	
	17. Wissen, ja wissen sollst du			2
	7' daß dein Same ein Fremdling sein wird			4
	8' in dem Land, das ihm nicht (gehört)			3
	18. Und man wird sie knechten			1
	19. Und wird sie plagen 400 Jahre lang			5
(14)	20. Doch das Volk			3
	9' dessen Knechte sie sind			2
	werde ich selbst richten			2
	21. Und nachher ziehen sie mit großem Besitz aus			5
(15)	22. Und du selbst gehst in Frieden zu deinen Vätern			5
	23. Und wirst in gutem Greisenalter begraben			3
(16)	24. Und das vierte Geschlecht kehrt hierher zurück			4
	10' weil die Schuld des Amoriters nicht voll ist bis jetzt			7

$$13 + 2: + 46 = 61$$

Vss HS   NS   B E: R

V. Zukunft des Landes (Vss 17–21)

(17) 25. Und es geschah   1
      26. Die Sonne ging unter   2
      27. Und Finsternis war   2
      28. Und siehe, Räucherpfanne und Feuerfackel   5
          11' die zwischen diesen Stücken durchgingen 5
(18) 29. An jenem Tage schloß JHWH mit Abram einen Bund 7
          12' zu s a g e n (sagend):   1:
      30. Deinem Samen gebe ich das Land da   5
          vom Bache Ägyptens bis zum großen Strom, dem Euphrat 7
(19)   den Qejnî und den Qenizzî und den Qadmonî   6
(20)   den Hittî und den Perizzî und die Rephaim   6
(21)   und den Amorî und den Kanaᶜanî   4
          und den Girgašî und den Jebusî   4

                                                   22 + 1: + 32 = 55

30 HS + 12 NS = 42 SFü

ZUR STRUKTUR

1) Zur Gliederung in V Abschnitte:

Den I. Abschnitt „Verheißung des Samens" haben wir schon vorausgenommen; er steht nicht isoliert für sich da, sondern bildet vielmehr den Auftakt zum Bundesschluß. Wie aus der Übersetzung ersichtlich, haben wir den weiteren Text 15,7–21 in vier Abschnitte gegliedert; der Abram-Bund wird als Drama in V Akten dargestellt. Bei einem Fünfer-Modell (Pentateuch) muß ein Wert sich klar von den anderen vier Werten abheben lassen. Da die Abschnitte I, II, IV und V direkte Reden eingebaut haben, Abschnitt III aber nicht, kommt diesem die Sonderstellung zu. Dies entspricht auch der inhaltlichen Gliederung:

I. Verheißung des Samens (Vss 1–6)   –   II. Verheißung des Landes (Vss 7–9)
III. T e i l u n g   d e r   T i e r e (Vss 10–11)
IV. Zukunft des Samens (Vss 12–16)   –   V. Zukunft des Landes (Vss 17–21)

Es liegt demnach ein Chiasmus vor: Verheißung und Zukunft werden einander zugeordnet: V e r h e i ß u n g: Same Land
                        Z u k u n f t: Same Land

2) Zum Satzbau (Abschnitte II.–V.)

Wir haben den Text auch hier nach HS und NS gegliedert und durchgezählt und die Summe von 30 HS + 12' NS = *42* SFü erhalten. Wurde der Aufbau der Sätze etwa nach dem danielischen Modell „Zeit – Doppelzeit – Halbzeit" (Dan 12,7) ausgerichtet? Nimmt man als Grundwert für „Zeit" die Zahl 12, erhält man 12 + 24 + 6 = *42.* – Nun fällt auf, daß genau 12' NS vorkommen; diese sind nach dem platonischen Dreieck (3 – 4 – 5) gegliedert: *3* NS mit kî eingeleitet (4' 7' 10'), *4* Infinitive (2' 3' 5' 12') und *5* Relativsätze (1' 8' 9' 11' 6'). – Die Teilwerte der 24 HS treten in Sicht, wenn man auch hier Abschnitt III., „Teilung der Tiere", mit 6 HS ohne NS, aushebt; für die anderen Abschnitte, II., IV., V. erhalten wir 6 + 12 + 6 = 24 HS mit NS. Das danielische Modell mit der Zahl 42 gilt als Endzeit-Modell; denn nach Ablauf von 42 Tagen, Monaten, Jahren, beginnt das Neue, in unserem Fall die Erfüllung der Verheißung. − Satzbau und Inhalt bilden also auch hier eine symbolische Harmonie (12 NS + 24 HS + 6 HS = 42 SFü).

3) Zum Wortbestand

Wir verweisen nur auf die Tatsache, daß Abschnitt V genau nach dem Modell der Tetraktys und deren Teilwerten gebaut ist; denn 22 B + 1 E: + 32 R = *23 + 32 = 55* Wörter. Auf weitere Teilwerte gehen wir hier nicht ein. Wir fassen vielmehr den gesamten Wortbestand aller V Abschnitte zusammen. Dabei heben wir die beiden Einleitungen „Wort JHWHs" (15,1.4) mit Rufzeichen (!) eigens aus.

	B	!	E:	R		
I.	8	15!	7:	55	=	85
II.	−	−	5:	28	=	33
III.	24	−	−	−	=	24
IV.	13	−	2:	46	=	61
V.	22		1:	32	=	55
Summe:	67	+ 15!	+ 15:	+ 161	=	258

Die Bauelemente B - E: - R gehören zum Normalbestand einer Textstruktur. Die Besonderheit von Kapitel 15 liegt in der doppelten Einleitung (!) mit d a b a r + a m a r , „Wort" und „sagen", mit 10 + 5 = 15 Wörtern. Ziehen wir diese von der Gesamtsumme ab, erhalten wir 258 − 15 = 243, d. i. der Zahlenwert für den Namen ABRAM (a + b + r + m = 1 + 2 + 200 + 40 = 243); ferner ist zu bedenken, daß die Zahl 15 als Siegel für den Namen JHWH gilt; denn die Kurzform JaH hat den Zahlenwert 10 + 5 = 15. Gerade diese Teilung findet sich in der doppelten Einleitung (vgl. oben hebräischen Text). Der Bundesschluß ABRAMs mit JHWH wird demnach durch die Textstruktur 243 (abrm) + 15 (JH) versiegelt. (Weitere Aufschlüsselung am Schluß von Genesis 17, Seite 152).

ZUR LITERARKRITIK

Nicht bloß der erste sondern auch die anderen Abschnitte wurden bis ins letzte Wort hinein kunstvoll durchkomponiert. Man muß sich dessen bewußt sein, daß man ein Kunstwerk zerstört, wenn man auch nur ein einziges Wort tilgt oder hinzufügt.

Trotzdem spürt der Literarkritiker, daß dieses Bauwerk mit uralten, aber auch mit neueren Bausteinen aufgeführt wurde. Daher der Versuch, sekundäres Quellengut auszuscheiden. Hier stoßen wir wieder auf eine Vielzahl von Hypothesen. O. EISSFELDT, H e x a t e u c h s y n o p s e , nimmt eine alte jahwistische Schicht (J) mit den Versen 7−12 und 17−18 an, in die die elohistischen Abschnitte (E) Vss 13−16 und 19−21 eingeschoben wurden. SPEISER (Anchor Bible) betrachtet nur 13−16 als elohistisch, setzte aber dazu noch ein Fragezeichen (E?).

Immerhin könnte man sagen, daß in der sogenannten Quelle J das postulierte Nationalepos des alten Israel am besten spürbar sei. Doch dieses Epos war kein totes Überlieferungsgut, es wurde vielmehr lebendig weitergesagt und -gesungen. Die vorliegende Endgestalt macht jedenfalls nicht den Eindruck eines Konglomerates aus verschiedenen Quellenschriften, sondern den eines in sich vollendeten Kunstwerkes. Im Abram-Gesang wird nicht bloß das Schicksal des Stammvaters besungen, sondern bereits das Schicksal des von ihm abstammenden Volkes (korporative Persönlichkeit) mit einbezogen. Erst aus dieser Rückschau wird die Person Abrams als Empfänger des Gottesbundes für „Same" und „Land" in seiner geschichtlichen und theologischen Tiefenschärfe faßbar.

ERKLÄRUNG

1) Verheißung des Samens (15,1—6)

Die erste, bereits behandelte Verheißung über den „Samen" wurde mit einer Ich-bin-Offenbarung (a n o k î) eingeleitet, und in der kosmischen Ordnung (Sterne am Himmel) verankert. Der Gott, der die Sterne schuf, kann auch „Samen" aus totem Leib erwecken.

2) Verheißung des Landes (15,7—9)

Mit Vs 7 setzt wieder eine neue Ich-Offenbarung Gottes (a n î JHWH) ein, die einen neuen Aspekt aufzeigt. Statt Gott der Sterne hier Gott der Geschichte! Daher der Rückverweis auf das geschichtliche Faktum der Herausführung aus der Stadt Ur im Lande der Chaldäer (= Kasdîm). Der herausführende Gott (Gn 12,1 ff) steht zu seinem Wort, der herausgeführte Abram fragt aber nach dem WIE der Verwirklichung (Vs 8). Nicht im Kosmos, sondern am geschichtlich bekannten Bundesschließungsritus soll er das JA Gottes erkennen. Daher der Auftrag, Tiere für den Bundesschluß auszuwählen. Was dann geschieht, steht offen im Raum. Abram weiß es nicht, er glaubt aber, und handelt.

3) Schlachtung und Teilung der Tiere (15,10—11)

Bei der philologischen Erklärung des Ausdruckes „Bund schneiden" (k a r a t) verwiesen wir bereits auf Jer 34,18. In der Zeit des Propheten muß der Ritus des Durchschreitens zwischen den geteilten Tieren noch voll verständlich gewesen sein. Durch die Ausgrabungsfunde wird nun dieser Bundesschluß-Ritus bereits für die Zeit der Amurru-Wanderung (± 1800 v. Chr.) belegt. Für die Schlachtung wählte man einen Esel, der für die Nomaden mit ihren Schaf- und Ziegenherden das wertvollste Tier war; daher „Eselschlagen/-schlachten" gleichbedeutend mit „Bund schließen" (Mari). In der Stadt NUZI, die schon ein entwickelteres Wirtschaftssystem hatte, nahm man „Stier, Esel und 10 Schafe" (SPEISER, Anchor Bible 112 f). — 1000 Jahre später wird der gleiche Ritus im Vertrag des aramäischen Königs Mati'el von Arpad (8. Jh. v. Chr.) belegt, in dem es heißt: „Und wie dieses Kalb zerschnitten wird, so soll Mati'el und seine Großen zerschnitten werden", wenn sie den Vertrag nicht halten (NÖTSCHER, Echterbibel I,65). —
Der hl. Ephräm der Syrer (± 350 n. Chr.) konnte die Kenntnis bei seinen Hörern voraussetzen: „Gott bequemt sich in dieser Begebenheit der Sitte der Chaldäer (d. i. der Aramäer) an. Diese hatten den Brauch, mit einer Fackel in der Hand zwischen den zerschnittenen Leibern der Tiere, die nach bestimmter Ordnung gelegt waren, hindurchzuschreiten, um so geschlossene Verträge zu weihen" NÖTSCHER, l.c.).

Über die Anordnung der Stücke steht im biblischen Text kein Wort; sie wird als bekannt vorausgesetzt. Eigens wird jedoch das erforderliche Alter von Kalb, Ziege und Widder genannt. Sie sollen dreijährig sein. Dies entspricht der jungen Vollreife eines Tieres (vgl. volkstümliche Terz!). Nicht ausgereifte Tiere waren für den Kult untauglich (ritual maturity). Daß die Tauben nicht zerteilt wurden, entspricht altisraelitischem Opferbrauch (Lev 5,8).

Abram traf also die Vorbereitungen zu einem in seiner Zeit wohlbekannten Bundesschließungs-Ritual. Daß Raubvögel auf die Fleischstücke herabstießen, überrascht nicht. Abram verscheuchte sie. Was aber dann geschah, sprengt den Rahmen eines altorientalischen Bundesritus. Es geht nicht um „sympathetische Magie" (SPEISER), sondern um ein Offenbarwerden der Geschichtspläne des geschichtswirkenden Gottes JHWH.

4) „Tiefschlaf" und Segen über den Samen (15,12—16)

Bündnisse werden normalerweise bei Tag und Sonnenschein geschlossen. In diesem Fall wird das eigentliche Geschehen nach Sonnenuntergang angesetzt, wo der Mensch schlafen geht. Hier ist daher von einem schlafähnlichen Zustand, der Abram überfiel, die Rede. Das Wort t a r d e m a h wird gewöhnlich mit „Tiefschlaf" übersetzt. Dies trifft aber die hebräische Urbedeutung nicht. Tiefschlaf sagt doch etwas Beruhigendes aus, hier aber ist Aufruhr bis in den tiefsten Seelengrund, Schrecken und dichtes Gewölk, ein Angsttraum. Der Leib mag schlafen, die Seele ist aber hell wach. t a r d e m a h bedeutet daher so etwas wie Trance-Zustand: „Und Abram fiel in Trance". Das Verbum r a d a m heißt daher auch „wie betäubt daliegen".

In diesem Trance-Zustand erlebt der Stammvater das Schicksal des von ihm abstammenden Volkes voraus. Sein „Samen" wird Fremdling sein, geknechtet und geplagt werden — Hinweis auf den Aufenthalt im Lande Ägypten — doch nach 400 Jahren (keine chronologische Angabe, sondern Bezeichnung für eine in sich geschlossene Epoche, hier die Epoche der Fremde!) werden sie von dort mit großem Besitz „ausziehen" (j a ṣ a'). Hier taucht das gleiche Leitwort auf wie in der Selbstoffenbarung Gottes: „Ich bin JHWH, der dich herausziehen ließ (j a ṣ a')", d. i. „herausführte". Geschichte ist kein blindes Spiel irdischer Gewalten. Geschichte steht unter dem Gericht Gottes (Vs 14); er befreit und verwirft, je nachdem das Maß der Leiden oder der Schuld voll ist (Vs 16).

5) Durchgang und Landverheißung (15,17—21)

Nach altorientalischem Ritual mußten die Vertragspartner zwischen den geteilten Tieren durchschreiten, hier aber wird vom Durchgang Gottes im Sinnbild von „Räucherpfanne und Feuerfackel" berichtet. Da in Vs 17 die gleiche Sprachweise vorliegt wie in Vs 12, ist auch dieser Bericht als Trance-Phänomen oder mystische Schau zu verstehen. Doch die Elemente dieser Schau sind der irdischen Wirklichkeit entnommen. SPEISER (l.c. 113) verweist auf babylonische Beschwörungstexte, in denen es heißt: „Ich sende gegen dich einen gehenden (d. i. leuchtenden) Ofen (ā l i k u t i n û r u), ein Feuer, das gefangen hat". In der Erklärung meint er, daß „Ofen" in der Art eines Beckens oder einer Pfanne mit glühenden, rauchenden Kohlen zu verstehen ist. Wenn altes magisches Brauchtum auch durchscheint, so ist in unserem Zusammenhang von Magie nichts mehr zu spüren. Der Text verweist in urtümlicher

Weise auf die klassischen Phänomene der Theophanie, die da sind: undurchdringliches Dunkel und verhüllender Rauch, sowie hellflammendes Feuer und Licht. Der Durchgang wird ausdrücklich als Bundesschluß erklärt: „An jenem Tage schnitt JHWH mit Abram den Bund" (karat berît). Was aber berît umfaßt, wird durch das Bundeswort klar ausgesprochen: „Deinem *Samen* gebe ich das *Land* von Ägyptens Strom bis zum großen Strom, dem Euphratstrom" (Vs 18).

Dann folgt die Liste von zehn Völkern, deren Land Abrams Same einst erben soll. Die 10 Namen sind nach dem Tetraktysmodell $(3 + 3) + IV = 6 + IV = 10$ aufgegliedert. Manche meinen, daß die Liste als späterer Einschub aus anderen Quellen genommen sei. Doch ein Blick auf Homer zeigt, daß Listen durchaus zum epischen Erzählgut gehören können.

ZUR STRUKTUR DES BUNDES

1) Spontaneität Gottes:

Die bisherigen Untersuchungen dürften zur Genüge gezeigt haben, daß Gott es ist, der den ersten Schritt zu einer Bundesschließung machen muß. Bund setzt eine innergöttliche Entschließung voraus. Daher steht sowohl am Beginn der ersten (Vs 1d) als auch der zweiten Offenbarung (Vs 7) das ICH BIN (anokî – anî), womit Gott spontan und überraschend aus seiner Verborgenheit hervortritt, den Menschen gleichsam überfällt und sich selbst erschließt.

2) Das Bundeswort:

Die Selbsterschließung Gottes führt hier nicht empor in die Höhen und Tiefen der himmlischen Sphären; er offenbart sich als der Herausführer. Dadurch wird seine verhüllte Gestalt im Geschichtsablauf offen. In welcher Art? Dies sagen die Bundesworte an: „So wird dein Same sein" (Vs 6) und „dir und deinem Samen gebe ich das Land" (Vss 7 und 18).

3) Des Menschen Antwort:

Beim Sternenbund (Vs 6) wird ausdrücklich auf den Glauben Abrams verwiesen. Obwohl dieses Wort beim Bund über den geteilten Tieren nicht wiederholt wird, ist auch hier der wagende Glaubensakt die notwendige Voraussetzung dafür, daß Gott in der Geschichte wirksam werden kann. Daß Abram die Tiere für das Bundesritual bereitstellte, ist wortloser Glaube.

4) Das Bundeszeichen:

Im Noahbund wurde der Regenbogen, im nächtlichen Aufblick Abrams der gestirnte Himmel zum Bundeszeichen erhoben. Diese kosmischen Zeichen gelten überall auf der Welt und sind sozusagen zeit- und geschichtslos. Das Bundeszeichen der geteilten Tiere stellt aber Gott und Offenbarung mitten in den geschichtlichen Raum des Alten Orients hinein. Das Bundeswort Gottes ist daher in diesem Zeichen „Fleisch", d. i. Geschichte geworden.

Der Tier-Ritus kann daher als sakramentales Zeichen des Abram-Bundes betrachtet werden. Seine Eigenart besteht darin, daß es nur einmalig, und zwar in Verbindung mit mystischem Erleben gesetzt wurde. Sicher ist dieser Bund auch zukunftsorientiert, da doch der „Same" im Stammvater eingeschlossen ist. Da aber Bund die personale Entscheidung des Einzelmenschen, also auch der Nachkommen Abrams, zu seiner Verwirklichung voraussetzt, muß das JA zum Bund in jeder Generation neu gesetzt werden können. Der Abrambund ruft daher nach dem ABRAHAMbund (Kap. 17), wo im Zeichen der Beschneidung der Bund je neu von Generation zu Generation nachvollzogen werden kann.

Zweites Kapitel
DER BUND MIT ABRAHAM (Gn 17,1–27)

Vorfragen: Zum Bauplan der ABRAHAM-Perikope

Während im *Abrambund* (15,1–21) nur der einmalige Hinweis auf „Bund" steht – „an jenem Tage schloß JHWH mit Abram den Bund" (k a r a t b^{e}r î t) –, taucht im *Abrahambund* (17,1–27) das Wort b^{e}r î t = Bund, gleich 13mal auf. Gerade durch diese Häufung einerseits und die Sparsamkeit andererseits unterscheiden sich beide Bundestexte von einander. Während Kap. 15 fast zur Gänze der Quelle J (mit einigen E-Einschüben) zugeordnet wird, soll Kap. 17 ein in sich geschlossener Entwurf der Quelle P, also der Priesterschrift, sein. Diese wird bekanntlich erst der exilischen, d. i. der religionsgeschichtlichen Achsenzeit, zugeordnet. In dieser Zeit habe man unter dem Einfluß der Katastrophen – Untergang des Königtums, Zerstörung des Tempels, Aussiedlung des Volkes – die vergangene Geschichte neu überdacht und auf die tragenden Existenzgrundlagen hin untersucht. Als geschichtsmächtigen Leitgedanken habe man das Wort b e r î t = Bund, gewählt. Bei dieser Rückbesinnung habe man über die Zerstörung des Tempels und über den Untergang des davidischen Königtums hinaus bis zum Ursprung und Anfang im Stammvater Abraham zurückgegriffen.

Diese geschichtstheologische und literarkritische Zuordnung mag stimmen oder auch nicht! Was wir sicher in der Hand haben, ist der durch die Handschrift CodLen überlieferte Text. Durch die Schreibart in geschlossene (-S-) und offene (-P-) Abschnitte wird Kapitel 17 wie ein Dekalog in zwei Hälften geteilt. Daher könnte man sie als a) Abram/Abraham-Tafel und als b) Saraj/Sarah-Tafel bezeichnen. In der ersten Tafel finden sich 3, in der zweiten 4, also zusammen 7 direkte Reden. Der dadurch in Sicht tretende Siebener bestätigt nochmals den einheitlichen Entwurf. Den Abschluß bildet der erzählende Bericht über die Durchführung der Bundesvorschrift. – Nicht genug mit diesen Beobachtungen, die auf einen klaren Bauplan weisen! Die Aufnahme des Wortbestandes wird noch zeigen, daß die beiden Hälften wie die Hälften eines Mondjahres einander zugeordnet sind; denn die Abramtafel bringt 178, die Sarajtafel 177 Wörter; die Summe beider gibt ein volles (m a l e') Mondjahr mit 355 Tagen. Mondzahlen überraschen im Abrahamzyklus insofern nicht, als doch Abram von Ur in Chaldäa, der Stadt des Mondgottes SIN, ausgezogen war.

In bezug auf Sprechweise und Stil heißt es: der Jahwist (J) verfüge über die Kraft anschaulicher Sprache und dramatischer Darstellungskunst; den priesterlichen Schreiber (P) dagegen gelänge trotz seiner vielen Wörter nur eine unpersönlich wirkende, von Ritualistik bestimmte Darstellung (SPEISER 126). Doch P ist keineswegs so farblos! Kap. 17 könnte man mit einem dramatisch aufgebauten und zielbewußt vorwärtsdrängenden Mysterienspiel vergleichen. Wenn man dazu noch entdeckt, daß P in der Formung seines Textes die gleichen Kunstregeln verwendet wie J, rücken beide „Quellen" (?) noch näher zu einander. Dadurch wird das Problem der Pentateuchquellen ganz neu gestellt.

A. DIE ABRAM/ABRAHAM-TAFEL (Gen 17,1–14)

Diesmal bringen wir nur die deutsche Übersetzung, die aber in der Satzstruktur dem hebräischen Text genau entspricht. HS sind als HS, NS als NS übersetzt, beide am linken Rand durchgezählt. Am rechten Rand wird der Wortbestand des hebräischen Textes – nach Bericht (B), Einleitung (E:) und direkte Rede (R) – zahlenmäßig erfaßt.

Gen 17,1–14

I. Erscheinen JHWHs

Vss	HS	NS		B	E:	R
(1)	1.	Neunzig und neun Jahre war Abram		7		
	2.	Da erschien JHWH dem Abram		4		
	3.	Und sagte zu ihm:			2:	
	4.	Ich (bin) El-šaddaj				3
	5.	Wandle vor mir				2
	6.	Und werde vollkommen				2
(2)	7.	Und ich geb meinen Bund zwischen mich und dich				4
	8.	Und vermehre dich durch kräftige Lebenskraft				4

$$11+2: + 15 = 28$$

II. Bundeswort

(3)	9.	Und Abram fiel auf sein Angesicht		4		
	10.	Und Elohim sprach mit ihm		3		
	1'	sagend:			1:	
(4)	11.	Siehe, das (ist) mein Bund mit dir				4 ⎫ VIII
	12.	Und du sollst glorreicher Vater eines Volkes werden				4 ⎭
(5)	13.	Dein Name soll nicht mehr Abram heißen				6 ⎫
	14.	Dein Name soll Abraham sein!				3 ⎬ 23
	15.	Denn ich mache dich zum glorreichen Vater eines Volkes				5
(6)	16.	Und ich mache dich fruchtbar durch kräftige Kraft				4
	17.	Und mache dich zu einem Volk				2
	18.	Und Könige gehen von dir aus				3 ⎭
(7)	19.	⎧ Und ich errichte meinen Bund zwischen mir und dir				5 ⎫
		⎨ Und deinem Samen nach dir nach ihren Geschlechtern				
		⎩ als ewigen Bund:				6 ⎬ 32
	2'	Gott zu sein für dich und deinen Samen nach dir				5
		⎧ Und dir und deinem Samen nach dir				
(8)	20.	⎨ geb ich das Land deiner Wanderschaft				7
		⎩ das ganze Land Kanaan zum ewigen Besitz				6 ⎭
	21.	Und werde für euch Gott sein				3

$$7 + 1: + 63 = 71$$

Vss	HS	NS	B	E:	R

III. Bundeszeichen

(9) 22. Und Elohim sagte zu Abraham: 4:
     23. ⎰Und DU sollst meinen Bund bewahren   4 ⎱
         ⎱du und dein Same nach dir nach ihren Geschlechtern   4 ⎰
(10) ⎰Das (ist) mein Bund   2 ⎱ 17
     24.⎰ 3'   den ihr bewahren sollt   2 ⎰
         │zwischen mir und euch und deinem Samen nach dir: 5 ⎰

     25. Zu beschneiden ist alles Männliche bei euch!   4
(11) 26. Und beschneidet ihr das Fleisch eurer Vorhaut   4
     27. So wird es zum Zeichen des Bundes zwischen mir und euch 5
(12) ⎰Am achten Tag   3
     │sollt ihr alles Männliche nach euren Geschlechtern   ⎱ 32
     │beschneiden
     28.⎰den Hausgeborenen   5
         ⎱und jeden aus der Fremde mit Geld Erkauften   7
              4'   der nicht aus eurem Samen ist   4 ⎰

(13) 29. Beschnitten, beschnitten muß werden dein Hausgeborener
         und der mit Geld Erkaufte   6 ⎱
     30.⎰Und mein Bund wird an eurem Fleische sein
         ⎱als ewiger Bund   5 ⎰
(14) ⎰Ein unbeschnittenes Männliches   2 ⎱ 26
     31.⎰ 5'   dessen Fleisch an der Vorhaut nicht beschnitten 6
         ⎱dieses Leben wird abgeschnitten aus seinem Volk   4 ⎰
     32. Der hat den Bund gebrochen   3 ⎰

| 32 HS + 5' NS = 37 SFü | | | 4 + 75 | | = 79 |

Wortbestand: B   E: R

I. Erscheinen JHWHs: 11 + 2: + 15 = 28
II. Bundeswort: 7 + 1: + 63 = 71
III. Bundeszeichen   4: + 75 = 79

                            18 + 7 +153 = 178

ZUR STRUKTUR

Will man die Theologie eines Textes erarbeiten, hängt alles davon ab, welcher literarischen Art der zu untersuchende Text angehört: ob es sich um volkstümliche Erzählung in freier Prosa oder überhaupt nur um zufällig zusammengewürfelte Fragmente oder um einen Kunsttext in strenger Form handelt. Wir haben den Text bereits nach SFü geschrieben und durchgezählt, und auch den Wortbestand erfaßt. Welche Baugesetze werden nun sichtbar?

1) Struktur der Hauptsätze:

Die Perikope arbeitet mit 32 HS. Liegt also das Modell der „32 wunderbaren Wege der Weisheit" vor? Sie bringt in 3 Abschnitten, die mit kurzen Einführungen (B + E:, oder nur E:) beginnen, 3 direkte Reden. Daher die erste Frage: Wieviel HS kommen auf die 3 Einführungen, und wieviele auf die 3 direkten Reden?

Die Einführungen bringen 6 HS (1. 2. 3. 9. 10. 22); somit verbleiben für die Reden 26 HS. Damit wird wieder das Siegel des Gottesnamens JHWH (mit dem Zahlenwert 26) sichtbar. Sind nun auch die Teilwerte des JHWH-Modells in der Satzstruktur ausgeprägt? Sie begegneten uns schon bei der Aufschlüsselung von Kap. 15 (vgl. oben); es müßten also die Teilwerte des hebr. Alphabets (3 + 7 + 12) und der Erhöhungswert IV an einem bestimmten Kriterium erkennbar sein: (3 + 7 + 12) + IV = 26.

Als Kriterium dient hier die Art des Verbum im Satzgefüge:

12 HS im Perfekt, Singular: 1. Ps: 15. 16. 17. 19. 20. 21.

                                             3. Ps: 14. 27. 30. 31. 32.

                                             2. Ps: 12.

7 HS im Imperfekt: Sing: 7. 8. 13. 23. 28. 29.

                                             Plur: 18.

(NB.: Siebener-Modell: 6 Sing. + 1 Plur. = 7 Imperf.)

3 Nominalsätze ohne Verbum: 4. 11. 24.

IV Imperativ-Formen: Imperativ: 5. 6.; Jussiv: 26.

                                             Infinitiv: 25.

(NB.: der Infinitiv 25. ist hier ähnlich wie im Sabbat- und Eltern-Gebot des Dekalogs als Imperativ aufzulösen!)

Ergo:

Gerade an dieser Stelle bewährt sich auffallend die Kunst des Verfassers, einen Text nach einem vorgewählten Bauplan durchzukomponieren. Dabei verwendete er einfache Kriterien, an denen die einzelnen Bauteile leicht erkannt werden können. Er mußte mit Sätzen arbeiten; was lag da näher, als die Satzkonstruktion sozusagen als Bauplan zu benutzen, um damit ein kunstvolles Gebäude aus Sätzen aufzuführen. Einleitungen und Reden geben zusammen demnach: 6 + IV + (3 + 7 + 12) = X + 22 = *32 HS.* − In der Konstruktion der HS spiegelt sich tatsächlich das Modell der „32 wunderbaren Wege der Weisheit" wider.

2) Hauptsätze und Nebensätze:

Durch die eingebauten 5' NS erreichen wir als Gesamtsumme 32 + 5 = *37 SFü.* Warum wurde gerade diese Zahl gewählt?

Der Abraham-Zyklus ist durch Mond-Zahlen bestimmt. Am auffallendsten ist der Hinweis auf das Lichtmond-Jahr von 318 Tagen; der Name Eliᶜäzärs, des Knechtes Abrahams, ergibt denselben Zahlenwert. Dazu sind die beiden Namensformen Abram und Abraham ebenfalls auf den Mond-Zyklus ausgerichtet, wie noch zu zeigen sein wird. − Nun ist auch 37 eine Mondzahl: denn nach 37 synodischen Mondumläufen stimmen der siderische und der synodische Mond in ihren Bahnen wieder überein.

3) Zum Wortbestand:

Wir untersuchen zuerst den Wortbestand *der 3 Reden* und bringen erst am Schluß die Zusammenfassung mit den Einführungen.

a) Das Erscheinen JHWHs (17,1d–2) bringt 15 R-Wörter, die auf die Kurzform des Gottesnamens JH (10 + 5) weisen könnten.

b) Das Bundeswort (17,4–8): Es liegen drei Aussageformen vor:
   a' Ankündigung des Bundes (Vs 4): „Siehe mein Bund mit dir ...“
   b' Nähere Umschreibung des Bundes in bezug auf Abram (Vss 5–6):
      „Vater eines Volkes ...“
   c' Nähere Umschreibung in bezug auf Gott (Vss 7–8): „Ich will dein Gott sein
      ...“

Wie schon am Rande notiert, entspricht dieser Dreiteilung der Wortbestand: VIII +
23 + 32 = *VIII + 55 = 63* Wörter. Das Bundeswort folgt also streng dem Modell der
erhöhten Tetraktys. Die drei Teilwerte sind klar ausgeprägt. Im besonderen verweisen wir auf die Gliederung der „32 wunderbaren Wege der Weisheit" (HS 19.–21.).

$$5 + 6 + 5 + 7 + 6 + 3 = (3 + 7 + 12) + X = 32 \text{ Wörter}$$
$$\underbrace{}_{X} \quad \underbrace{}_{12}$$

c) Das Bundeszeichen (17,9b–14): Der Text über die Beschneidung, das
Grundgesetz des Judentums, ist klar durchkomponiert. Voran steht als Präambel die
Ankündigung des Bundes (Vss 9b–10); dann folgt das Gesetz, alles Männliche zu
beschneiden (Vss 10c–12); abschließend die nochmalige Einschärfung des Gesetzes mit Sanktionen (Vss 13–14). – Die Randzahlen vermerken für diese Dreiteilung:
17 Präambel + (32 + 26) Gesetz = *17 + 58 = 75* Wörter. Die 58 Wörter für Gesetz entsprechen genau dem Zahlenwert der Erscheinungsherrlichkeit des Herrn: kᵉbôd
(= 32) + JHWH (= 26) = 58. Über dem Gesetz der Beschneidung leuchtet also der
Lichtglanz Gottes auf. Auch die Teilwerte für die „32 wunderbaren Wege der Weisheit" sind in abgewandelter Form ausgeprägt [HS 25.–28.].

$$4 + 4 + 5 + 3 + 5 + 7 + 4 = (3 + 7 + 12) + X = 22 + X = 32 \text{ Wörter}$$
$$\underbrace{}_{X}$$
$$\underbrace{}_{12}$$

Die Gesamtsumme (17 + 58 = 75) ist eine Abrahams-Zahl: denn mit 75 Jahren zog
Abram von Haran aus (Gen 12,4).

d) Gesamtsumme B + E: + R:
Wir fassen den Wortbestand aller drei Abschnitte nach B, E:, und R zusammen:

	B		E:		R		
I. Erscheinen JHWHs	11	+	2:	+	15	=	28
II. Das Bundeswort	7	+	1:	+	63	=	71
III. Das Bundeszeichen			4:	+	75	=	79
	18	+	7:	+	153	=	178

Besonders auffallend wirkt die Summe der Reden mit ihren 153 Wörtern. Die Präambel zum Beschneidungsgesetz bringt 17 Wörter. Nun ist aber 153 nichts anderes als
die Summe der arithmetischen Reihe von 1 bis 17. Was soll das? Die Anfangsbuchstaben (Akrostich) der 32 HS als Zahlen nach dem Stellenwert gerechnet geben
zusammen 170, also nochmals 17 in potenzierter Form. Die Zahl 17 gilt als Mondzahl; denn von der Mitte des Vollmondes bis zum Erscheinen der neuen Sichel sind:
14 Tage Lichtmond + 3 Tage Dunkelmond = 17 Tage. Dann erwacht sozusagen das

Leben von neuem. Daher gilt 17 und deren volle Entfaltung 153 als Lebens- und Auferstehungszahl (vgl. Petri Fischfang Joh 21,11). Was in HS 8. „Und ich vermehre dich durch kräftige Lebenskraft" mit Worten ausgesagt ist, verkünden demnach hier auch die Zahlen.

ERKLÄRUNG (Gn 17,1–14)

I. ERSCHEINEN JHWHs (17,1–2)

1) Die Datierung:

Der Ausdruck „neunzig und neun Jahre war Abraham" ist keine chronologische sondern eine symboltheologische Angabe. Nimmt man sie wörtlich, wirkt die hohe Lebenszahl alarmierend; denn mit 99 Jahren ist menschliche Zeugung unmöglich. Aber an dieser menschlichen Ausweglosigkeit setzt Gottes offenbarendes Wirken ein.

2) Vision und Wort:

Gott offenbart sich durch Erscheinen und Sprechen.
Gewöhnlich wird wie folgt übersetzt: „Da erschien JHWH vor Abram und sprach zu ihm" (1b). Es fällt auf, daß im ganzen Kapitel mit keinem einzigen Wort die Art und Weise der Erscheinung JHWHs beschrieben wird. Den Verfasser interessiert das Wort und nicht die Gestalt Gottes. Die Propheten haben versucht, die Erscheinungsform Gottes mit gewaltigen Bildern zu schildern. Hier aber findet sich nichts dergleichen. Daher besteht die Wahrscheinlichkeit, daß der Verfasser nicht eine Vision mit Blick in den Himmel Gottes, sondern eine Vision mit Blick in die kommende Geschichte ansagen will. Der hebräische Text verwendet den Ursachstamm (Hiphîl) des Verbum r a ' a h = „sehen, schauen", daher w a j j é r a ' = „er ließ sehen, schauen", einfach „er zeigte". JHWH entwickelt also vor Abrams Augen Seinen Zukunftsplan, der durch das Wort vernehmbar wird.

3) El-šaddaj:

Beim Bericht über die Erscheinung im brennenden Dornbusch wird berichtet, daß die Patriarchen ihren Gott unter dem Namen El-šaddaj anriefen, und erst dem Moseh der Name JHWH geoffenbart wurde (Ex 6,3). Der priesterliche Theologe (P) empfindet keine Schwierigkeit, beide Gottesnamen in seinem Bericht zu verwenden; denn für ihn ist der Gott der Väter derselbe Gott, der sich Moseh geoffenbart hat. – El war im semitischen Raum die allgemeine Bezeichnung für Gott einfachhin. Der Beiname š a d d a j wird verschiedentlich erklärt: entweder vom Akkadischen her „der vom Berge", „der Berg(Gott)", oder nach rabbinischer Deutung „der sich selbst Genügende" (š ä - d a j). Die LXX übersetzt š d j überhaupt nicht. Allgemein nimmt man an, daß ein Machtbegriff mitschwingt; daher ist die übliche Übersetzung „Ich bin der allmächtige Gott" zu verantworten. Entscheidend ist aber die Aussage, daß das ICH Gottes, von niemandem gezwungen, spontan in das Leben eines Menschen einbricht.

4) Wandeln und vollkommen sein: Statt der wörtlichen Übersetzung „wandle vor meinem Angesicht" schlägt SPEISER vor: „Folge meinen Wegen" (Follow my ways).

Doch hier geht es nicht um moralische Anweisung zur Gebotebefolgung, sondern vielmehr um Gott selbst. Der Satz fordert nichts anderes als das *Bekenntnis zum Monotheismus!* Abram soll einzig vor dem Angesicht des Allmächtigen wandeln und keine anderen Götter neben Ihm verehren. Dieser Einzigkeitsanspruch wird durch den zweiten Imperativ „und werde/sei ein Vollkommener" noch verstärkt; denn t a m î m weist nicht auf Vollkommenheit im Tugendstreben, sondern auf eine Verhaltensweise Gott gegenüber. Es hat den Sinn von „total, ganz", mit Ausschließung aller anderen. Abram wandelt dann vor Gottes Angesicht, wenn er einzig und allein den Allmächtigen als seinen Gott anerkennt, und damit alle anderen Götter ausschließt. Am Beginn der Offenbarung steht also das ICH BIN des Einen Gottes.

5) Die Gabe des Bundes: Der Selbsterschließung „ICH BIN" folgt als zweite ICH-Offenbarung: „ICH gebe meinen Bund". Aus dem Sprachgebrauch folgt, daß b ^{e} r î t auch hier nicht einen Vertrag zwischen zwei gleichberechtigten Partnern, sondern ein spontanes Angebot von Seiten des Einen Gottes bezeichnet. Da Gott der Gebende ist, ist Bund notwendig Gnadengabe; daher die Verwendung des Verbum n a t á t t i , „ich gebe".

6) Das Bundeswort: Worin besteht nun das Angebot Gottes? Dies wird mit dem knapp formulierten Satz ausgesprochen: w e ' a r b ä h ô t ^{e} k a b i m ' o d m ^{e} ' o d , das gewöhnlich mit „ich werde dich überaus zahlreich machen" übersetzt wird. Dabei werden die beiden Wörter b i m ' o d m ^{e} ' o d als verstärktes Adverb mit „überaus überaus" übersetzt. Wozu aber wird das Wort zweimal gesetzt? Nun steht das gleiche Wort auch im Credo Israels (š ^{e} m a ^{c} , Dt 6,5): „Du sollst deinen Gott JHWH lieben aus deinem ganzen Herzen (l e b a b), aus deiner ganzen Seele (n ä p h ä š) und aus deiner ganzen Kraft (m ^{e} ' o d)". Im Bundesangebot wird also klar angesagt, worauf sich „großmachen" oder „mehren" bezieht: „Ich mehre dich an Lebenskraft kräftig", d. h. „Ich werde deine Lebenskraft kräftig mehren".

Ergo: Damit ist der Kreis geschlossen. Nun werden auch die 99 Lebensjahre verständlich. Abram ist alt und ohne Lebens- und Zeugungskraft. Gerade diesem alten Mann sagt Gott neue Lebenskraft zu. Dies ist nur durch die Schöpferkraft Gottes, also durch ein Wunder möglich. Dadurch wird aber der Mensch in die Entscheidung geworfen. Abrams Glaubensantwort wird nur sinnbildlich angedeutet: „Er fiel auf sein Angesicht nieder" (3a). Durch diesen Glaubensakt wird erst das weitere Geschehen ermöglicht.

II. BUNDESWORT (17,4–8)

Auf den Modellcharakter des Textes haben wir bereits verwiesen. Hier ist nichts von ungefähr, jedes Wort ist gezielt gesetzt. Dies gilt nicht bloß von der Sprachform, sondern auch vom Inhalt. Man gewinnt den Eindruck, daß das Thema der 1. Szene hier wieder aufgenommen und näher beschrieben wird.

1) Das Bundeswort: Vater vieler Völker?

Statt wie oben „ICH gebe meinen Bund" (Vs 2) steht hier apodiktisch „Siehe, das ist mein Bund mit dir". Worin die Bundesverheißung besteht, sagt der nachfolgende

Satz w^{e}hajîta l^e'ab h^{a}môn gôjîm, wörtlich übersetzt: „Damit du Stammvater einer Menge von Völkern werdest" (Echter Bibel). Zu fragen ist aber, ob hier tatsächlich die Mehrzahl „Völker" vorliegt? Sicher argumentiert Paulus mit der Mehrzahl: „Ich habe dich zum Vater vieler Völker bestimmt" (πατέρα πολλῶν ἐϑνῶν, Rm 4,17.18). Hierbei muß man aber auf die Eigenart der rabbinischen Exegese achten, die darin bestand, einem bekannten Text eine neue Nuance abzugewinnen, die keineswegs dem Urtext entsprechen mußte. Da im hebräischen Wort gôj die Abstammung durch Zeugung und Geburt mitschwingt (vgl. das aus dem Lateinischen kommende Wort Nation von nascere, „gebären", also Geburtsgemeinschaft) und da von Abraham nur Isaak und Ismael und deren Nachkommen abstammen, könnte man höchstens von zwei Völkern, nicht aber von „vielen Völkern" sprechen; dazu ist die Übersetzung von h^{a}môn mit „Menge" oder „viele" fraglich.

U. E. handelt es sich bei gôjîm um einen Intensivplural mit Singularbedeutung; als Vergleiche siehe Pss 68,36; 73,17, wo zwar der Plural miqdašîm = „Heiligtümer", steht, aber jedesmal nur das eine Heiligtum in Jerusalem gemeint ist; ferner Pss 65,5; 74,3.11; 92,14; 96,8, wo ebenfalls der Plural h^{a}şerîm = „Höfe", als Singular „Hof" zu verstehen ist (M. DAHOOD, Psalms III, 384). – Ferner kann zwar h^{a}môn „Menge, Fülle", bedeuten; da es aber sprachgeschichtlich mit mamôn verwandt ist, bezieht sich „Menge" und „Fülle" näherhin auf Besitz, Pracht und Macht (l.c. II,12, zu Ps 2,8). Man könnte h^{a}môn geradezu als Synonym zu kabôd betrachten; dies leitet sich doch von „schwer sein" (an Macht und Besitz) her und wurde zur Bezeichnung der Erscheinungsherrlichkeit Gottes einfachhin. Damit hätten wir den Bedeutungsumfang der beiden schwierigen Wörter annähernd abgegrenzt. Die wörtliche Übersetzung würde demnach lauten: „Ich mache dich zum Vater – der Macht – eines Volkes" d. i. „zum mächtigen, glorreichen Stammvater eines Volkes".

2) Namensänderung: Da mit der Bundesverheißung etwas Neues beginnt, soll dies Neue auch an einem neuen Namen erkennbar werden. Sprachgeschichtlich bedeutet die Kurzform 'ab-ram dasselbe wie die Langform 'ab-raHam, nämlich „der Vater (= Gott) ist erhaben!", also ein Glaubensbekenntnis in der Form eines Personennennamens! Die Einfügung des Buchstabens H soll auf aramäischen Dialekteinfluß zurückgehen (weitere Ableitungen siehe in den eingangs angeführten Wörterbüchern). Dies würde auf westsemitischen Sprachraum weisen. Die in früheren Büchern zitierte Ableitung aus dem akkadischen abam-rāmā ist heute aufgegeben, da rāmā „lieben" und nicht „erhaben sein" bedeutet. Es hieße, als Imperativ verstanden, „Liebe den Vater (Gott)!". – Mag sprachgeschichtlich auch nur ein Dialektunterschied zwischen den beiden Namensformen vorliegen, so hat der biblische Verfasser diese Namensunterschiede als Aufhänger für seine Geschichtstheologie benutzt. Von nun an verschwindet im Text die Kurzform Abram, der Stammvater Israels heißt weiterhin nur Abraham; denn Gottes Verheißung ist mit dieser Namensänderung unzertrennlich verbunden. Es beginnt etwas Neues. Auch Könige haben bei der Thronbesteigung einen neuen Namen angenommen. Der biblische Verfasser arbeitet nicht mit Sprachgeschichte sondern eher mit Sprachphantasie. Er läßt sich etwas Neues einfallen. Im Hebräischen waren Personennamen auf -ôn durchaus geläufig, z. B. šamš-on, „der Sonnige" (Samson), gid^c-ôn, „der Holz(Fäller)"; dazu der Ortsname šomr-ôn, etwa „Warte", u.a.m. Warum also nicht die geläufige Endung -ôn aufnehmen, die im Wort h^{a}môn sprachgeschichtlich zwar auf völlig anderer Ebene liegt, aber heilsgeschichtlich das Neue des Bundes andeuten konnte? Worin das Neue besteht, wird in den folgenden Sätzen näher umschrieben, in denen g ô j î m ebenfalls als Intensivplural mit Singularbedeutung zu verstehen ist. Auch m ^{e} ' o d ist hier nicht bloß adverbial mit „überaus", sondern mit „kräftig an (Lebens)Kraft" zu übersetzen. Theologisch von größter Bedeutung sind hier die *Verba*; denn in ihnen tritt das geschichtswirkende Ich Gottes in Erscheinung. Daher zweimal n a t a n = „geben". Abraham selbst ist demnach eine Gabe Gottes an die Menschheit. Die Fruchtbarkeit, die hier angesagt wird, ist kein rein biologischer Vorgang. Nach der vorangestellten Altersangabe scheidet ja menschliche Zeugung und Geburt aus. Auf Grund der philologischen Sprachweise darf man hier bereits den Schluß ziehen, daß das aus dem Stammvater Abraham hervorgehende Volk in dem Sinn *„Volk Gottes"* ist, daß es nur durch die Wunderkraft Gottes ins Leben tritt und nur aus Gott existieren kann.

3) Der ewige Bund (b^{e}rît ^{c}ôlam):

Die bisherigen Untersuchungen haben schon zur Genüge gezeigt, daß b ^{e} r î t ein spontanes Angebot Gottes an den Menschen ist *(donum dei)*, das einer Neuschöpfung *(creatio)* gleichkommt. Wenn es Vs 7 heißt: „Ich erwecke (richte auf) meinen Bund ... als ewigen Bund" bezieht sich „ewig" nicht so sehr auf die Verewigung einer menschlichen Institution, als vielmehr auf die unveränderliche Bereitschaft Gottes, zu seiner Verheißung zu stehen. Gott ist getreu, sein Wort gilt! Bundesbruch ist nur von menschlicher Seite her möglich.

4) Ziel des Bundes:

Der Ankündigung des Bundes „Ich richte auf" folgt klar das Wort über den Bundesinhalt. Im Bund mit El-šaddaj (17,1) wurde schon mit dem einfachen Adjektiv t a m î m, „vollkommen, total", der Monotheismus als Ziel des Bundes aufgezeigt. Dies wird hier nun ausdrücklich ausgesprochen: „Ich will für dich (für sie) Elohîm/ Gott sein" (7c. 8c.). Hier spielt der Verfasser offenbar an den Namen JHWH an. Denn beidemal wird das Verbum h a j a h, „da sein, zur Stelle sein", verwendet, von dem auch der Gottesname „ICH-BIN-DA" abgeleitet ist. Die Bundesschlüsse sind demnach eine je neue Aktualisierung des Da- und des Hier-Seins Gottes. Damit tritt der *monotheistische Entwurf* klar in Sicht. Der Bund Gottes mit Abraham und seinem „Samen" gilt demnach religionsgeschichtlich gesehen als *Beginn des Monotheismus,* der sich in einer Familie, einem Volke, und in einem Zukunftsland verwirklichen soll; bibeltheologisch gesehen meldet sich hier der Beginn der Gottesherrschaft und des Gottesreiches an.

III. BESCHNEIDUNG ALS BUNDESZEICHEN (17,9–14)

Wie schon oben in der logotechnischen Strukturanalyse kurz aufgezeigt, wurden die Aussagen über BUND und GESETZ in diesem Textabschnitt kunstvoll ineinander verwoben.

1) Bund (b^{e}rît):

Die vorausgehenden Verse 1–8 zeigten, was b ^{e} r î t von Gott her bedeutet: spontane Gnadengabe mit dem Ziel der Errichtung der Gottesherrschaft in der Familie

Abrahams! In den Vss 9–14 wird der den Menschen angehende Bedeutungsumfang faßbar: denn b ͤ r î t nimmt die Gestalt von Gesetz = t ô r a h an. Somit wird bereits hier der theologische Grundentwurf sichtbar, wonach sich *Gottesherrschaft durch das Gesetz* verwirklicht. Da in den Vss 1–14 das Wort b ͤ r î t 10mal vorkommt – nach dem Urmodell der Tetraktys in IV + 6 (Vss 1–8 und 9–14) aufgeteilt – könnte man auch von einem b ͤ r î t -Dekalog sprechen.

2) Das Gesetz der Beschneidung:

Die Annahme der b ͤ r î t (des Bundes = Gottesherrschaft) setzt zwar eine innere Glaubensentscheidung voraus, ruft aber auch nach äußerlich erkennbaren Bundeszeichen (ô t - b ͤ r î t). Hier wird nicht mehr auf Regenbogen oder Sterne verwiesen. Da der Bund mit Abraham den Charakter eines Fruchtbarkeitsbundes hat, ist die Beschneidung hierfür ein sinnvolles Zeichen. Wer soll beschnitten und dadurch in den Bund aufgenommen werden? Man möchte meinen, bloß Abraham und sein „Same". Doch der Rahmen wird viel weiter gesteckt: „alles Männliche" (z a k a r , Vs 10 c), „alles Fleisch" (b a ś a r Vs 12 a). Was unter „alles" (k o l) zu verstehen ist, wird Vs 12 bc listenartig aufgezählt; doch hier gehen die Deutungen auseinander. Handelt es sich bloß allgemein um „Hausgeborene und aus der Fremde hinzugekaufte Sklaven" oder wird hier nicht ein tieferer, geschichtlicher Horizont sichtbar?

Im Bericht über den Kriegszug der Ostkönige heißt es, daß Abram 318 Mannen ausmusterte und mit ihnen den Feinden nachjagte. Der hebräische Text (Gn 14,14b) w a j j ä r ä q ä t - ḫ ᵃ n î k ä j w j ͤ l î d e j b e j t ô wird in der Echterbibel folgendermaßen frei übersetzt: „... er (Abram) bot seine waffengeübten Leute, die Hausgeborenen Knechte, auf". Das seltene Wort ḥ a n î k wird im Text mit dem bekannteren j ͤ l î d erklärt. Beide sind Passiv-Partizipia: „der Geweihte, Eingeweihte" und „der Geborene/Gezeugte". Da beide einen Kriegszug unternehmen, kann es sich hier nicht mehr um Kinder sondern vielmehr um waffengeübte Jungmänner handeln. Wodurch waren aber diese „Geweihte" geworden? Setzt dies nicht irgendeinen religiösen Einweihungsritus voraus?

„Haus Abram" [Vgl. Gn 14,14] umfaßt also viel mehr als bloß dessen Familie im eigentlichen Sinn. Dazu gehörte auch ein wehrfähiger Verband, der von Abraham angeworben und durch einen Bundesritus verpflichtet worden war. Es wäre möglich, daß im Kriegsbericht Gn 14 bereits die Beschneidung als Aufnahmeritus vorauszusetzen ist. Deshalb werden die angeworbenen Krieger „Geweihte" genannt. Desgleichen könnte man in dem ebenfalls selten gebrauchten Wort j ͤ l î d einen Hinweis auf ein Bündnisverhältnis heraushören. So ließ König Achab von Juda dem Assyrerkönig Tiglat-Pilesar die Botschaft übermitteln: „Dein Knecht und dein Sohn bin ich!" (2 Kg 16,7). Die Unterwerfung unter die Mächtigen wird also mit dem Sohnesverhältnis umschrieben. Die Annahme der Unterwerfung unter die Macht des Oberherrn konnte mit der Formel ausgedrückt werden: „Mein Sohn bist du, ich habe dich heute gezeugt!". Ein j ͤ l î d b e j t ô , „ein Geborener/Gezeugter *seines Hauses*" besagt daher nichts anderes als „Verbündeter seines Hauses". Zu diesen durch ein Bündnis dem Hause Abraham Verbundenen kommen noch die aus der Fremde mit Geld Angeworbenen.

Damit eröffnet sich ein archaisch wirkender und daher historisch glaubwürdiger Einblick in die tatsächlichen Verhältnisse der Zeit Abrahams. Der Patriarch erscheint nicht als Einzelgestalt sondern als Scheich eines größeren Verbandes, der zeitgeschichtlich richtig mit „Haus Abram" umschrieben wird. Durch den *Ein-Gott-*

Glauben mit dem Zeichen der Beschneidung sollte dieser ganze Verband auf neuer religiöser Ebene noch enger miteinander verbunden werden. Wer aber den Beschneidungsritus nicht annahm, sollte aus dem Verband ausgeschlossen werden. Somit führt das neue Glaubensbekenntnis auch zu einer Umformung des „Hauses Abraham" (Gn 17,23).

B. SARAJ/SARAH-TAFEL (Gen 17,15–27)

Vss	HS	NS		B	E:	R

I.

(15)	1.	Und Elohim sagte zu Abraham:		4:		
	2.	Saraj deine Frau				
		du sollst ihren Namen nicht Saraj rufen		7 ⎫		
	3.	Sarah fürwahr sei ihr Name		3 ⎭ X		
(16)	4.	Und ich segne sie		2 ⎫		
	5.	Und geb dir auch einen Sohn von ihr		5 ⎪		
	6.	Und ich segne sie		1 ⎬ 14		
	7.	Und sie wird ein Volk		2 ⎪		
	8.	Völkerkönige sollen von ihr sein		4 ⎭		

$$4: +24 \ = \ 28$$

II.

(17)	9.	Und Abraham fiel auf sein Angesicht	4		
	10.	Und lachte	1		
	11.	Und sagte in seinem Herzen:	2:		
	12.	Soll einem 100jährigen noch ein Sohn geboren werden	4 ⎫		
	1'	und wenn Sarah – (?)	2 ⎬ 10		
	13.	Kann eine 90jährige noch gebären?	4 ⎭		

$$5 + 2 + 10 \ = \ 17$$

III.

(18)	14.	Und Abraham sagte zu Elohim:	4:		
	15.	Möge doch Ismael vor deinem Angesicht leben!	4		

$$4: + 4 \ = \ 8$$

Vss	HS	NS		B	E:	R

IV.

(19)   16. Und Elohim sagte: 2:
17. Fürwahr, deine Frau Sarah gebiert dir einen Sohn   6 ⎫
18. Und du ruf seinen Namen Isaak   4 ⎪ 18
19. Und ich errichte mit ihm meinen Bund   4 ⎬
     als ewigen Bund mit seinem Samen nach ihm   4 ⎭

(20)   20. Und auch Ismaels wegen erhöre ich dich   2 ⎫
21. Siehe, ich segne ihn   3 ⎪
22. Und ich mache ihn fruchtbar   2 ⎪ 18
23. Und vermehre ihn durch starke Lebenskraft   4 ⎬
24. Zwölf Fürsten wird er zeugen   4 ⎪
25. Und ich mache ihn zu einem großen Volk   3 ⎭

(21)   26. Doch meinen Bund errichte ich mit Isaak   5 ⎫
    2'   den dir Sarah gebären wird   4 ⎬ 13
     zu dieser Zeit im kommenden Jahr   4 ⎭

                                     2: + 49 = 51

Schluß

(22)   27. Und er hörte auf   1 ⎫
    3'   mit ihm zu sprechen   2 ⎬ 7
28. Und Elohim stieg empor von Abraham weg   4 ⎭

(23)   ⎧ Und Abraham nahm seinen Sohn Ismael   5 ⎫
   29. ⎨ Und alle seine Hausgeborenen   4 ⎪ 18
       ⎪ Und alle mit Geld Erkauften   4 ⎬
       ⎩ Alles Männliche von den Mannen des Hauses
                        Abraham   5 ⎭
      ⎧ Und er beschnitt das Fleisch ihrer Vorhaut   4 ⎫
   30. ⎨ An eben diesem Tage   3 ⎬ 11
    4'   so wie Elohim mit ihm gesprochen   4 ⎭

(24)   31. Abraham war 99 Jahre   5 ⎫
    5'   als das Fleisch seiner Vorhaut   ⎬ 8
     beschnitten wurde   3 ⎭

(25)   32. Und Ismael sein Sohn war 13 Jahre   6 ⎫
    6'   als das Fleisch seiner Vorhaut   ⎬ 10
     beschnitten wurde   4 ⎭

(26)   33. An eben diesem Tage wurde Abraham beschnitten   5 ⎫ 7
     und sein Sohn Ismael   2 ⎭

(27)   34. Und alle Mannen seines Hauses   3 ⎫
     der Hausgeborene und der aus der Fremde   ⎪ 12
               mit Geld Erkaufte   7 ⎬
     wurden mit ihm beschnitten   2 ⎭

                                        73

Gesamtsumme: 34 HS + 6 NS = 40 SFü

ZUR STRUKTUR

1) Zum Satzbau:

Wir haben auch hier den Text nach HS und NS aufgegliedert. Das dadurch gewonnene Ergebnis ist überraschend, zeigt es doch die Hinordnung der Sarah-Tafel auf die Abraham-Tafel. Dort erhielten wir 37 SFü, in welcher Zahl wir einen Hinweis auf den synodischen Mondumlauf sahen. Die Sarah-Tafel bringt nun 34 HS + 6' NS = 40 SFü. Was soll das? Das astronomische Gesetz lautet: nach 37 synodischen und 40 siderischen Mondumläufen treffen sich beide Bahnen wieder und der Zyklus beginnt von neuem.

Gliedert man den Text nach Bericht-, Einleitungs- und Rede-Sätzen, treten folgende Teilwerte in Sicht:

Die 4 Reden werden mit je einer Einleitung eröffnet (HS 1. 11. 14. 16.). Faßt man die HS dieser 4 Reden, mit Einbeziehung der NS, zusammen, erhält man:

Reden:　　I.　　　II.　　　III.　　　IV.

SFü:　　7 HS + (2 HS + 1 NS) + (1 HS + 10 HS + 1 NS) =

　　　　7　+　　3　　+　　　12　　　+ 22 SFü

Die SFü der Reden sind also nach dem Alphabet-Modell ausgerichtet. Durch die 4 Einleitungen wird wieder das Siegel des Gottesnamens JHWH (22 + 4 = 26) erreicht.

Für den erzählenden Bericht bleiben noch 14 SFü, davon 10 HS: (9. 10. 27. 28. 29.–34.) und 4 NS: (3'–6').

Daher die gesamte Bauformel:

14 B + 4 E: + 22 R = 14 + 26 = 40 SFü

Obwohl also die siderische Mondzahl 40 angezielt wurde, hat der Verfasser die Ausformung der kleinen Baueinheiten keineswegs vernachlässigt.

2) Zum Wortbestand:

Wenn schon der Satzbau so kunstvoll durchkomponiert wurde, ist zu vermuten, daß auch der Wortbestand geplant durchkomponiert ist. Daher untersuchen wir zuerst den Wortbestand der Reden; abschließend fassen wir den gesamten Wortbestand zusammen, wobei wir auch auf Kap. 15 zu sprechen kommen.

a) Wortbestand der Reden (nach Versen):

Die Sarah-Tafel bildet die spiegelbildliche Entsprechung zur Abraham-Tafel. Auch hier geht es um Namensänderung, Fruchtbarkeitssegen und Bund. In der ersten Tafel wurde einzig der Stammvater Abram/Abraham mit Namen genannt; in der zweiten kommt dazu noch der Name der Stammutter Sarah, sowie die Namen der beiden Söhne Isaak und Ismael. In bezug auf die auftretenden Personen wirkt die zweite Tafel viel bewegter als die erste. Die je neuen Akzente der Handlung sind sogar durch die Verseinteilung markiert. Im Folgenden heben wir nur das Redegut *nach Versen und Personen* aus.

	Sarah	Isaak	Ismael
1) Namensänderung Saraj/Sarah (Vs 15)	X		
2) Segen auf Sarah (Isaak) (Vs 16)		14	
3) Abrahams Lachen (Isaak) (Vs 17)		10	
4) Wunsch für Ismael (Vs 18)			4
5) Isaak Sohn der Verheißung (Vs 19)		18	
6) Segen für Ismael (Vs 20)			18
7) Bund mit Isaak (Vs 21)		13	

$$87 = \underset{\text{Sarah}}{\underline{X}} + \underset{\underset{\overline{\underline{55}}}{55}}{\underbrace{32 + 23}} + \underset{\text{Ismael}}{\underline{22}}$$

Isaak

Daraus folgt, daß die Namensänderung mit X Wörtern als Aufgesang (Präambel) zu betrachten ist. Der Wortbestand der 4 Verse, die sich auf Isaak, den Sohn der Verheißung, beziehen, folgten streng dem Modell der Tetraktys. Die beiden Hälften des Modells ergeben sich aus der Beziehung zu Sarah/Abraham/I s a a k; daher (14 + 18) + (10 + 13) = 32 + 23 = 55 Wörter. Dazwischengeschaltet wurden 2 Verse, die sich auf I s m a e l beziehen und mit ihren 4 + 18 = 22 Wörtern das Alphabetmodell (3 + 7 + 12) auch in der Satzstruktur ausprägen. – Daraus folgt wieder, daß wir es nicht mit freier Prosa, sondern mit einer kunstvoll durchkomponierten religiösen Dichtung zu tun haben.

b) Der gesamte Wortbestand:
Wir brauchen nur die bereits am Rande der Übersetzung notierten Teilwerte zu erfassen:

	B	E:	R	
I.		4:	+ 24 =	28
II.	5 +	2:	+ 10 =	17
III.		4:	+ 4 =	8
IV.		2:	+ 49 =	51
Schluß	73		=	73
	78 +	12:	+ 87 =	177

Die Gesamtsumme 177 Wörter entspricht der Hälfte eines normalen Mondjahres mit 354 Tagen; diese Mondhälfte ruft geradezu nach ihrer Ergänzung. Die Entsprechung zur Sarah-Tafel ist natürlich die Abrahams-Tafel; beide zusammen bringen *178 + 177 = 355 Wörter,* d. i. die Zahl eines überzähligen Mondjahres (Normaljahr 354, mangelhaftes Mondjahr 353 Tage).

In Kap. 15 gaben der „Aufblick zu den Sternen" und der „Bund zwischen den geteilten Tieren" zusammen 258 Wörter. Wenn wir nun die vier von uns analysierten und thematisch zusammengehörenden Abschnitte zusammenfassen, erhalten wir die Gesamtzahl für Gebot und Verbot: 258 + 355 = *613* Wörter (im Exkurs „Bund und Gesetz" kommen wir nochmals darauf zurück).

ERKLÄRUNG

1) Namensänderung (17,15):

Sprachgeschichtlich gilt hier das gleiche, was oben in bezug auf die Änderung von Abram in Abraham gesagt wurde. Es handelt sich bei Saraj/Sarah um dasselbe Wort „Fürstin", das einemal in der älteren, das anderemal in der jüngeren Sprachform. Daß die Form mit *h* bevorzugt wird, erklärt sich wohl aus der Angleichung an das *h* im Namen des Abraham. Bei diesem wurde die Erweiterung durch den Anklang von h ^{a} m ô n, „Macht, Glorie", erklärt. Der neue Buchstabe im Namen SaraH könnte daher als Hinweis auf die glorreiche Stammesfürstin verstanden werden.

2) Segen auf Sarah (17,16):

In der Abraham-Tafel tauchte das Verbum „segnen" kein einzigesmal auf. Hier wird es gleich zweimal verwendet, um damit die Gabe des Bundes näher zu umschreiben. Der Segen besteht im Sohn, der zu einem Volke werden soll. Auch hier dürfte die Mehrzahl g ô j î m als Intensivplural mit Singularbedeutung zu verstehen sein. Daß es sich um „Volk" und nicht um „Völker" handelt, geht aus dem Hinweis auf die „Stammesfürsten" (m a l k e j - ^{c} a m m î m) hervor, womit wohl die 12 Stammväter Israels gemeint sind. (NB.: vgl. Ähnliches bei Ismael Vs 20).

3) Abrahams Lachen (117,17):

Dreimal wird der Name Isaak erklärt. Das einemal hier: „Abraham fiel auf sein Angesicht nieder und *lachte*", das zweitemal ist es Sarah, die *lacht* (Gn 18,12); und schließlich nimmt Abraham in direkter Rede das Thema nochmals auf: „Elôhîm hat mir ein *Lachen* bereitet" (Gn 21,6). Diese letzte Erklärung dürfte auch die sprachgeschichtlich richtige sein. Die Namensform Isaak = j i ṣ ḥ a q oder j i ś ḥ a q (Ps 105,9) ist älter als Israel. Der grammatikalischen Form nach handelt es sich um ein Imperfektum (3. Pers. mask. sing.), das einem Optativ (Wunschform) gleichkommt. j i ṣ ḥ a q heißt also „er möge lächeln!" Wer? Etwa das neugeborene Kind oder der Vater, die Mutter? Keineswegs! Subjekt solcher Namen ist immer Gott. Die Vollform würde lauten: j i ṣ ḥ a q - E l , „Gott möge (dem Kind freundlich auf seinem Lebensweg) zulächeln". In der Umgangssprache wurde der Gottesname vielfach weggelassen (vgl. Jakob = j a ^{c} a k o b - E l , „Gott möge schützen"). (M. NOTH: *Die israelitischen Personennamen im Rahmen der gemeinsemitischen Namengebung*. Neudruck Hildesheim 1966, 210). — Wenn es nun in Vs 17 heißt, daß Abraham „lachte" (w a - j i ṣ ḥ a q), wird der ursprüngliche Sinn des Namens zwar von der göttlichen auf die menschliche Ebene verlagert, die menschliche Situation Abrahams aber gerade dadurch grell beleuchtet. Dem Hundertjährigen und der Neunzigjährigen war es durchaus nicht zum Lachen, da sie doch unfruchtbar dahingehen sollten. Die Verheißung Gottes, daß Sarah ein Kind bekommen werde, wirkte wie ein unguter Scherz.

4) Wunsch für Ismael (17,18):

Und doch scheint in Abrahams Lachen nicht Unglaube sondern Hoffnung mitzuklingen. Er bescheidet sich aber: „Wenn nur Ismael am Leben bleibt!" (Vs 18), und gibt dadurch Gott die Freiheit zum Wunder.

5) Isaak, Sohn der Verheißung (17,19):

Gott bleibt bei seinem Wort und erneuert die Verheißung eines Sohnes. Damit wird nochmals unmißverständlich betont, daß Isaak nicht dem Fleische sondern dem „Geiste" (der Wundermacht Gottes) nach gezeugt und geboren wird. Mit ihm und seinem „Samen" will Gott den „Bund erwecken" oder „aufrichten" (h ^{a} q î m ô t î ä t b ^{e} r î t î i t t ô). An den anderen Stellen wird der Inhalt von b ^{e} r î t als Bundeswort immer näher angesagt, hier aber nicht. Daher ist hier Vers 16 mitzudenken, wo die Verheißung ein „Volk zu werden" klar ausgesprochen wurde.

6) Der Segen auf Ismael (17,20):

Im Rückgriff auf den Wunsch Abrahams folgt hier der Segen auf Ismael, dem Sohn Abrams aus der Hagar. Der Name ist in der gleichen Art gebildet wie j i ş ḥ a q, also eine Wunschformel: j i š m a ^{c} - E l, „Gott möge hören!" (Namensbegründung im Bericht: Hagar in der Wüste Gn 21,14 ff). Auch Ismael werde ein Großer sein, denn 12 Stammesfürsten stammen von ihm ab. Auch er werde zu einem großen Volk werden; aber trotz Segen fehlt bei Ismael das Wort b ^{e} r î t, „Bund".

7) Der Bund mit Isaak (17,21):

Hier wird eine klare Trennungslinie zwischen Isaak und Ismael gezogen. Träger des Bundes im eigentlichen Sinne ist nur der durch das Wunder Gottes und nicht aus dem Fleisch Geborene! Damit wird ein wichtiger theologischer Aspekt von b ^{e} r î t sichtbar; nämlich *Bund und Wunder, alter Mensch und Neuschöpfung* gehören unzertrennlich zusammen. Wenn Isaak auch nach der üblichen Zeit (m ô ^{c} e d) der Schwangerschaft geboren wird (Vs 21 b), bleibt seine durch das Wunder Gottes bewirkte Geburt auf natürliche Weise doch unerklärbar.

8) Durchführung der Beschneidung (Gn 17,23–27):

Mit den Sätzen: „JHWH erschien" (17,1) und „Elohîm fuhr empor" (17,22) werden die beiden Tafeln als literarische Einheit abgegrenzt. Die insgesamt 7 Reden (3 + 4) führen aus dem Bereich des „normal" Erfahrbaren heraus und versuchen zu schildern, was geschieht, wenn Gott einen Menschen „angeht". Im religiösen Sprachgebrauch müßte man das Geschehnis in den Bereich mystischer Erfahrung einordnen. Doch der abschließende Bericht über die Durchführung der Beschneidung wirkt keineswegs mehr mystisch; er führt in den Raum der altorientalischen Geschichte.

Beschneidung war schon vor und außerhalb Israels im Alten Orient bekannt. Vielfach handelt es sich um einen Jugendreife- oder Ehefähigkeitsritus. In Israels Nachbarschaft übten die Ägypter, Edomiter, Amoriter, Moabiter und etliche Nomadenstämme die Beschneidung, jedoch nicht die Philister, die daher allgemein als die Unbeschnittenen bezeichnet werden. Dazu fällt auf, daß auch im Zweistromland der Beschneidungsritus nicht belegt ist (SPEISER, Anchorbible 127).

Wenn also Abram aus Ur in Chaldäa im südlichen Zweistromland auszog, so kann er erst nach seiner Ankunft im westlichen Kanaan mit dem Beschneidungsritus in Berührung gekommen sein. Da nun die *Beschneidung zum „Grundsakrament" Israels* gehört, muß es zu einem bestimmten Zeitpunkt eingesetzt worden sein. Wenn der vorliegende Text auch erst aus der Rückschau geformt wurde, wird hier dieses Urereignis geschichtstheologisch aufgearbeitet und textlich in seine endgültige Form gebracht.

Doch auch das Neue des Beschneidungsbundes wird sichtbar. Die Beschneidung ist nicht mehr Zeichen für Jugendreife und Ehefähigkeit – sie wird bereits am 8. Tag vollzogen! – sondern Zeichen der Zugehörigkeit zu jenem Volke, daß sich durch den Glauben an den Einen Gott von den anderen Völkern und Stämmen unterscheidet. In der theologischen Fachsprache würde man dies als *Transfinalisation* bezeichnen: etwas Bekanntes erhält plötzlich eine neue Sinn- und Zielrichtung. Da religionsgeschichtliche Neuanfänge ohne eine Gründergestalt nicht erklärbar sind, wird man trotz später Abfassung der Texte annehmen müssen, daß auch in dieser Spätfassung die Grundsubstanz der religiösen Urerfahrung Abrahams, nämlich sein *Durchbruch zum Monotheismus im Zeichen der Beschneidung,* richtig zur Sprache gebracht wird. Das Erweckungserlebnis Abrahams ließe sich in einem Satz zusammenfassen: „Es gibt keinen Gott außer Elohîm!", was im Ruf Muhammads „Es gibt keinen Gott außer Allah!" ein Analogon gefunden hat.

Kapitel 17 wird allgemein der Quelle P zugeordnet, die in die Katastrophenzeit des babylonischen Exils zu weisen scheint. Die Kraft zur Überwindung von Katastrophen und der Wille zur Reform wächst aus der Rückbesinnung auf die Anfänge. Rückblickend werden aber manche Zusammenhänge klarer erkennbar. Für den „priesterlichen Verfasser" ist die Geschichte des Volkes Israel, das aus Abraham hervorgegangen ist, kein innerweltlicher Prozeß, sondern ein je neues Wagnis Gottes mit diesem Volk und dieses Volkes mit seinem Gott, was mit dem Wort b ^{e} r î t auf die kürzeste Formel gebracht ist.

EXKURS: *Bund und Gesetz (Die Zahl 613)*

Gerade an Genesis 17 kann man feststellen, wie ein Bundeswort Gottes (b ^{e} r î t) die Gestalt eines Gesetze (t ô r a h) , hier der Beschneidung, annimmt. Beide bilden das Ursakrament Israels: das *verbum sacramenti* im Bundeswort, das *signum sacramenti* in der Beschneidung. Im rabbinischen Judentum wurde es üblich, 613 Gesetzesvorschriften zu zählen, davon 248 Gebote und 365 Verbote. Da die Torah den ganzen Menschen erfassen soll, unterschied man auch im menschlichen Körper 248 feste Glieder und 365 weiche „Glieder" (vgl. ähnliche Sprachweise bei Paulus im Römerbrief 7,23: „Gesetz in meinen Gliedern").

Die Gesetzgebung für den Abrahamsbund findet sich in den eben behandelten Kapiteln Gn 15,1–21 und 17,1–27. Wenn wir den Wortbestand beider Abschnitte zusammenzählen, erhalten wir die überraschende Summe von $258 + 355 = 613$ *Wörtern*! Die Doppelheit wird im Text selbst durch die zweimalige Verwendung von „Wort Gottes" (d ^{e} b a r J H W H) ausgesagt, das einemal mit Hinweis auf Unfruchtbarkeit (Verbot) mit X Wörtern (15,1), das anderemal mit Hinweis auf Fruchtbarkeit (Gebot) mit V Wörtern (15,4). Auf Grund dieser „Wort"-Sätze ergibt sich für Kapitel 15, wie schon gezeigt, die Aufgliederung $X + V + 243$. Nun wurde der Name Abram (= 243) durch Hinzufügung des Buchstaben $H = 5$ (Fruchtbarkeitszahl!) zu Abra-Ham erweitert, was $V + 243 = 248 = Abraham = Gebot$ ergibt. Die 355 Wörter des Beschneidungsbundes rufen nach einer Erhöhung um den Wert 10, um so den Gegenwert der 365 Verbote zu erreichen. Dieser Wert ist im Jod des ursprünglichen Namens SaraJ verschlüsselt, der doch getilgt (verboten) und in SaraH verwandelt wird. Der Zahlenwert von Jod ist nun X, was der Wortsumme des d ^{e} b a r-Satzes (15,1), der auf Unfruchtbarkeit hinweist, entspricht. Daher ist es folgerichtig, diese X Wörter als auf die Zahl 355 bezogen zu betrachten. Demnach erhalten wir: $(243 + V) + (X + 355) = 248 + 365 = 613$ (!). Im neuen Namen Abraham werden die Gebote, im

alten Namen Saraj dagegen die Verbote symbolisiert und sozusagen verleiblicht.
[Bereits T. WECHSLER weist in seinem hebräisch geschriebenen Buch ş^{e}fûnôt
b^{e}masôrat-jîsra'el (Geheimnisse in der (Text-)Überlieferung Israels), Jerusalem 1968, Seite 58, auf die Verwendung der Zahl 613 im Abrahambund hin. Dazu
bringt er noch andere Beispiele aus der Tôrah].

Aus der Tatsache, daß diese Symbolik dem Text eingegossen ist, folgt, daß sie viel
älter sein muß als man gewöhnlich annimmt, daß sie also nicht erst im Zeitalter des
Talmud, sondern schon in jener Stunde angewendet und verstanden wurde, da die
Bibel zur Bibel wurde (religionsgeschichtliche Achsenzeit um ± 500 v. Chr.).

Der durch die Verschlüsselung mittels Zahlen gesetzte Akzent ist unübersehbar.
In der Zeit von Abrahams Aufbruch wird man kaum mit der Differenzierung in
Gebot und Verbot gerechnet haben; in der Zeit des Exils war es jedoch hoch aktuell,
das „Bewahren des Bundes" auf „Bewahren des Gesetzes" hin zu konkretisieren.
Wo dieser „Zaun des Gesetzes" zu eng gezogen wird, stoßen wir auf jene Problematik, die im Kampf Jesu gegen das versteinerte Gesetz spürbar wird: „Gott kann auch
aus Steinen Kinder Abrahams erwecken" (Mt 3,9). Damit ist auch die Situation des
Apostels Paulus vorweggenommen, der den engen Rahmen des Gesetzes sprengen
und die Menschen zum wahren Glauben Abrahams zurückführen wollte. Denn
Bund ist *mehr* als Gesetz!

Fünfter Abschnitt
DER BUND MIT ISRAEL AM SINAI

Vorfragen

Die bisherigen Untersuchungen haben gezeigt, daß b^{e}rît einem schöpferischen Neuentwurf Gottes auf Zukunft hin gleichkommt. Auf menschlicher Seite geht dem die Situation der Ausweglosigkeit und Unmöglichkeit, einfachhin des Endes, voraus. Doch wenn es mit dem Menschen zum letzten Ende hin geht, bietet Gott jeweils den neuen Bund an: das „Ende allen Fleisches" (qes kol baśar, Gn 6,13) in der Sintflut und der Neuanfang mit Noah im Zeichen des Regenbogens; – das Ende von Abrams Weg mit Todesahnung in Kinderlosigkeit (Gn 15,2), so wie das Ende des Weges der unfruchtbaren Saraj; dagegen das Trotzdem Gottes in der Bundeszusage über Stammvater, Same und Land (Gn 15 und 17).

1) Die Passio Israels:

Zeigt nun der Moseh-Bund etwa die gleiche Struktur? Wo ist hier das Eschaton des Menschen zu suchen? Als Antwort drängt sich wohl der Anfang der Pesah-haggadah auf: „Knechte waren unsere Väter im Lande Ägypten ..."; und noch mehr JHWHs eigenes Wort im brennenden Dornbusch: „Gesehen, gesehen habe ich die Passion meines Volkes (ᶜonî ᶜammî) in Ägypten; ihren Aufschrei beim (Zuschlagen) der Bedrücker gehört" (Ex 3,7). – Daher könnte man sagen, daß tatsächlich in der Passio Israels in Ägypten das Ende jenes Menschenweges erreicht ist, den Gott durch seine Schöpfer- und Wundermacht aus Ausweglosigkeit in Freiheit wendet. – Eine solche Wende wäre aber auch durch die Änderung der politischen Verhältnisse in Ägypten möglich geworden. Man könnte an Regierungswechsel denken, bei dem die allgemeine Zwangsarbeit aufgehoben und die Roboter wieder in ihre Heimat entlassen würden. Also Schicksalswende durch Situationsänderung! Die Befreiung könnte demnach als sozio-politisches Ereignis interpretiert werden.

Wenn man bibeltheologische Aussagen erarbeiten will, ist man an den vorliegenden Text gebunden. Dieser ist aber nicht situations- sondern personorientiert. Die Passio Israels ist unleugbar Tatsache; der Aufschrei des Volkes ist eben so klar ausgesprochen. Wer aber denkt an Wende?

Wenn wir dem Gang der Ereignisse folgen, sehen wir, daß zuerst MOSEH es ist, der von sich aus das Werk der Befreiung angeht. Er scheint hiefür der geeignete Mann zu sein; hat er doch ägyptische Bildung genossen, verfügt über Einfluß am Pharaonenhof und hat dabei die Kontakte mit seinen Volksgenossen nicht verloren.

2) Das Scheitern des Menschen Moseh (Ex 2,11–15):

Wenn es nun heißt: „Und Moseh ging hinaus zu seinen Brüdern und sah ihren Frondienst" (Vs 11), war dies nicht bloß ein Spaziergang zum Arbeitsplatz der Hebräer; auf Grund seiner Stellung am ägyptischen Hof kam dies eher einer offiziellen Inspektion gleich. Statt die Mißstände an die zuständige Stelle weiterzuleiten – (das

Ägypten des Neuen Reiches war ein Beamtenstaat mit genauen Arbeitsberichten) –
griff er in seinem Zorn zur Selbsthilfe. Er erschlug den Ägypter, der einen Hebräer
erschlagen hatte (Vs 12). Er wollte demnach Terror mit Terror brechen, fand aber
dabei nicht die Zustimmung seiner Volksgenossen, und schon gar nicht die der
ägyptischen Behörde, die nach ihm fahnden ließ, um ihm den Prozeß zu machen. So
blieb nichts anderes übrig, als daß Moseh als Gescheiterter ins Ausland flüchtete.
Damit war für Moseh die aussichtslose Endsituation gegeben. Wenn er trotzdem
Herausführer und Befreier seines Volkes wurde, der die Passio Israels wendete, so
nicht mehr durch eigene Hand, sondern durch die Hand JHWHs, die nach ihm griff
und durch ihn das Neue schuf. Daher wird Moseh in keiner Weise als nationaler
Heros/Held gezeichnet; der „Held" ist vielmehr JHWH selbst. Die Wende zum
Neuen vollzog sich am brennenden Dornbusch.

Wir beschränken uns hier auf die Übersetzung der I. Tafel, wobei wir nur die HS
durchzählen, ohne die dazugehörenden NS eigens auszuheben; wir schlagen also
den gleichen Weg ein, wie bei der Übersetzung und Analyse des Berichtes vom Paradies und vom Sündenfall. Dort hat es sich schon gezeigt, daß jener Text ein in sich
geschlossener kunstvoller Bau ist, und dies, obwohl die Textkritik gerade den Paradieses-Bericht auf mehrere Quellen verteilte. In der *Hexateuch-Synopse* von Otto
EISSFELDT wird der Text Ex 3–4 auf Jahvist (J), Elohist (E) und Laienquelle (L)
aufgeteilt. Im Bericht über den brennenden Dornbusch wird sogar ein einziger Satz
in seinen Bestandteilen auf zwei Quellen verteilt (Ex 3,3):

J: Da sprach Moseh: Ich will hingehen und dieses große Schauspiel ansehen,
E: warum der Dornbusch nicht verbrennt.

Außerdem werden größere Blöcke abgegrenzt:

J: 3,1a. 2. 3a. 4a. 5.   7–9a.   16–20
E: 3,1b.   3b. 4b.   6.   9b–15.   4,10–17
L: 3,21–4,9

Andere Autoren bringen andere Quellenscheidung. Die Analyse der Satzstruktur
dürfte aber zeigen, ob der Text an den von der Kritik angeführten Bruchstellen tatsächlich brüchig ist oder nicht.

Erstes Kapitel
DAS ANGEBOT VOM BRENNENDEN DORNBUSCH
(Ex 3,1–22)

Die III. Ordnung (s e d ä r) des Buches Exodus umfaßt den Text 3,1–4,17. Es liegt insofern eine handschriftliche Einheit vor, als der doch lange Text durch keine „geschlossene" Zeile (s ^{e} t û m a h) in kleinere Abschnitte geteilt wird; erst 4,17 schließt mit einer „offenen" Zeile (p ^{e} t û h a h) , die zugleich das Ende der III. Ordnung anzeigt. Daraus folgt, daß eine handschriftliche Texteinheit vorliegt.

Überblickt man den Text nach seiner literarischen Form, stellt man zur Überraschung fest, daß der Sprechtext überwiegt. Achtet man weiters auf die sprechenden Personen, erhält man den Eindruck eines Mysterienspieles mit verteilten Rollen. (Hat man eine aufgeschlossene Schulklasse vor sich, könnte man das Spiel aufführen. Dadurch würde der dynamische Aufbau und die theologische Tiefe zu einem eindrucksvollen Erlebnis-Unterricht.)

Der biblische Dichter scheint eine Vorliebe für die Form des Diptychons (eine Fassung in zwei Tafeln) gehabt zu haben. In der Paradieses-Erzählung begegneten wir bereits dieser literarischen Form: erste Tafel: Adams Formung – zweite Tafel: Evas Formung; das gleiche begegnet uns beim Abrahams-Bund: eine Tafel – Abraham, die andere – Sara. Man könnte daher also auch von einem Zweiakter sprechen. Gliedern wir den Inhalt auf, tritt diese Zweiteilung in Sicht:

I. Gottes-Tafel (3,1–22)
   M o s e h B e r u f u n g :
Gotteserscheinung am Dornbusch
Offenbarung des Namens
Angebot der Rettung

II. Menschen-Tafel (4,1–17)
   W e n n s i e n i c h t g l a u b e n :
Stab/Schlangen-Probe
Hand/Aussatz-Probe
Wasser/Blut-Probe
Moses Ausflucht
Aaron als Mosehs Sprecher

Schon aus der Anzahl der Verse geht hervor, daß beide Tafeln zusammen gehören; denn die Gottes-Tafel bringt 22, die Menschen-Tafel 17, beide zusammen daher 39 Verse. Nun gilt die Zahl 39 als Symbolzahl für Israels Credo an den EINEN (13) JHWH (26). Die Teilwerte werden sichtbar, wenn man die graden und ungraden Zahlen des Wortbestandes der einzelnen Verse aushebt. Doch dies wäre Aufgabe einer Spezialanalyse und würde hier zu weit führen.

A. GOTTESERSCHEINUNG IM DORNBUSCH (Ex 3,1–6)

Vss	HS		
(1)	1.	Moseh war Hirte der Herden Jitro's	

(1) 1. Moseh war Hirte der Herden Jitro's
Seines Schwiegervaters, des Priesters von Midjan
2. Und er führte die Herde hinter die Wüste hinaus
3. Und kam zum Gottesberg, zum Horeb
(2) 4. Und der Engel JHWHs erschien ihm
In einer Feuerlohe mitten im Dornbusch   ⎫ 7 HS
5. Und er schaute
6. Und siehe, der Dornbusch brennt
7. Und der Dornbusch wird nicht verzehrt

(3) 8. Und Moseh sagte:
9. Ich will hingehen   ⎫ 3 HS
10. Und die große Erscheinung ansehen
Warum der Dornbusch nicht verbrennt

(4) 11. Und JHWH sah
Daß er hinging anzusehen
12. Und Gott rief ihn mitten aus dem Dornbusch an
13. Und sagte:
14. Moseh, Moseh
15. Und er sagte:
16. Siehe mich da!
(5) 17. Und er sagte:
18. Nahe dich nicht hierher!   ⎫ 12 HS
19. Zieh deine Schuhe von deinen Füßen
Denn der Ort, auf dem du stehst
Ist heiliger Boden
(6) 20. Und er sagte:
21. Ich bin der Gott deines Vaters
Der Gott Abrahams, der Gott Isaaks und der Gott Jakobs

22. Und Moseh verhüllte sein Angesicht
Weil er sich fürchtete
Auf Gott hinzublicken

ZUR SATZSTRUKTUR

Im weiteren Text wird der Dornbusch nicht mehr erwähnt. Daher ist es angezeigt, die Vss 1–6 als eigene kleine Einheit abzugrenzen. Daß es sich hierbei tatsächlich um eine Baueinheit handelt, wird durch das Vorkommen von genau 22 HS bestätigt. Die Gliederung in die Teilwerte des Alphabet-Modells (3 + 7 + 12 = 22) wird durch den Gang der Handlung angegeben:
a) Der Hirt Moseh sieht den Dornbusch brennen

b) Er entschließt sich hinzugehen, um nachzusehen
c) Der Anruf Gottes

Nach den HS erfaßt gibt dies: a + b + c = 7 + 3 + 12 HS. Achtet man bei den 12 HS auf Bericht, Einleitung zur Rede und direkte Rede, treten die Teilwerte/Seitenlängen des kosmischen Dreiecks von Plato, (3 + 4 + 5) in Sicht: *3 HS* Bericht: (11. 12. 22) + *4 HS* Einleitung: (13. 15. 17. 20) + *5 HS* Rede: (14. 16. 18. 19. 21).

Ergo:

Wenn man auch nur einen einzigen Satz aus dem in sich geschlossenen Gefüge herausnimmt, um ihn einer anderen Quellenschrift zuzuteilen, zerstört man das ganze Kunstwerk. Der Verfasser mag aus dem Schatz der Überlieferungen geschöpft haben, aber die alten „Steine" wurden unzertrennlich mit dem neuen „Bau" verbunden.

B. OFFENBARUNG DES NAMENS (Ex 3,7–15)

Vss	HS	
(7)	1.	Und J H W H s a g t e :
	2.	Gesehen hab ich, gesehen die Not meines Volkes
		Das in Ägypten ist
	3.	Und gehört seinen Aufschrei
		Vor seinen Antreibern
		Denn ich kenne ihr Leid
(8)	4.	Und ich werde herabsteigen
		Um es aus der Hand Ägyptens zu entreißen
		Und hinaufzuführen aus diesem Land
		Hin zum guten und weiten Land
		Zum Land, fließend von Milch und Honig
		Zum Ort des Kanaanî und des Hittî
		Und des Amorî und des Perizzî
		Des Hiwwî und des Jebusî
(9)	5.	Und jetzt
		Siehe der Aufschrei der Söhne Israels kam zu mir
	6.	Und ich habe auch die Pein gesehen
		Mit der die Ägypter sie peinigen
(10)	7.	Und jetzt geh du
	8.	Und ich schick' dich zu Pharao
	9.	Und du führe mein Volk, Israels Söhne, aus Ägypten
(11)	10.	Und M o s e h s a g t e z u G o t t :
	11.	Wer bin ich
		Daß ich zu Pharao gehe
		Und daß ich Israels Söhne aus Ägypten führe?

Vss	HS

(12) 12. Und er sagte:
13. Wahrlich, ich werde mit dir sein
14. Und dies sei für dich das Zeichen
Daß ich dich geschickt
Das Volk aus Ägypten herauszuführen:
15. Ihr werdet an diesem Berg da Gott dienen

(13) 16. Und Moseh sagte zu Gott:
17. Siehe, ich komme zu Israels Söhnen
18. Und ich sag ihnen:
19. Der Gott unserer Väter schickt mich zu euch
20. Und sie sagen mir:
21. Was ist sein Name?
22. Was soll ich ihnen sagen?

(14) 23. Und Gott sagte zu Moseh:
24. 'ähjäh 'ªšär 'ähjäh
25. Und er sagte:
26. So sollst du zu Israels Söhnen sagen:
27. 'ähjäh hat mich zu euch geschickt.

(15) 28. Und nochmals sagte Gott zu Moseh:
29. So sollst du zu Israels Söhnen sagen:
30. JHWH, der Gott eurer Väter
Der Gott Abrahams, der Gott Isaaks
Und der Gott Jakobs hat mich zu euch gesandt
31. Das ist mein Name auf ewig
32. Und das mein Anruf Geschlecht für Geschlecht.

C. VERHEISSUNG DES AUSZUGES (Ex 3,16–22)

(16) 1. Geh!
2. Und versammle die Ältesten Israels
3. Und sag zu ihnen:
4. JHWH, der Gott eurer Väter, erschien mir
Der Gott Abrahams, Isaaks und Jakobs
Zum sagen (sagend):

5. Beobachtet habe ich euch, beobachtet
Und das euch Angetane in Ägypten
(17) 6. Und (daher) sage ich:
7. Ich werd' euch aus der Not Ägyptens hinaufführen
In das Land des Kanaanî und des Hittî
Und des Amorî und des Perezzî
Und des Hiwwî und des Jebusî
In das Land, fließend von Milch und Honig
(18) 8. Und sie hören auf deine Stimme
9. Und du kommst mit den Ältesten Israels zum König Ägyptens

Vss	HS	
	10.	Und ihr sollt sagen:
	11.	JHWH der Gott der Hebräer ist uns begegnet
	12.	Und jetzt sollen wir einen Weg von 3 Tagen In die Wüste gehen
	13.	Und unserem Gott JHWH opfern
(19)	14.	Ich aber, ich weiß Daß euch der König von Ägypten nicht gehen läßt Wenn nicht mit starker Hand
(20)	15.	Und ich strecke aus meine Hand
	16.	Und schlage Ägypten mit all meinen Wundern Die ich in seiner Mitte tun werde
	17.	Und danach wird er euch entlassen
(21)	18.	Und ich gebe diesem Volk Gunst in den Augen der Ägypter
	19.	Und es wird sein, wenn ihr geht
	20.	Geht ihr nicht leer aus
(22)	21.	Und die Frauen sollen von der Nachbarin, Der Hausbewohnerin, verlangen Silbergerät und Goldgerät und Kleider
	22.	Und ihr legt sie euren Söhnen und Töchtern an
	23.	Und plündert (so) Ägypten aus.

ZUR SATZSTRUKTUR

Die Offenbarung des Namens bringt 32, die Verheißung des Auszuges 23, beide zusammen 55 HS. Es liegt demnach eine geradezu klassisch zu nennende Ausprägung des Tetraktys-Modells vor. Gerade durch die Wahl dieses Modells wird die Zusammengehörigkeit der beiden Abschnitte besiegelt. Man muß aber weiterfragen, ob auch die Teilwerte der Tetraktys an der Formung des Textes erkennbar sind? Es kommen nur direkte Reden vor.

1) Zur Offenbarung des Namens (3,7—15):

Am leichtesten abzugrenzen ist Mosis Frage nach dem Namen Gottes. Die Frage (Vs 13) bringt 1 E: + 6 R = 7 HS; die dreifache Antwort Gottes (Vss 14—15) zeigt 3 HS E: + 7 HS R = X HS. Damit sind die beiden Werte 7 und X des Modells der „32 wunderbaren Wege der Weisheit" abgesichert. Es fehlen noch die beiden Werte 3 und 7. In den Vss 7—12 verkündet Gott, daß er bereit sei herabzusteigen, um Israel aus der Not Ägyptens zu befreien. Für das Werk der Befreiung wird Moseh entsandt. Der Sende-Auftrag wird in Vs 10 mit 3 HS ausgesagt:

Vs 10: Und jetzt geh' du
Und ich schick' dich zu Pharao
Und du führe mein Volk, Israels Söhne, aus Ägypten

Um diesen zentralen Vers – die *3* HS 7. 8. 9. – sind die anderen 12 HS, geordnet: 6 HS voraus (1.–6.) und 6 HS danach (10.–15.). Auch hier wird die Verteilung auf die platonische Zahl *12* (3 + 4 + 5) erkennbar: die 3 Einleitungen (HS 1. 10. 12.) geben den Wert *3*. Auf die erste Rede (Vss 7–9) kommen *5* HS (2.–6.), auf die zweite und dritte *1* HS (11.) + 3 HS (13.–15.) = *4* HS. – Das Modell 32 wurde demnach kunstvoll durchkomponiert. Die Bauformel lautet in der Reihenfolge des Textes:

$$6 + \underline{3} + 6 + \underline{7} + X = (3 + 7 + 12) + X = \underline{22 + X = 32}$$

2) Zur Verheißung des Auszuges (3,16–22):

Die Zahl 23 gilt als spiegelbildliche Ergänzung der Zahl 32. Sie wird meist über die 22 Buchstaben des Alphabets erreicht, die um den Wert *1* erhöht werden (22 + 1 = 23). Der Erhöhungswert kommt hier dem Imperativ „Geh!" (Vs 16; 1. HS) zu. Für die weitere Gliederung sind die 3 Reden zugleich auch Wegweiser: die Aufforderung an die Ältesten (2.–4.) bringt *3* HS, das Selbstbekenntnis Gottes (5.–9.) *5* HS, die Aufforderung „Und ihr sollt sagen" (10.–13.) *4* HS. Der Wert 12 wurde demnach auch hier genau nach dem platonischen Modell gegliedert. – Das nochmalige Einsetzen der Gottesrede „Ich aber, ich weiß . . ." (Vs 19–21) bringt 7 HS (14.–20.); und schließlich sind die 3 HS 21. 22. 23. über die Plünderung der Ägypter (Vs 22) als eigene Einheit leicht erkennbar. Dies gibt als Baumodell 1! + 12 + 7 + 3 = *1* + *22* = *23 HS*.

Ergo:

Wenn die Textkritik recht haben sollte, wonach mehrere Quellenschriften vorliegen würden, müßte man trotzdem den Endredaktor bewundern, daß er aus den „verschiedenen Quellen" ein solches, in sich geschlossenes Kunstwerk schaffen konnte. Man kann hier aber nicht mehr bloß von einem Endredaktor sprechen; man muß ihn mit vollem Recht als Verfasser bezeichnen; denn was hier in Erscheinung tritt, ist eine in sich geschlossene religiöse Dichtung. Der Text ist sogar so dicht, daß man das Kunstwerk zerstört, wenn man auch nur eine „Quelle" ausscheidet.

ERKLÄRUNG

1) Die Spontaneität Gottes:

Moseh hütete die Herden seines Schwiegervaters Jitro. War der Rebell also zum friedlichen Beduinen geworden, der die Passio Israels in Ägypten vergessen hatte? Anscheinend nicht! Denn warum trieb er die Herden „über die Steppe hinaus" hin zum „Berg Gottes" (h a r h a ' E l o h î m), zum Berg ḥoreb?
  Der Deutungen des Namens Ḥoreb gibt es viele. Im ThWAT III (1978), 160 f meint KAISER, daß die philologische Ableitung des Namens weiterhin kontrovers bleiben werde, da mit ihm zugleich „Lokalisierungsprobleme" verbunden sind. Ist der Gottesberg tatsächlich in der Gebirgswelt der Halbinsel Sinai zu suchen? – oder etwa irgendwo im Negev/Südland, oder gar in Arabien? Ist der Name Ḥoreb von der Verbalwurzel ḥ a r a b I, „trocknen, vertrocknet sein" oder von ḥ a r a b II, „verheert, verwüstet sein" abzuleiten? Hätte er demnach die Bedeutung „Wüste", oder gar „der Schwertförmige"? Die meisten Ableitungen versuchen den Namen von der Eigenart des Berges her zu erklären. Nun bringt dasselbe Wörterbuch die arab. Wurzel ḥ a r a b a, „zerstören, verwüsten". Der Name des Berges wird nicht nach dem

Hauptwort ḥ o r ä b , „Wüste", sondern nach dem Partizip ḥ o r ē b geschrieben. Soll man den Namen personal als nähere Bezeichnung für Gott als den „Zerstörer" übersetzen? Dann wäre Ḥoreb keine Ortsbezeichnung, sondern die nähere Bestimmung für den Gott, dem der Berg Sinai heilig war. Kann aber der Gott Israels „Zerstörer" genannt werden? Das „zerstörerische" Element ist dem Gott JHWH nicht fremd. Wie KAISER (l.c. 163/164) näher ausführte, zerstört JHWH doch die ihm feindlich gegenübertretenden Mächte. In den Propheten-Sprüchen wird nicht bloß den Feinden Israels Vernichtung und Untergang angedroht, selbst dem abtrünnigen Jerusalem wird das Versinken in Trümmer vorausgesagt. Das „Zerstörungswerk" ist aber nur die eine Seite von JHWHs siegreichem Handeln; durch die Vernichtung der Feinde wird er aber zugleich zum Gott der Rettung, des Heiles und des Sieges. In dieser doppelgesichtigen Gestalt hat der JHWH Israels sehr viel Ähnlichkeiten mit dem ugaritischen Gott Rescheph, aber auch mit dem vernichtenden und rettenden Gott Apollo der Griechen (ausführlicher in der Diplomarbeit von A. WIESER: *Apollon-Rescheph-JHWH. Ein religionsgeschichtlicher Vergleich.* Graz 1983).

Wenn es nun heißt, daß Moseh auf den „Gottesberg" stieg, setzt dies doch voraus, daß auf einem bestimmten Berg ein Gott schon lange und regelmäßig verehrt wurde. Mosehs Schwiegervater Jitro war doch Priester von Midjan. Priester welchen Gottes? Sicher eines vorisraelitischen Gottes! Sein Name wird nicht genannt, aber sein Beiname, der Rettung aus Feindesnot, bzw. Zerstörung der Feinde versprach, „der Zerstörer", charakterisiert ihn als Retter-Gott. Moseh wurde von der Erscheinung des Namenlosen überfallen und fragte daher nach seinem Namen. Kann der Gott Israels sich an einem alten heidnischen Bergheiligtum offenbaren? Doch der sich offenbarende Gott identifizierte sich mit dem Gott der Patriarchen.

Sicher ist, daß Moseh seine Herde hinter die Steppe, hin zum Gottesberg trieb. Kann man daher sagen, daß er für eine Begegnung mit Gott bereit war? Sicher! Aber ein Mensch kann Gott nicht erzwingen; dem Handeln Gottes in der Zeit geht immer der innergöttliche Entschluß voraus, der dem Menschen durch Wort und Zeichen offenbar wird.

Hier im Zeichen einer „Feuerflamme" (l a b b a t - e š) , die „mitten aus dem Dornbusch" (s ᵉ n ä h) schlug. Daß es auf der Sinai-Halbinsel einen Strauch (leider ohne Dornen) gibt, der im Blütenkelch und in den Fruchthülsen alkoholische Substanz anreichert, die bei starker Sonneneinstrahlung verbrennt, erklärt nichts; dem Beduinen Moseh dürfte ein solches natürliches Phänomen bekannt gewesen sein. Der Text spricht aber von einer „Feuerlohe mitten aus dem Dornbusch", was doch mehr ist als brennend verglühende Blüten und Hülsen. Diese Feuerlohe wird als Erscheinungsform des m a l ' a k JHWH erklärt, was gewöhnlich mit „Engel des Herrn" übersetzt wird. Der biblischen Theologie ist die Existenz von Engeln um den Thron Gottes eine Selbstverständlichkeit; ebenso selbstverständlich ist es, daß Gott für gewisse Aufgaben bestimmte Engel „sendet", was schon der Name m a - l ' a k aussagt, der von der Wurzel l a ' a k = „(als Boten) senden" abgeleitet wird. Nach spätjüdischer Theologie habe Gott den Bund am Sinai nicht selbst, sondern durch Engel geschlossen. Trotz dieses Theologumenons besteht aber philologisch die Möglichkeit, m a l ' a k J H W H nicht im engeren Sinn als „Engel des Herrn", sondern im weiteren Sinn als „Aussendung/Emanation Gottes" zu übersetzen. Es erhebt sich die Frage: Wie kann der für menschliches Auge unsichtbare Gott den Menschen sichtbar und erfahrbar werden? Doch nur durch außerordentliche Phänomene! Die Feuerlohe ist daher Erscheinungsform Gottes! Daß Gott selbst in dieser Form gegenwärtig wird, kann aus der Tatsache erschlossen werden, daß im weiteren

Text nicht etwa der m a l' a k /Engel sondern JHWH selbst sprechend eingeführt wird. Das Außerordentliche dieses Phänomens besteht nicht im Naturwunder – auch das Feuer der größten Vulkanausbrüche spricht nicht, ist vielmehr stumm, – entscheidend ist der personale Aspekt, nämlich der aus dem Feuer sprechende personale Gott. Wenn man die Sprachweise der Mystik, sowohl der christlichen als auch der außerchristlichen, zu Rate zieht, wird man gewahr, daß Begegnung mit Gott vielfach als loderndes Feuer erfahren wird. Dies mag auch beim Bericht über den brennenden Dornbusch der Fall sein. Hier wird kein innerweltliches Ereignis geschildert, kein brennender Dornbusch der Steppe; hier wird ein tieferer Seinshorizont offen; der Mensch ahnt, was Gott ist: brennende und nicht verbrennende Feuerlohe.

2) Das Bundeswort:

Im Erscheinen der Feuerlohe offenbart sich schon etwas von der Spontaneität Gottes, die plötzlich hereinbricht. Zum Lichtphänomen, das an sich mehrere Deutungen zuließe, kommt das klärende Wort. In den Reden JHWHs ist auf die 1. Person zu achten! Zunächst die Selbstoffenbarung: „Ich bin (a n o k î) der Gott deiner Väter, der Gott Abrahams, Isaaks und Jakobs" (Vs 6). Durch den Rückverweis auf die Patriarchen erweist sich Gott als der lebendige Gott der Geschichte. Er ist kein Gott der Toten sondern der Lebenden (Mt 22,32), also jener Gott, der zu seinem Bunde steht, und dies gerade zu einer Stunde, da Israel in der End- und Untergangssituation angelangt ist. Gerade in dieser letzten Stunde fällt das neue Wort Gottes, das die Passio Israels zum Heil wendet. Die folgenden Ich-Formen sind daher Wiederaufnahme des Alten, und zugleich Entwurf des Neuen Bundes: „Ich habe die Passion meines Volkes gesehen ... Ich habe gehört ... Ich kenne (3,7) ... Ich steige herab, um es (mein Volk) aus der Hand der Ägypter herauszureißen und in das gelobte Land zu führen". Damit wird der Befreiungsplan Gottes mit dem Fernziel „gelobtes Land" zwar angesagt, wer aber den Plan durchführen soll, bleibt offen.

NB.: Arbeitsvorschlag: Man hebe im Text alle *Ich-Formen* aus und füge sie zu einem Mosaik zusammen; dadurch gewinnt man ein dynamisches, bewegtes Gottesbild.

3) Der Angerufene:

Das Wort Gottes fällt auf den Menschen Moseh: „Und jetzt geh du, und ich schicke dich zu Pharao, und führe du mein Volk, Israels Söhne, aus Ägypten" (Vs 10). – Die Berufungsszenen der späteren Propheten erreichen ihren Höhepunkt ebenfalls im Sendungsauftrag. Die erste Reaktion der Angerufenen ist durchwegs das Eingeständnis der menschlichen Unfähigkeit, ja der menschlichen Unmöglichkeit. Das gleiche gilt für Moseh: „Wer bin ich, daß ich zu Pharao gehe und daß ich Israels Söhne aus Ägypten führe?" (Vs 11). Die Antwort: „Ich bin mit dir", oder: „Ich werde mit dir sein" ('ä h j ä h ᶜi m m a k) (Vs 12) nimmt den neuen Gottesnamen bereits voraus. Diese Antwort müßte an sich genügen, weil daraus hervorgeht, daß Gott selbst und nicht Moseh der Herausführer ist. Aber Gott begnügt sich nicht mit dieser Zusage, er gibt Moseh ein Zeichen: „Ihr werdet an diesem Berge da Gott (Elohîm) dienen" (Vs 12). Damit wird Moseh ein Zeichen zugesagt, das eigentlich kein Zeichen ist, da es sich erst in der Zukunft verwirklichen wird. Es ist für Moseh zugleich auch eine unerhörte Glaubens-Herausforderung. Daher dann die nochmalige Rückfrage nach der Person, d. i. nach dem Namen des auftraggebenden Gottes.

Zweites Kapitel
DIE OFFENBARUNG DES NAMENS

Wir bringen diesmal auch den hebräischen Text, weil es sich in Ex 3 um einen bibel-theologischen Fundamentaltext handelt. Die Vss 13–15 bilden innerhalb des Kapitels eine Aussageeinheit, da gerade hier nach dem Namen gefragt wird: „Was ist sein Name?" (Vs 13) – „... Das ist mein Name auf ewig..." (Vs 15). – Frage und Antwort bilden eine kleine literarische Einheit.

Ex 3,13–15

Vss	HS (R)	E:	R
(13)	Wajjomär Mošäh 'äl-ha'Elohîm:	4:	
	1. Hinneh 'anokî ba' 'äl-b^{e}nej Jiśra'el		6
	2. W^e'amartî lahäm		2:
	3. 'Elohej 'abôtejkäm š^{e}laḥanî '^{a}lejkäm		4
	4. W^e'am^{e}rû lî		2:
	5. Mah š^{e}mô		2
	6. Mah 'omar '^{a}le(j)hm		3
(14)	Wajjomär 'Elohîm 'äl-Mosäh:	4:	
	7. 'ÄHJÄH '^{a}šär 'ÄHJÄH		3
	Wajjomär:	1:	
	8. Koh to'mar libnej Jiśra'el		4:
	9. 'ÄHJÄH š^{e}laḥanî '^{a}lejkäm		3
(15)	Wajjomär ^{c}ôd 'Elohîm 'äl-Mosäh:	5:	
	10. Koh to'mar 'äl-b^{e}nej Jiśra'el		5!
	11. JHWH 'Elohej '^{a}botejkäm		
	'Elohej 'Abraham 'Elohej Jiṣḥaq		
	wElohej Ja^{ca}qob š^{e}laḥanî '^{a}lejkäm		11
	12. Zäh š^{e}mî l^{ec}(w)lam		3
	13. W^{e}zäh zikrî l^{e}dor dor		4
		14: +52	= 66

Übersetzung:

Vss	HS (R)	E:	R

(13) **U n d   M o s e h   s a g t e   z u   G o t t :**   4:
    1. Siehe ich komme zu Israels Söhnen   6 ⎤
    2. Und ich sage ihnen: 2: ⎬ 12
    3. Der Gott eurer Väter schickt mich zu euch   4 ⎦
                                                 19
    4. Und sie sagen mir   2: ⎤
    5. Was ist sein Name?   2 ⎬ 7
    6. Was soll ich ihnen sagen?   3 ⎦

(14) **U n d   G o t t   s p r a c h   z u   M o s e h :**   4:
    7. 'ÄHJÄH 'ašär 'ÄHJÄH   3   26
    U n d   e r   s a g t e :   1:
    8. So sollst du zu Israels Söhnen sagen: 4: ⎬ 7
    9. 'ÄHJÄH hat mich zu euch gesandt   3 ⎦

(15) **U n d   n o c h m a l s   s a g t e   G o t t   z u   M o s e h :**   5:   26
   10. So sollst du zu Israels Söhnen sagen: 5:
   11. JHWH, der Gott eurer Väter   3 ⎤
      Der Gott Abrahams, der Gott Isaaks   ⎮
      Und der Gott Jakobs   6 ⎬ 23
      Hat mich zu euch gesandt   2 ⎮
   12. Das ist mein Name auf ewig   3 ⎮
   13. Und das mein Anruf Geschlecht für Geschlecht   4 ⎦

                                    14: +52 = 66
                                             Wörter

ZUR STRUKTUR DER VIER REDEN

1) Der Wortbestand:

Moseh spricht nur die erste Rede, die weiteren drei Reden kommen aus dem Munde
Gottes. Die Gesamtsumme der 52 R-Wörter läßt vermuten, daß der Zahlenwert des
Gottesnamens JHWH (26) dieser Planung zu Grunde liegt; denn *2 x 26 = 52*. Überprüft man die Verteilung der Wörter, um zu sehen, ob die Teilwerte tatsächlich
ausgeprägt sind, stößt man auf die chiastische Anordnung der Reden:

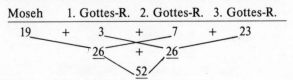

Moseh   1. Gottes-R.   2. Gottes-R.   3. Gottes-R.
19   +   3   +   7   +   23
         26   +   26
            52

Die „Offenbarung des Namens" ist also doppelt mit dem Namen JHWH versiegelt.

2) Das Akrostich:

Da der Text im Wortbestand klar durchkomponiert ist, kann man vermuten, daß
auch die Anfangsbuchstaben (Akrostich) der 13 R-Sätze bewußt ausgewählt wurden. Es werden in der Reihenfolge der Sätze (1.–13.) folgende Anfangsbuchstaben
verwendet:

Buchstaben: H − W − 'A − W − M − M − 'A − K − 'A − K − J − Z − W
Stellenwert: 5 + 6 + 1 + 6 + 13 + 13 + 1 + 11 + 1 + 11 + 10 + 7 + 6 = 91
⎵
26

Die Summe der Anfangsbuchstaben, nach ihrem Stellenwert in Alphabet gerechnet, weist wieder auf Versiegelung, und zwar mit dem doppelten Gottesnamen JHWH (26) + ADONAJ (65) = 91. Aus dieser Tatsache kann gefolgert werden, daß auch die Anfangsbuchstaben der einzelnen Sätze gezielt gewählt wurden.

3) Die Buchstaben:

Die Buchstaben wurden genau gezählt; daher findet sich am Ende der einzelnen Bücher der Handschrift die genaue Angabe über den Buchstabenbestand. − Zur Zeit Jesu galt es als sicher, daß kein Jôd und kein Waw, also auch keiner der kleinsten Buchstaben verloren gehen konnte. Daher gehört das Zählen der Buchstaben auch zur rabbinischen Methode.

Die 4 Reden zeigen − zusammen mit den Einleitungen − folgenden Buchstabenbestand:

Vs 13:	16 E:	+ 19	+ 30	+ 12	+ 10 (!)	= 87
Vs 14a:	15 E:	+ 11	−	−	−	= 26
Vs 14b:	5 E:	+ 15	+ 14	−	−	= 34
Vs 15:	18 E:	+ 16	+ 50	+ 10 (!)	+ 12	= 106

253 Wörter

Wer die Modelle der *altjüdischen Wortmystik* kennt, für den wirkt das Ergebnis geradezu alarmierend. Beim Buchstabenzählen muß man sich aber genau an die Handschrift CodLen halten. Die BIBLIA HEBRAICA behauptet zwar im Vorwort, den Text dieser Handschrift abgedruckt zu haben. Vergleicht man aber den Druck mit der Handschrift, muß man leider feststellen, daß im Druck zwei Buchstaben ausgelassen wurden,

Vs 13, HS 6: geschrieben ' l j h m , „zu ihnen", plene mit Jôd;
gedruckt defektiv ohne Jôd.

Vs 15, HS 12: geschrieben l ᶜ w l m , „auf ewig", plene mit Waw;
gedruckt defektiv ohne Waw.

Beim Druck gingen also ausgerechnet die beiden Buchstaben Jôd und Waw verloren. Welches Modell liegt also vor? Es geht um Buchstaben- und Wort-Mystik! Das hebräische Alphabet zählt 22 Buchstaben. Die arithmetische Reihe von 1 bis 22 gibt als Summe 253 (!); also die Fülle (p l ē r ō m a) der Buchstaben und des Wortes. Auf Grund der Textstruktur läßt sich die Summe 253 weiter in 231 + 22 aufgliedern; denn die beiden Schlußsätze „Das ist mein NAME auf ewig und mein Gedächtnis von Geschlecht zu Geschlecht" zählen 10 + 12 = 22 Buchstaben. Wir können also 231 Corpus + 22 Finale unterscheiden.

Nun wird die Bedeutung der Zahl 231 im „Buch der Schöpfung" (*Sefär jᵉṣîrah* II,5) näher beschrieben. Es tritt eine *Wort- und Sprachtheologie* in Sicht, die dem AT nicht fremd ist. Im Schöpfungsbericht wird schon alles Sein auf das Wort Gottes zurückgeführt: „Und Gott sprach: es werde ... und es ward!" Alles, was existiert, ist daher gestaltgewordenes Wort. Da sich jedes Wort aus Buchstaben zusammensetzt, ist auch jedes geschaffene Ding Wort, aus verschiedenen Buchstaben kombiniert. Nun wird in *Sefär jᵉṣîrah* II,5 die Frage aufgeworfen: „Wie verband, wog und versetzte er sie? A mit allen (anderen Buchstaben), und alle mit A; B mit allen und alle mit B ...

So ergibt sich, daß sie durch 231 Pforten (š $^{e\,c}$ a r î m) hervorgehen; daraus ergibt sich, daß jede Schöpfung (j ^{e} ş û r) und jede Rede (d i b b û r) aus dem Einen Namen (š e m) hervorgeht". — In der Ausgabe von L. GOLDSCHMIDT (1969, 83) findet sich eine Tabelle, in der die möglichen Kombinationen ausgeschrieben sind. Da kein Buchstabe mit sich selbst verbunden wird, scheiden 22 Kombinationen aus (NB.: mit diesen wären es 253), und es verbleiben genau 231 Kombinationsmöglichkeiten, die in aufsteigender arithmetischer Reihe von 1 bis 21 geordnet sind.

　　Daraus folgt, daß die 231 Möglichkeiten von Schöpfung und Rede ihren Urgrund in den 22 Buchstaben, dem NAMEN (š e m) einfachhin, der alle Namen in sich enthält, haben. „Schöpfung" und „Rede" entsteht dadurch, daß sich der „Kreis" (g a l g a l) der Buchstaben vorwärts und rückwärts dreht. In diesem Sprachvorgang liegt ungeheure Bewegung. Die Buchstaben und Zahlen eilen wie ein Sturmwind dahin; ihre Erscheinung ist die des Blitzes (I,6). Durch sie wurde der Bund (b ^{e} r î t) geschlossen (I,8). — Daher die aufregende Frage: Ist etwa der brennende Dornbusch nichts anderes als die bildhafte Darstellung des „Hervorganges des Wortes"? — NB.: In diese Richtung wurde bislang überhaupt nicht gearbeitet. Geht man aber mit der altrabbinischen Methode an den Text heran, werden plötzlich Tiefendimensionen sichtbar, die auch für die Menschwerdung des Wortes (logos) im NT von entscheidender Bedeutung sein könnten.

Ergo: Diese minutiösen Beobachtungen am Text zeigen, daß wir es nicht mit irgendeinem freischwebenden, prosaischen Erzähltext zu tun haben. Jedes Wort, ja jeder Buchstabe ist gezielt gesetzt. Wenn dies schon vom äußeren Erscheinungsbild des Textes gilt, kann dies noch stärker von der inhaltlichen Aussage gelten.

ERKLÄRUNG

Das Gespräch am brennenden Dornbusch erreicht sicher in der Frage nach dem Namen Gottes seinen Höhepunkt. Für Moseh scheint der Hinweis auf den „Gott der Väter" zu wenig zu sein. Er will den exakten Namen dieses Väter-Gottes erfahren, um ihn weitersagen zu können (Vs 13).

　　Die Antwort Gottes erfolgt im dreimaligen w a j j o m ä r , „und er sprach". Die erste Antwort mit der Offenbarung des Namens steht sozusagen absolut im Raum. Die zweite und dritte ist als Botenspruch formuliert: „So sollst du zu Israels Söhnen sagen!" Im zweiten wird der Name 'ÄHJäH nochmals aufgegriffen, im dritten dagegen mit „JHWH, der Gott der Väter" erklärt. Welche Bedeutung haben nun die beiden Gottesnamen 'ÄHJäH und JHWH?

I. DER NAME J H W H

1) Aussprache:

Gehen wir vom neutestamentlichen Standpunkt aus! Hier ist bekannt, daß der Gottesname vermieden und durch andere Ausdrücke ersetzt wurde. Das klassische Beispiel hierfür ist der Ruf Johannes des Täufers, den auch Jesus aufgenommen hat: „Macht euch bereit, das *Himmelreich* ist nahe gekommen" (Mt 3,2; 4,17; 10,7). Bei Markus steht statt dessen *„Reich Gottes"* (Mk 1,15). Damit haben wir eine authentische Gleichsetzung von Himmel und Gott. Nach rabbinischer Überlieferung war das Aussprechen des Namens JHWH dem Hohenpriester in der Tempelliturgie vorbehalten. So wird von Rabbi Tarpon (Tryphon?) erzählt, er habe mit Wehmut an die Zeit zurückgedacht, wo er selbst am Versöhnungstag in Reih und Glied mit den Priestern im Tempel stand und gehört habe, wie der Hohepriester den heiligen Namen Gottes aussprach, wobei seine Stimme mit dem Gesang der Priester zusammenfloß (vgl. SCHEDL: *Talmud-Evangelium-Synagoge*, S. 86). Im Judentum bildete sich schon früh der Brauch aus, statt JHWH entweder Adonaj oder Elohîm zu sagen. Als man im frühen Mittelalter (750–1000 n. Chr.) daranging, den Konsonantentext mit Vokalzeichen zu versehen, setzte man unter den vierbuchstabigen Namen JHWH – daher Tetragrammaton genannt – die Vokale von ^{a}*donaj* oder $^{\ddot{a}}$*lohîm*; dabei wurde der Murmelvokal, das sogenannte š^{e}wa compositum in den beiden Anfangsvokalen (nur ein flüchtig gesprochenes ^{a} oder ($^{\ddot{a}}$) durch das š^{e}wa simplex (^{e}) ersetzt, so daß die hebräische Schreibweise J^{e}H^{o}W^{a}H oder J^{e}H^{o}W^i entstand. Gelesen wurde aber im Judentum immer entweder Adonaj oder Elohîm. Erst seit 1278 n. Chr. kam unter den Christen nachweislich die Aussprache Jehowah auf, die dann auch in manche Bibelübersetzungen, und sogar in das Kirchenlied Eingang fand und erst durch die kritische Forschung als Kunstprodukt klargestellt wurde.

Episode: Die „Göttinger Sieben" hatten sich schon für die Aussprache Jahwä entschieden. Daher betete H. EWALD (1803–75) bei der Vorlesung: „Großer Jahwä, den Gesenius in Halle immer noch Jehova nennt, steh uns bei!" (O. EISSFELDT: *Adonis und Adonaj.* Sitzungsbericht der Sächsischen Akademie der Wissenschaften zu Leipzig. Phil.-hist. Klasse, Bd 115, Heft 4, Seite 8. Berlin 1970).

Die griechische Bibelübersetzung hilft hier nicht weiter, da das Tetragramm meist mit Kyrios wiedergegeben wird. Dagegen finden sich bei frühchristlichen Schriftstellern einige Hinweise. Nach Epiphanius (314–403) sei der Gottesname als ιαβε, nach Clemens von Alexandrien als ιαουε oder ιαουαι auszusprechen. Da griechisches B als W und griechisches AI als E ausgesprochen wurde, stimmen beide Nachrichten überein, was die Aussprache *Jawe* für die griechische Zeit verbürgt. Diese Aussprache ist auch bei den Samaritern in der Form ιαβαι „Jawä" bezeugt. In den Zauberpapyri taucht die Aussprache Jao und Jeo auf. Es ist doch ein eigenartiges religionsgeschichtliches Phänomen, daß die Aussprache des Namens des Gottes Israels derart im Dunkel des Geheimnisses verschwindet, daß sein Klang nicht mehr mit Sicherheit festgestellt werden kann. Dies trifft jedenfalls für die Spätzeit zu. In der Blütezeit der Prophetie aber hatte man jedenfalls keine Bedenken den Namen auszusprechen, wovon unter anderen die vielen JHWH-hältigen Personennamen zeugen.

2) Philologische Erklärung:

Auf Grund der Textlage muß aber gefragt werden: welches ist nun eigentlich der geoffenbarte NAME (š e m)? Ist es 'ÄHJÄH oder JHWH? Die meisten Erklärer entscheiden sich dafür, daß JHWH der neue Gottesname des Sinaibundes sei, der durch 'ÄHJÄH nur näher erklärt werde; denn sprachlich gehen beide auf die gleiche Verbalwurzel H ^{a} W ^{a} H = „sein", zurück; grammatikalisch ist 'ä h j ä h 1. Person, j ä h w ä h 3. Person maskulin, Imperfekt.

In den hebräischen Grammatiken werden die Verbalformen nach Perfekt und Imperfekt gegliedert. Man muß sich jedoch dessen bewußt sein, daß semitisches Perfekt und Imperfekt nicht wie in den indogermanischen Sprachen einen Zeitablauf *(temporal)* mit Vergangenheit oder Mitvergangenheit, sondern einen Handlungsablauf *(actual)* ausdrückt. So bezeichnet das Perfekt einen Dauerzustand *(durativ)*, der sich auf Gegenwart, Zukunft und Vergangenheit beziehen kann. Wenn in diesem Dauerzustand etwas Neues einsetzt, gleich ob Gegenwart, Zukunft oder Vergangenheit, wird das hebräische Imperfekt verwendet, das daher besser als Ingressiv (Eintrittsform) bezeichnet werden sollte.

Zum philologischen Verständnis des Namens JHWH muß man auch wissen, daß das hebräische Verbum mehrere, von einem Grundstamm (Qal) abgeleitete Formen *(modi)* hat. Weil das Verbum HJH = „sein" aus schwachen Konsonanten besteht, können trotz gleicher Vokale verschiedene Stämme vorliegen. Daher die zwei Möglichkeiten:

a) J a H W ä h = I m p e r f e k t, G r u n d s t a m m (Q a l), I n g r e s s i v: ER-IST-DA, zur Stelle, er wird gegenwärtig! Er greift in das Geschehen ein und wendet die Not. Daher sinngemäß mit „Retter, Erlöser" zu übersetzen. Die 3. Pers. JaHWäh wäre demnach nur eine nähere Erklärung zur 1. Pers. 'ÄhJÄH in der Zusage Gottes: „Ich bin mit dir!", oder genauer: „Ich werde mit dir sein!" ('ähjäh ᶜimmak, Vs 13). Daß Gott tatsächlich mit Moseh ist, wird an den Wunderzeichen sichtbar. Daher ist JHWH der Geschichte wirkende Gott, der an entscheidenden Wendepunkten „DA-IST", gegenwärtig, offenbar wird und dadurch Neues schafft. Der Ablauf der Geschichte ist daher ein je neues Gegenwärtigwerden Gottes! Der Name JHWH würde nicht das Sein Gottes an sich, sondern das Offenbarwerden Gottes vor den Menschen bezeichnen.

b) J a H W ä h = I m p e r f e k t, U r s a c h s t a m m (H i p h î l), I n g r e s s i v: Er-verursacht-das-Sein, also sinngemäß „der Schöpfer"! Für diese Deutung entscheidet sich klar die Encyclopaedia Judaica. In den biblischen Kontext fügt sich jedoch die Ableitung vom Grundstamm besser ein: „Gott, der in seinem Wort und in seinem Wirken jeweils gegenwärtig/offen wird". Insofern könnte es für den Gott der Offenbarung keinen besseren Namen geben, als JHWH, „der Offenbarer". Er strahlt jedenfalls aus der Feuerlohe des brennenden Dornbusches. Ist der Name JHWH also eine Neuprägung des Moseh, oder hat Moseh einem alten Gottesnamen einen neuen Sinn abgewonnen?

NB.: Die semitische Wurzel WH wurde auch mit „fallen" oder „wehen" gedeutet. JHWH wäre demnach der „Fallende" (Meteorstein), der „Blitze Schleuderer", der „Hauchende", der Wind- und Wettergott einfachhin. Andere meinten, JHWH sei überhaupt kein semitischer sondern ein ägyptischer Name, etwa „der Mondgott Jaḥ ist der einzige!" (Weitere Ableitungen in den eingangs zitierten Lexika).

Mit Berufung auf den *ugaritischen Sprachgebrauch* bringt B. MARGALIT einen neuen Vorschlag. Bei der philologischen Aufschließung des Namens JHWH sei nicht von der Wurzel „sein", sondern von „wehen, blasen" auszugehen; JHWH daher der Gott, „der weht" (Sturmgott) oder „der den Lebensatem gibt". Vgl. dazu Gen 2,7: „Und er blies in seine Nase den Odem des Lebens". [Revue Biblique 91 (1984), 115].

3) Der außerbiblische Befund:

Neben der Vollform Jahweh, welche bereits auf dem Meša-Stein (9. Jh. und in den Lakiš-Briefen (ca. 589 v. Chr.) außerbiblisch belegt ist, kommt auch *die Kurzform JAHU, JAH, JÔ* vor, die manche Gelehrte bereits in vormosaischer Zeit vorzufinden glauben. Theologisch ist dagegen nichts einzuwenden, da wir im Laufe unserer Untersuchung bereits gesehen haben, daß sich die Offenbarung meist den menschlichen Vorgegebenheiten anschließt.

Die Mutter Mosehs heißt bereits J ô k e b e d , „Jahveh ist mächtig" (Ex 6,20). PROKSCH meint dazu, daß der Jahwe-Name bei den Zentralsemiten, den Hebräern, Aramäern, und Arabern lange vor Moseh in Gebrauch war. Zu diesem Kreis gehören auch die *Amurru*, deren Heimat nach Ausweis der berühmten Stele Hammurabis im oberen Mesopotamien, der Heimat der Patriarchen, lag. Mit ihren Wanderungen nach Süden hätten sie den Gottesnamen mitgenommen. Wenn uns im babylonischen und syrischen Amurrugebiet Namen wie J a - p i - i l u , J a - u m - i l u begegnen, so könnte das heißen: „Jahwe ist Gott". Auch A n d r i - j a m i von Taannak in der Amarnazeit könnte ein Jahwe-hältiger Name sein, wie im 8. JH. J a u - b i ᶜ d i von Hamat am Orontes. Vielleicht ist auch der Name J u d a aufzugliedern in J a h u - w a d a = „Jahve-führt", wobei J a - h û = „ J a - E r " einen elementaren Ausruf darstellen könnte, mit welchem ein Glaubender zum Himmel weist, um das Dasein des Großen Gottes zu bezeugen. – Diese Vorschläge lehnt ALBRIGHT scharf ab. Schließlich bringt LITTMANN Jahweh in Verbindung mit dem arischen D y â u s , nachdem wir heute wissen, daß die frühere Oberschicht der Hyksos-Bewegung Arier waren, die ihre indischen Götter in den vorderen Orient mitbrachten. Das Anfangs-D fiel aus, wie im lateinischen *Ju*-piter.

Die gebräuchlichste Ableitung stellt *die Keniter-Hypothese* dar. Moseh habe bei seiner Flucht nach Midjan von den Kenitern den Jahwe-Kult übernommen und in Israel eingeführt. Gegen die Willkürlichkeit dieser Annahme geht PROKSCH scharf ins Gericht. Kain, der Stammvater der Keniter, gilt dem Jahwisten wegen der Mordtat an Abel als verflucht vor Jahwes Angesicht (Gn 4,1—16), also nicht als Jahwe-Verehrer; sein Stamm zeigt keinen einzigen Jahwe-haltigen Namen; keine Spur weist darauf, daß Jahwe ein kenitischer Gottesname sei.

Solche philologischen Untersuchungen sind zwar notwendig, ihr Ergebnis ist aber sehr gering. Das Berufungserlebnis des Moseh ist eben religionsgeschichtlich nicht ableitbar. „Dem aufklärerischen Verstand fällt es zu, die natürliche Basis der biblischen Berichte aufzuweisen – schließlich muß aber auch er kapitulieren und anerkennen, daß, wie bei den anderen Religions-Stiftern, auch bei Moseh ein unerklärbares großes Etwas in sein Leben und Wirken eingerückt war" (BEER, Ex, 35).

Die neuesten Ausgrabungen auf dem Ruinenhügel Tell-Mardikh = EBLA (südlich von Aleppo), wo mehr als 15.000 Keilschrifttäfelchen gefunden wurden, haben nach der Meinung der Ausgräber auch neues Licht in bezug auf den Gottesnamen JHWH gebracht. Bereits in der Blütezeit der Stadt EBLA (zwischen 2400–2200 v. Chr.), die 250.000 Einwohner gezählt haben soll, sei die Kurzform des Gottesnamens JHWH, *Ja(h)* belegbar, und zwar in Personennamen, die auch in der Bibel geläufig sind, wie mi-kà-Jà und mi-kà-Il (Michael), iš-ra-Jà und iš-ra-Il (Israel) – iš-ma-Jà und iš-ma-Il (Ismael). – Da in diesen und anderen Personennamen Il = Gott mit Jà gleichgesetzt wird, wurde gefolgert, daß Jà (mit der Vollform JaW) im Raum Syrien/Kanaan tatsächlich als Gottesname geläufig war – und dies schon 1000 Jahre vor Moseh. Die hier vorgelegte Deutung wird von manchen als nicht stichhaltig zurückgewiesen; aber der Streit um die Deutung dieser Funde ist noch nicht abgeschlossen. – Wenn daher Ebla auch nur mit Vorsicht zitiert werden kann, so bezeugen die anderen oben angeführten Quellen zur Genüge, daß das Neue der Gottes-Offenbarung am brennenden Dornbusch nicht in der Mitteilung eines neuen Gottesnamens sondern in der neuen Deutung eines alten Gottesnamens bestand.

II. DER NAME 'A H J Ä H

Auf die Frage „Was ist sein Name (š e m) "? antwortet Gott (Elohîm) mit dem rätselhaften Satz: ' ä h j ä h ' ᵃ š ä r ' ä h j ä h. Wir bringen zunächst einige Übersetzungen: „Ich bin der ‚Ich-bin-da'" (Einheits-Übersetzung) – „Ich bin der Ich bin" und „Je suis celui qui je suis" (Jerusalem-Bibel, deutsch und französisch) – „Ich werde da sein als der ich da sein werde" (Martin Buber) – „Ich werde sein der ich bin" (Hertz, jüdische Übersetzung).

Der philologischen Sicht können wohl nur die beiden jüdischen Übersetzungen standhalten, die das erste ' ä h j ä h mit Futurum „Ich werde da sein" übersetzen. Wir haben schon darauf verwiesen, daß das hebräische Imperfektum keine Zeitfolge, sondern einen Handlungsablauf anzeigt, also einem Ingressiv gleichkommt: Gott sagt Moseh zu, daß er zu einem bestimmten Augenblick „da sein" bzw. „zur Stelle sein werde", um zu helfen.

Wenn man aber das erste ' ä h j ä h mit „Ich bin" übersetzt, muß dies als schwerer Verstoß gegen die hebräische Grammatik bezeichnet werden; denn bei der Vorstellungsformel „Ich bin der und der ..." wird niemals das Verbum h-j-h sondern immer das Personalpronomen verwendet: ' ᵃ n î JHWH, „Ich (bin) JHWH" (Ex 6,2.6.7.8); ' ᵃ n î h û ', wörtlich „Ich-er" d. h. „Ich (bin) es" (Jes 43.10); oder mit nachfolgendem Relativsatz: ' a n o k î JHWH ' E l o h ä j k a , ' ᵃ š ä r ..., „Ich (bin) JHWH, dein Gott, der dich aus Ägypten geführt" (Ex 20,2). – Da aber der Offenbarungssatz kein Pronomen hat, sondern das Verbum ' Ä H J Ä H bringt, muß gefolgert werden, daß hier keine bloße Vorstellungsformel „Ich (bin) der, welcher ..." vorliegt; das Verbum 'ÄHJäH muß eine selbständige Bedeutung haben.

Die kurze Offenbarungsformel mit ihren drei Wörtern ist sprachlich äußerst schwierig. Das Rel.Pron. in der Mitte kann als Explicativum verstanden werden, wie Martin Buber es auch tat: „Ich werde da sein als der ich da sein werde". Wenn man aber beidemale mit Futurum übersetzt, wird die Aussage unverständlich. Will Gott mit dieser Formulierung etwa aussagen, daß die Frage nach seinem Namen sinnlos sei? Er werde da sein in der Art, wie es ihm beliebt. Auf welche Art Er da sein werde, entzöge sich menschlicher Erkenntnis.

Achtet man aber auf die Eigenart der Verwendung des ingressiven Imperfectum im Hebräischen, dürfte der rätselhafte Satz verständlich werden. Das Imperf. zeigt an sich keine Zeitfolge an, sondern – wie schon gesagt – den Beginn einer Handlung, gleich ob in Gegenwart, Zukunft oder Vergangenheit. Nun bringt M. DAHOOD in seinem Psalmenkommentar zahlreiche Beispiele, in denen das Imperf. im Handlungsablauf als Perfectum verstanden wird (yqtl expressing past times III,417). Daher kann es vorkommen, daß ein Imperf. im Vordersatz als Gegenwart oder Zukunft übersetzt werden muß, im Nachsatz aber klar auf Vergangenheit weist. Daher wäre folgende Übersetzung des Offenbarungssatzes möglich: *„Ich werde da sein als der ich da war"*. Gott tritt sozusagen den historischen Beweis an; er werde auch in der Zukunft ebenso da sein, wie er in der Vergangenheit stets da war. Was darunter näher zu verstehen ist, wird in Vs 15 ausgesprochen, wo JHWH mit „der Gott der Väter", und näherhin mit „der Gott Abrahams, der Gott Isaaks, der Gott Jakobs" erklärt wird. JHWH ist demnach kein neuer Gottesname. Was würde eine neue Vokabel für Gott, die doch nicht verstanden wird, nutzen? JHWH ist kein neuer Gott; er ist derselbe Gott wie der der Patriarchen. Der Offenbarungssatz soll sowohl Moseh selbst als auch die Israeliten in Ägypten im Glauben an den alten

Gott der Väter stärken und mit neuer Hoffnung erfüllen. Denn Gott hat geholfen (in der Väterzeit), und derselbe Gott wird auch weiterhelfen (in der Not Ägyptens). Die Auflösung von ' ä h j ä h — einmal Zukunft, das anderemal Vergangenheit — wird durch das TargNeoph in überraschender Weise bestätigt. In der aram. Übersetzung wird der erste Satz (Vs 14) 'ähjäh 'ᵃšär 'ähjäh unverändert aus dem Hebräischen übernommen; im zweiten Satz „'ÄHJÄH hat mich zu euch geschickt" wird ' ä h j ä h folgendermaßen erklärt:

Der welcher *sprach*, und es ward die Welt am Anfang,
Und der zu ihr *sprechen wird*, Werde! — und es wird,
Der hat mich zu euch gesandt

Das Wirken Gottes im Anfang, d. i. in der Vergangenheit, ist der beste Garant für sein Wirken in der Zukunft. Der Gott, der die Welt ins Dasein rief, ist mächtig genug, auch die Not Ägyptens durch sein Wort zu wenden. Sinngemäß wird auch der Zuspruch „Ich werde mit dir sein" (Vs 12) mit „Mein Wort wird mit dir sein" übersetzt. Somit bietet TargNeoph die beste Erklärung des rätselhaften hebräischen Spruches.

Es drängt sich die Vermutung auf, daß 'ÄHJÄH nichts anderes ist als die Kurzformel für „Gott der Väter" einfachhin. Inwiefern? Beim Bundesschluß Gn 17 stießen wir auf die eigentümliche Tatsache, daß der neue Bund mit neuen Namen eingeleitet wurde. Wenn wir dort die von der Änderung betroffenen Buchstaben ausheben, ergibt sich folgendes Bild:

Abram = abra*H*am, śara*J* = śara*H*. Die von der Namensänderung betroffenen Buchstaben ergeben die Wurzel des Verbum H a J a H = „sein".

Setzt man die Anfangsbuchstaben von Abram voraus, erhält man den Gottesnamen 'ÄHJÄH (!). Daher unsere Vermutung, daß 'ÄHJÄH nichts anderes ist als eine Verschlüsselung für „Gott Abrahams" oder für „Gott der Väter" überhaupt.

Wäre Moseh bloß mit einem neuen Gottesnamen zu seinen Landsleuten gekommen, hätte seine Botschaft kaum Anklang gefunden. „Diesen Gott kennen wir nicht", hätte man gesagt. Da sich Moseh aber mit Berufung auf den alten Gott der Patriarchen legitimierte, traf sein Wort ins Lebendige. Die Unterdrückten mußten aufhorchen: Der Gott der Väter hat uns nicht vergessen, er ist nicht tot, er ist wieder da, um seine Verheißung einzulösen und uns zu befreien.

Der Abschnitt über die Namensoffenbarung (Ex 3,13—15) ist nur ein kleiner Abschnitt aus dem großen Bericht über Mosehs Sendung am brennenden Dornbusch. Nun fällt auf, daß nicht so sehr der sogenannte neue Name 'ÄHJäH, sondern vielmehr der Hinweis auf den Gott der Väter das Vorantreibende Motiv des ganzen Mysterienspieles ist. Denn 5mal taucht die Titulatur mit einigen Abänderungen auf:

3,6: Elohej-abîka   // Elhj-Abraham // Elhj-Jiṣḥaq // wElhj-Jaᶜᵃqob
13: Elhj-abotejkäm //
15: Elhj-abotejkäm // Elhj-Abraham // Elhj-Jiṣḥaq // wElhj-Jaᶜᵃqob
16: Elhj-abotejkäm // Elhj-Abraham //   — Jiṣḥaq //   — wJaᶜᵃqob
4,5: Elhj-abotam   // Elhj-Abraham // Elhj-Jiṣḥaq // wElhj-Jaᶜᵃqob

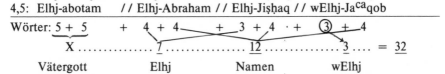

Wörter: 5 + 5   +   4 + 4   +   3 + 4   · +   ③ + 4

X .... 7 .... 12 .... 3 .... = 32

Vätergott   Elhj   Namen   wElhj

Die Titulatur wurde exakt nach dem Modell der „32 wunderbaren Wege die Weisheit" durchkomponiert. Den X Urwörtern entspricht die Bezeichnung „Gott der

Väter" im allgemeinen; die nähere Bestimmung nach den Patriarchen folgt genau dem Alphabetmodell: *12* Namen // einfache Buchstaben, *7* Elohej // doppelte Buchstaben, *3* wElohej // die drei Urmütter. Warum wurde diese Titulatur ausgerechnet nach dem Modell der 32 wunderbaren Wege der Weisheit durchkomponiert?! Etwa um auf das Walten der Weisheit in der Patriarchengeschichte zu verweisen!?

Überleitung:

Die Deutung des Namens JHWH, wie sie im Bericht über den brennenden Dornbusch vorliegt, ist wohl die kürzeste Formel für Biblische Theologie: *Gott wird jeweils neu gegenwärtig!* Ob aber für Gott in der Geschichte ein Tor aufgetan wird, hängt von der Entscheidung des Menschen ab. Gott braucht also Menschen! Hätte Moseh der Zusage Gottes nicht geglaubt, wären die Wunder in Ägypten nicht geschehen. Es ist ein ungeheuerlicher Gedanke, daß Gott so demütig sein kann, sich dem antwortenden Ja des Menschen auszuliefern.

Wagt aber der Mensch das Ja zu der von Gott angebotenen, die Kraft des Menschen übersteigenden neuen Zukunftsmöglichkeit, wird der eingreifenden Hand Gottes die schöpferische Freiheit gegeben. Endziel des neuen Weges war nicht sosehr die Befreiung aus der Not Ägyptens, sondern die Ankunft am „Gottesberg". Der im brennenden Dornbusch am Gottesberg sprechende JHWH wollte „sein Volk" zu eben diesem „Gottesberg" führen. Daß am Gottesberg der Bund geschlossen werden sollte, wird im Berufungstext zwar nicht ausdrücklich ausgesprochen. Aus dem Rückblick kann man aber erkennen, daß der *Bund* das eigentliche Ziel des Auszuges war (Ex 5–18); denn 19,1 heißt es: „im III. Monat nach dem Auszug ... schlug Israel das Lager auf, dem Berg gegenüber" (n ä g ä d   h a h a r). Obwohl hier nicht ausdrücklich „Gottesberg" steht, weiß jeder, welcher Berg damit gemeint ist. – Eine spannungsgeladene Stille liegt über dieser Berglandschaft. Das Ziel des Weges ist erreicht. Was soll nun geschehen? Der neue Akt im Gott-menschlichen Drama, *„Israel, dem Berg gegenüber"*, kann beginnen. JHWH hat sein Wort eingelöst, und sich durch die geschehenen Wunder als JHWH erwiesen, als der Gott, der Da-IST und hilft.

Die Gotteserscheinung am brennenden Dornbusch entwarf den möglichen Neuanfang; der wagende Glaube Mosehs gab dem Handeln Gottes freie Hand; sichtbare Zeichen seiner wirkenden Gegenwart waren die vielen Wunder. Damit sind von menschlicher so wie auch von göttlicher Seite alle Vorbereitungen zum Bundesschluß gegeben. Ex 1–18 könnte man daher als das große Vorspiel zum eigentlichen *„Mysterienspiel"* bezeichnen. Die einzelnen Akte entsprechen den bereits beim Abraham-Bund gewonnenen Grundvollzug eines Bundesschlusses:

a) Bundesangebot mit Zukunftsentwurf – b) Einholung des Ja-Wortes – c) Verkündigung des Bundeswortes – d) Bundesritus.

Drittes Kapitel
DER BUNDESSCHLUSS-VORGANG (Ex 19,1–25)

Literarische Vorfragen

Gerade bei den Bundesschluß-Texten wird das ganze Problem der Pentateuch-Quellen virulent. Um ein selbständiges, kritisches Urteil zu bekommen, sollte man sich tatsächlich einmal die Mühe nehmen, ein einziges Kapitel nach den Quellen gesondert mit der Hand zu schreiben, am besten mit Hilfe der HEXATEUCH-SYNOPSE von O. EISSFELDT (Darmstadt 1962). Als Paradigma bringen wir die Quellenscheidung für Ex 19,1–3:

P (Priesterschrift): Im III. Monat des Auszugs der Söhne Israels aus dem Lande Ägypten,
an eben diesem Tage kamen sie in die Wüste Sinai
L (Laienquelle): Sie waren von Raphidim aufgebrochen
und in die Wüste Sin gekommen,
und bezogen das Lager in der Wüste.
E (Elohist): Dort lagerte Israel dem Berg gegenüber
und Moseh stieg zu Elohîm empor.
J (Jahwist): Und JHWH rief ihn vom Berg her an.
E (Elohist): Sprich zu Jakobs Haus usw. ... bis Vs 8.

Vs 9 = J, Vs 10–11 = E, Vs 11bs = J, Vs 12 = L, usw.

Man müßte weiter auf die Kritik der Kritik einsteigen, was aber über den Rahmen einer Vorlesung hinausgehen würde. Eine Kritik des jetzigen Standes der Quellenforschung bringt E. ZENGER: *Israel am Sinai.* Analyse und Interpretationen zu Exodus 17–34 (Altenberge: CIS-Verlag 1982). Seine wichtigste, auch für das Verständnis unseres eigenen Standortes aufschlußreiche Erkenntnis besteht in der Feststellung, daß es bei dem Vergleich der verschiedenen Quellenscheidungen nicht gelingt, „auch nur die Hälfte des Textbestandes ... flächendeckend (!) entwicklungsgeschichtlich überzeugend zuzuweisen" (16 f). ZENGER bringt dann zu den bereits bestehenden Hypothesen für den Abschnitt Ex 17–34 seine eigene Drei-Quellen-Hypothese, auf die wir nicht näher eingehen können. Trotzdem kommt er zu dem Postulat, daß der *Struktur der Endgestalt* des Buches Exodus neue Aufmerksamkeit geschenkt werden müßte; denn „es geht um den Versuch, die theologische Leitidee der Pentateuchredaktion ... aufzuspüren, sie von ihrer zeitgeschichtlichen Situation her zu konkretisieren und für uns heute zu öffnen" (23). [Vgl. auch ThR 79 (1983) 456–458]. – Dies gerade ist der Weg, den wir in unserer Arbeit eingeschlagen haben. Bevor man Quellen scheidet, muß man den vorliegenden Text nach seiner Struktur analysieren; es stellt sich dann heraus, daß es bei der Pentateuchredaktion um mehr geht, als um Redaktion. Der Redaktor (oder die Redaktoren) hat die vorgefundenen Überlieferungen nicht bloß nach einer neuen theologischen Leitidee ausgerichtet, sondern den Text über die verschiedenen postulierten Quellenschriften hinaus neu durchkomponiert und dadurch ein literarisch einheitliches Werk geschaffen, das allein Grundlage einer biblischen Theologie sein kann.

Um zu sehen, wie gearbeitet wurde, analysieren wir nach der schon gewohnten Methode die Texteinheit Ex 19,1–20,21, die mit der Ankunft am Sinai beginnt und mit der Offenbarung des Dekalogs abschließt. Wir beschränken uns wieder auf die Aufnahme der vorkommenden HS. Auch in diesem Text kann man von einem Diptychon sprechen: auf der einen Tafel die Vorbereitung auf die Gotteserscheinung (Ex 19), auf der zweiten die Gotteserscheinung mit der Übergabe der X Worte (Ex 21). Im folgenden bringen wir die Übersetzung von Kap 19. Zu unserer Überraschung konnten wir feststellen, daß hier der gleiche Bauplan vorliegt wie im Abschnitt über den brennenden Dornbusch (3,1–22).

A. BEGEGNUNG MIT GOTT AM SINAI (Ex 19,1–8)

Vss	HS		
(1)	1.	Im III. Monat nach dem Auszug der Söhne Israels aus Ägypten An eben diesem Tage kamen sie in die Wüste Sinai	
(2)	2.	Und sie zogen von Raphidim weg	
	3.	Und kamen in die Wüste Sinai	
	4.	Und lagerten dort.	
	5.	Und dort lagerten Israels Söhne dem Berg gegenüber	7 HS
(3)	6.	Und Moseh stieg zu Elohim hinauf	
	7.	Und JHWH rief ihn vom Berg herab an Um zu sagen:	
	8.	So sollst du zum Hause Jakobs sagen	
	9.	Und den Söhnen Israels verkünden:	
(4)	10.	Ihr habt gesehen, was ich Ägypten angetan	5 HS
	11.	Und ich trug euch auf Adlers Flügeln	
	12.	Und brachte euch her zu mir	
(5)	13.	Und jetzt, wenn ihr auf meine Stimme hört Und meinen Bund bewahrt Werdet ihr mir zum Eigenbesitz aus allen Völkern	
	14.	Denn mir (gehört) die ganze Welt	
(6)	15.	Und ihr sollt mir ein Priesterreich und ein heiliges Volk sein	4 HS
	16.	Das sind die Worte Die du zu Israels Söhnen sprechen sollst	
(7)	17.	Und Moseh kam herab	
	18.	Und rief die Ältesten des Volkes	
	19.	Und legte ihnen all die Worte vor, Die ihm JHWH geboten	3HS
(8)	20.	Und das ganze Volk antwortete zusammen	
	21.	Und sie sagten:	3 HS
	22.	Alles was JHWH gesprochen, wollen wir tun!	
	23.	Und Moseh brachte die Worte des Volkes Zu JHWH zurück	1 HS

23 HS

ZUR STRUKTUR

Es liegt eine Handlungseinheit vor: Das Angebot Gottes und die Antwort des Volkes. Das Auftauchen von 23 HS kann als Hinweis auf das Tetraktys-Modell verstanden werden; daher ist zu vermuten, daß der nächste Abschnitt den spiegel-bildlichen Gegenwert von 32 HS bringen wird. – Die Zahl 23 wird meist über die 22 Buchstaben des hebräischen Alphabets erreicht, die um den Wert 1 erhöht werden. Wie findet man nun die Teilwerte (3 + 7 + 12) + 1? Der Stellung des Infinitivs l e ' m o r , „um zu sagen" [HS 7.], dürfte die Funktion des Teilers zukommen. Bis dahin einschließlich sind es 7 HS. – Auch die Antwort des Volkes mit 3 HS ist klar abzugrenzen (20.21. 22.). – Ebenso klar abgrenzbar ist der eine isolierte Schlußsatz HS 23. – Daher verbleibt nur noch die Gottesrede mit dem Abstieg des Moseh mit insgesamt 12 HS, die auch hier nach dem kosmischen Dreieck Platos (5 + 4 + 3) aufgegliedert sind. Die Zäsur in der Rede bildet das dem Satz (13. HS) emphatisch vorangestellte „Und jetzt"; dadurch wird die Rede Gottes in die beiden Hälften von 4 + 5 HS geteilt. Mosehs Abstieg vom Berg bringt die noch ausstehenden 3 HS. – Daraus folgt, daß das Auftauchen von 23 HS kein Zufall sein kann; vielmehr wurde der Text genau nach dem erhöhten Alphabet-Modell (22 + 1) durchkomponiert, – und dadurch der eine Wert der Tetraktys erreicht.

B. GOTTESERSCHEINUNG IN DER WOLKE (Ex 19,9–18)

Vss	HS		
(9)	1.	Und JHWH sagte zu Moseh:	
	2.	Siehe ich komme zu dir im Wolkendunkel	
		Damit das Volk glaube	
		Daß ich mit dir spreche	
		Und (damit) sie auch dir glauben auf ewig	
	3.	Und Moseh berichtete die Worte des Volkes bei JHWH	
(10)	4.	Und JHWH sagte zu Moseh:	
	5.	Geh zum Volk	X HS
	6.	Und heilige sie heute und morgen	
(11)	7.	Und sie sollen ihre Kleider waschen	
	8.	Und am 3. Tage bereit sein	
	9.	Denn am 3. Tag steigt JHWH herab	
		Vor den Augen des ganzen Volkes auf den Berg Sinai	
(12)	10.	Grenz das Volk ringsum ab	
		Um anzusagen:	
	11.	Hütet euch auf den Berg hinaufzusteigen	
		Und seine Abgrenzung zu berühren	
	12.	Jeder, der den Berg berührt	
		Soll des Todes sterben	
(13)	13.	Nicht rühre eine Hand ihn an	7 HS
	14.	Sonst wird er mit Steinen gesteinigt	
	15.	Und mit Geschoßen erschossen	
	16.	Ob Tier oder Mensch, er soll sterben	
	17.	Erst wenn das Horn lang tönt	
		Dürfen sie auf den Berg steigen.	

Vss	HS		
(14)	18. Und Moseh stieg vom Berg zum Volke hinab		
	19. Und heiligte das Volk	}	3 HS
	20. Und sie wuschen ihre Kleider.		
(15)	21. U n d e r s a g t e z u m V o l k :		
	22. Seid bereit für den 3. Tag		
	23. Und nähert euch keiner Frau		
(16)	24. Und am 3. Tag, als es Morgen wurde, geschah es		
	25. Und es waren Stimmen und Blitze		
	Und eine schwere Wolke über dem Berg		
	26. Und die Stimme des Hornes (war) gewaltig stark		
	27. Und es erbebte das ganze Volk		
	Das im Lager war	}	12 HS
(17)	28. Und Moseh führte das Volk aus dem Lager		
	Elohim entgegen		
	29. Und sie stellten sich unten am Berg auf		
(18)	30. Und der Berg Sinai war ganz Rauch		
	Weil JHWH auf ihn in Feuer herabstieg		
	31. Und sein Rauch stieg auf wie Schmelzofenrauch		
	32. Und das ganze Volk erbebte gewaltig		

32 HS

ZUR STRUKTUR

Der spiegelbildliche Gegenwert zu den 23 HS des Abschnittes A) liegt nun in den 32 HS des Abschnittes B) vor. Auch hier muß man fragen, ob auch die Teilwerte des Modelles der „32 wunderbaren Wege der Weisheit" $(3 + 7 + 12) + X = 22 + X = 32$ im Text erkennbar sind. Wenn wir wieder die Stellung des Infinitivs l e ' m o r, „um anzusagen", als Teiler betrachten, gewinnen wir den Wert für die X HS (1.–10. HS); denn vom Beginn des Abschnittes bis zum l e ' m o r -Satz einschließlich sind es 10 HS. Die anschließende, Moseh in den Mund gelegte Rede bringt 7 HS (11.–17. HS), der Bericht über Mosehs Abstieg (Vs 14) bringt 3 HS (18. 19. 20), – der verbleibende Rest mit 12 HS (21.–32. HS) bringt wieder die Teilung 3 + 4 + 5 HS.

Die beiden Abschnitte sind also einander zugeordnet und nach dem Modell der Tetraktys bis in die Teilwerte hinein in den Hauptsätzen durchkomponiert: *23 HS + 32 HS = 55 HS.*

C. MOSEH IN DER WOLKE (Ex 19,19–25)

Vss	HS
(19)	1. Und die Stimme der Hörner wurde stärker, gewaltig
	2. Und Moseh sprach
	3. Und Elohin antwortete mit der Stimme
(20)	4. Und JHWH stieg auf den Berg Sinai herab
	Auf den Gipfel des Berges

Vss	HS	
	5.	Und JHWH rief Moseh auf den Gipfel des Berges
	6.	Und Moseh stieg hinauf.
(21)	7.	Und JHWH sagte zu Moseh:
	8.	Steige hinab
	9.	Und beschwöre das Volk

(21) 7. Und JHWH sagte zu Moseh:
      8. Steige hinab
      9. Und beschwöre das Volk
         Daß sie nicht durchbrechen zu JHWH hin
         Um (ihn) zu schauen
         Und viele von ihnen fallen würden
(22) 10. Und auch die Priester, die sich JHWH nahen (dürfen)
         Sollen sich heiligen
         Damit JHWH nicht über sie hereinbreche

(23) 11. Und Moseh sagte zu JHWH:
     12. Nicht vermag das Volk
         Auf den Berg Sinai zu steigen
     13. Hast du uns doch beschworen
         Anzusagen:
     14. Grenze den Berg ab
     15. Und heilige ihn

(24) 16. Und JHWH sagte zu ihm:
     17. Geh
     18. Steig hinab
     19. Und du steig hinauf und Aaron mit dir
     20. Und die Priester und das Volk sollen nicht einreißen
         Um zu JHWH hinaufzusteigen
         Damit er nicht über sie hereinbreche

(25) 21. Und Moseh stieg zum Volk hinab
     22. Und sagte zu ihnen (es folgt der Dekalog)

ZUR STRUKTUR

Der Abschnitt C) wurde also nach dem Modell der 22 Buchstaben des hebräischen Alphabets ausgerichtet. Für die Auffindung der Teilwerte dürfte auch hier das Vorkommen des Infinitivs l e ' m o r, „anzusagen", die Richtung angeben (13. HS). Die eingeschobenen Sätze:
13. „Hast du uns doch beschworen, anzusagen:
14. Grenz den Berg ab
15. Und heilige ihn"
geben den Wert *3* an. Vorausgehend sind *12* HS (1.–12. HS), nachfolgend 7 (16.–22. HS).

Zusammenfassung:

Die drei Abschnitte A), B) und C) bringen also *23 + 32 + 22 = 55 + 22 = 77 HS*. Das gleiche Ergebnis ergab auch die Analyse über den brennenden Dornbusch (vgl. oben S. 166ff). Mag die Textkritik auch mehrere Quellenschichten nachweisen, der jetzt vorliegende Text erweist sich als ein *in sich geschlossenes* Kunstwerk.

Viertes Kapitel
VORBEREITUNG ZUM EMPFANG DER ZEHN WORTE
(Ex 19,3–20)

Erster Akt: DAS NEUE BUNDESANGEBOT (Ex 19,3–6)

(3)   Und Moseh stieg zu Elohîm hinauf
       Und JHWH rief ihn vom Berg her an
       um zu sagen:

       So sollst du zum Hause Jakob sagen
       Und den Söhnen Israels verkünden: IHR- ICH-Wörter

(4)   IHR habt gesehen   2
           Was ICH Ägypten angetan   3
           ICH trug euch auf Adlers Flügeln   5
           Und ICH brachte euch her zu mir   3
(5)   Und jetzt, wenn IHR auf meine Stimme hört   5
       Und IHR meinen Bund bewahrt   3
       Sollt IHR mir zum Eigenbesitz
       Aus allen Völkern werden   5
       – denn mir (gehört) die ganze Welt   -4-
(6)   Und IHR sollt mir ein Priesterreich
       Und ein heiliges Volk sein   7

                                                    $\overline{4 + 22 + 11 = 37}$
       Dies sind die Worte (d ^{e} b a r î m)
       Die du zu Israels Söhnen sprechen sollst

ZUR STRUKTUR

Der Text ist in der Art eines *Botenspruches* formuliert: „So sollst du sprechen ... das sind die Worte ...". Dazwischen steht der eigentliche Gottesspruch, der durch Moseh im Namen JHWHs verkündet werden soll.

Wir möchten die Aufmerksamkeit bloß auf die Struktur dieses einen Spruches lenken; sein Bauplan ist geradezu „mit Händen zu fassen", und dies ist auch an der Übersetzung in das Deutsche zu erkennen. Die SFü mit IHR und mit ICH sind leicht zu erkennen, lauter Verbalsätze. Der eine, zwischengeschaltete Satz ohne Verbum, wörtlich „Denn mir (gehört/ist) die ganze Welt" hebt sich von den Verbalsätzen klar ab. Heben wir nun den Wortbestand der IHR-Sätze aus, erhalten wir: 2 + 5 + *3* + 5 + 7 = 3 + 7 + 12 = *22 Wörter.*

Es liegt also exakt das schon bekannte Alphabet-Modell in seinen Gliederungen vor. Durch den zwischengeschalteten Satz ohne Verbum „mir gehört ..." mit 4 Wörtern wird die Alphabetzahl auf die Zahl des Namens JHWH erhöht (22 + 4 = 26). Der dem Elohisten zugeordnete Textabschnitt ist also ausgerechnet mit dem Namen JHWH versiegelt. – Die drei ICH-Sätze zeigen die Summe von 11 Wörtern. – Auf die weitere Struktur gehen wir hier nicht näher ein. Diese kurzen Hinweise dürften aber schon zeigen, daß wir es nicht mit freier Prosa, sondern mit zielbewußt durchkomponierter Kunstsprache (religiöser Dichtung) zu tun haben. Die strenge sprachliche Form läßt vermuten, daß der Inhalt ebenso zielbewußt geformt, ja geradezu systematisiert wurde.

ERKLÄRUNG

1) Der Bundesherr:

Wie in den hethitischen Vasallenverträgen steht am Anfang des Vertrages die Legitimation des Bundesherrn. Er weist nach, was er alles schon für den in Aussicht genommenen Vertragspartner getan habe. Dem entsprechen hier die III ICH-Sätze. Israel ist nicht aus eigener Kraft aus Ägypten ausgebrochen und zum Gottesberg gekommen. Der einzig Handelnde in diesem dramatischen Geschichtsgeschehen ist das ICH JHWHs. Besonders kühn wirkt der Vergleich mit Adlern, die ihre Jungen auf Flügeln tragen. (NB.: Ein schottischer Ornithologe hat beobachtet, wie die alten Adler ihre flügge gewordenen Jungen, wenn sie bei den ersten Flugversuchen ermüdet waren, tatsächlich unterflogen, auffingen und in den Horst zurückbrachten.)

2) Bundesangebot:

Die beiden Sätze „Und jetzt, wenn ihr meine STIMME hört und ihr meinen BUND bewahrt" (Vs 5) bilden einen Parallelismus membrorum, d. h. sie sagen dasselbe mit verschiedenen Wörtern aus. Daraus folgt, daß STIMME nur eine andere Bezeichnung für BUND, und weiters daß Bund ($b^erît$) keine Abmachung zwischen zwei Partnern, sondern ein spontanes Angebot, eine „Stimme" Gottes ist.

Welche Zukunftsschau eröffnet JHWH den aus der Knechtschaft Erlösten? Er zeigt ein dreifaches Ziel, das letztlich doch nur ein Ziel ist:

a) Gottes Sonderbesitz ($s^egullah$):

Das Wort $s^egullah$ wird im AT 6mal in fast gleichlautender Form verwendet. In der kürzesten Form steht es in unserem Text: „Ihr sollt mir eine $s^egullah$ sein" (Ex 19,5). Dazu kommt die mit „Volk" erweiterte Formel: „Ihr sollt mir zum Volk einer $s^egullah$ sein" (Dt 7,6; 14,2; 26,18; Mal 3,17); und schließlich die Gleichsetzung mit Israel: „JAH erwählte für sich Israel als seine $s^egullah$" (Ps 135,4).

Dieses seltene Wort hat durch die Texte aus dem Königspalast in Ugarit (1400–1200 v. Chr.) eine überraschende Klärung gefunden. Es wird in Vertragstexten verwendet. Der hethitische Souzerain erinnert den rebellierenden König von Ugarit daran, daß er doch sein „Knecht" (^cbdh) und „seine sglh" sei (DAHOOD: Psalms, III,260). Was soll das? Der hethitische „Sonnenkönig" (für König steht einfachhin „Sonne", masc.) hat mit vielen Vasallen-Königen Verträge geschlossen, alle gehörten ihm. Doch der König von Ugarit nahm eine Sonderstellung ein: er ist sozusagen königsunmittelbar, da ihm Sonderrechte zugebilligt werden. Sein Reich wird daher zu einer $s^egullah$ des Großkönigs. In unserer heutigen politischen Terminologie haben wir für diesen Sonderstatus kein geprägtes Wort mehr; man könnte es mit „Königsdomäne" oder allgemein mit „Sonderbesitz" übersetzen. – NB.: Textgeschichtlich stoßen wir auf das gleiche Problem wie bei Homer; in einem literarisch jungen Text wurde uraltes Kulturgut bewahrt. Durch die Aufnahme des Wortes $s^egullah$ wird auf die in der Zeit Mosis übliche Vertragsterminologie zurückgegriffen.

Das erste $b^erît$-Wort umreißt also die von Gott geplante neue Stellung Israels inmitten der Weltvölker. Durch den Zusatz „mir gehört alle Welt!" wird die Universalherrschaft Gottes betont. Nach der altorientalischen Vertragsterminologie ist Er der Souzerain, dem alle Völker untertan sind. Doch Israel wird ein Sonderstatus zugesagt. Worin besteht diese Sonderheit? Die andern Völker hatten neben dem höchsten Gott noch andere Götter. Doch das von Abraham abstammende Volk bekennt und anerkennt einzig allein JHWH als Gott. Unausgesprochen wird damit auch auf den Abrahambund zurückverwiesen: „Ich will euer Gott sein!" (Vgl. oben Seite 153). Der erste Vorzug Israels in der Zukunft soll sein Monotheismus, seine Regierungsform die Gottesherrschaft, also die Theokratie, sein.

b) Ein Reich von Priestern (mamläkät kohanîm):
Wenn also Israel gottunmittelbar sein soll, wie kann sich dann diese Gottunmittelbarkeit in den politischen Formen dieser Welt ausdrücken? Im Wort mamläkät steckt sicher die Wurzel „König, Königreich". Im AO gab es keine Volksdemokratien. Die großen und kleinen Reiche, so wie die Städte wurden von Königen regiert, waren also Königreiche. Die Bezeichnung „Königreich von Priestern" ist ein Widerspruch in sich. Israel sollte doch keinen König haben, außer einzig und allein JHWH (Vgl. die JHWH-König-Psalmen). Dies bleibt unangefochten! Im Konzert der Völker muß sich Israel auch nach außen sichtbar konstituieren. Die Vertreter Gottes auf Erden sind nun einmal die Priester. Die Gottesherrschaft auf Erden soll daher im „Reich von Priestern", d. i. in einem *Priesterreich* konkrete Gestalt annehmen. Man fühlt sich an die Priesterkönige mit Tempel- und Gottesstaat des alten Sumer erinnert. Doch im vorliegenden Bundestext ist für einen Priesterkönig kein Platz. Der Ort, wo Gottes Herrschaft auf Erde gegenwärtig wird, ist das heilige Zelt mit dem Altar. Den Priestern fällt die Aufgabe zu, den Gottes-Dienst durchzuführen und dadurch Gott als den einzigen Herrn und König anzuerkennen. Sie sind daher Diener und nicht Könige. Im zweiten bᵉrît-Wort liegt also der Entwurf einer *Hierokratie*, eines Priesterreiches oder Priesterstaates vor, nicht aber der für ein Königtum, und schon gar nicht ein Entwurf auf Demokratie hin. Daher die Schwierigkeiten, das Königtum in Israel einzuführen. Von Samuel wurde die Forderung nach einem König als Abfall von Gott empfunden (1 Sam 8,7).

c) Ein heiliges Volk (ᶜam qadôš):
Im dritten bᵉrît-Wort wird nun auch das Volk mit einbezogen. Das Geheimwesen, das hier entworfen wird, greift sicher auf die genealogische Wurzel in Abraham zurück. Man möchte daher an die Entstehung einer Nation denken. Das genealogische nationale Denken wurde aber bereits in den Abraham-Texten korrigiert. Abrahams „Same" wurde nicht aus dem „Willen des Mannes und dem Begehren der Frau" (Joh 1,14) gezeugt und geboren, sondern – da beide unfruchtbar waren – einzig aus Gottes Wunderkraft. Was aber von Gott gewirkt wird, bezeichnet man als „heilig". In unsere heutige Terminologie übersetzt, heißt dies: das Volk, das hier entstehen soll, ist nicht als nationale, politische, sondern einzig allein als religiöse (= heilige) Gemeinschaft entworfen. Man könnte geradezu von der Gründungsurkunde der alttestamentlichen „Kirche" sprechen.

Ergo: Haben wir es hier nicht mit *religiöser Utopie* zu tun, also mit einem Entwurf, für den in der Wirklichkeit der Welt „kein Platz" (ου τοπος = nicht Platz) ist!? Muß der Versuch, Gottes Herrschaft und Reich mit politischen Kategorien aufzurichten, nicht von vornherein scheitern? Etwas boshaft sagte man daher: „Moseh habe Gottes Herrschaft und Reich verkündet, gekommen ist leider das Volk Israel!" Könnte man also gar von einem Scheitern Gottes sprechen? So einfach läßt sich das Problem nicht lösen. Die prophetischen Zukunftsentwürfe blieben nicht im irdischen Reichsdenken stecken, sie durchbrechen vielmehr Raum und Zeit, und weisen auf die letztgültige Verwirklichung hin. Der Zug Israels durch die Wüste (Num 17,15 ff) wirkt daher wie eine vorausgenommene *eschatologische Vision*, in der die drei Bundesworte gegenwärtiggesetzt werden: Israel in der Wüste auf Wanderung. – Vorausgeht JHWH, der einzige Herr und König seines Volkes, in Gestalt der Feuer- und Wolkensäule – dann folgen die Priester mit der Bundeslade und den heiligen Geräten – schließlich das Volk in seinen Stämmen und Gliederungen. – Bloß eine Realutopie oder der einzig gültige Zukunftsentwurf, der dem Lauf der Geschichte Sinn und Ziel gibt?

3) Neue Akzente im Targum Neophyti:

Wir haben versucht, den hebräischen Text vor dem Hintergrund der altorientalischen Bundesvorstellungen zu deuten: JHWH ist der Ober-Herr über alle Völker, er erwählte Israel zu seinem unmittelbaren Sonderbesitz. Nun ist es aber sehr aufschlußreich, wie das TargNeoph im 2. vorchristlichen Jh. den hebräischen Text übersetzt und zugleich auch neue Akzente gesetzt hat. Die neuen Wörter/Einschübe sind in der Übersetzung unterstrichen:

Ex 19,3–6 nach TargNeoph:
(3)   Moseh stieg auf den Berg
       Um die Lehre JJJs zu erbitten
       Und das Wort JJJs rief ihn vom Berg her an
       um zu sagen (ansagend):
       So sollst du zu Jakobs Haus sagen
       Und die Stämme der Söhne Israels lehren:

(4)   Ihr habt alles gesehen
       Was ich den Ägyptern angetan
       Ich habe euch auf der Wolke der š^{e}kînah getragen
       Auf den Flügeln der schnellen Adler
       Und euch für die Lehre der Torah hergebracht

(5)   Wenn ihr nun auf die Stimme meines Wortes hörend horcht
       Und meinen Bund befolgt
       Sollt ihr für meinen Namen
       Zu einem Volk von Geliebten (Lieblingsvolk) werden
       Als mein Eigentum unter den Völkern
       Denn mir gehört die ganze Welt.

(6)   Ihr sollt für meinen Namen
       Könige und Priester und ein heiliges Volk werden

       Das sind die Aufträge
       Die du den Söhnen Israels sagen sollst

Die aramäische Übersetzung zeigt tatsächlich eine neue Ausrichtung des Textes. Sicher soll Israel weiterhin das Eigentum-Volk Gottes sein; das besondere aber, wodurch es sich von den anderen Völkern unterscheidet, ist nun die Torah. Moseh stieg auf den Berg, um dort die Torah JJJs zu erbitten. Warum brachte Gott die Söhne Israels auf der Wolke der š ^{e} k î n a h und auf den schnellen Flügeln der Adler zum Sinai? Doch für die Lehre der Torah! Gerade durch das Studium der Torah soll

Israel ein „Volk von Geliebten" (^{c}a m ḥ ^{a} b î b î n) , das ist das „Lieblingsvolk" Gottes werden. Rabbi Aqiba formte mit dem Leitwort ḥ^{a}bîbîm, „Geliebte", einen der Vätersprüche (Abôt III,14).

Es fällt besonders auf, daß JHWH (JJJ) fast in die Unnahbarkeit entschwindet. Daher bringen wir einige Gegenüberstellungen:

Statt hebräisch:	*steht aramäisch:*
Vs 3: Und JHWH rief ...	Und das Wort JJJs rief
Vs 5: Wenn ihr auf meine Stimme hört ...	Wenn ihr auf die Stimme meines Wortes horchend hört
Vs 6: Ihr sollt mir ... ein Volk sein	Ihr sollt für meinen Namen ... ein Volk werden

In der aramäischen Fassung wird die Sonderstellung Israels beinahe leichter erkennbar als in der hebräischen: Israel ist deswegen das auserwählte Volk, weil es am Sinai die Torah empfing. Die Torah selbst ist aber Wort Gottes. Und durch das Wort Gottes erhält Israel die Gott-unmittelbare Stellung innerhalb aller Völker.

Zweiter Akt: DAS JA-WORT DES VOLKES (Ex 19,7–13)

Moseh als Bundesmittler:

Auf welche Art und Weise sich das Angesprochenwerden durch Gott vollzieht, kann mit psychologischen Methoden kaum erschlossen werden. Es handelt sich jedenfalls um Grenzsituationen, die nur vom Glauben her verstehbar werden. Wer an keinen persönlichen Gott glaubt, für den gibt es kein Angesprochenwerden. Der Gott der Bibel ist aber ein personaler, ein sprechender Gott. Wenn sein Wort in den Menschen fällt, nimmt es menschliche Sprachform an und geht dadurch in die menschliche Begrenzung über.

Wir haben schon darauf verwiesen, daß ohne Erweckungs- und Berufungserlebnis der historische Moseh unerklärbar bleibt. Wenn der jetzt vorliegende Bericht auch erst von späterer Hand stammt, sind doch die Grundzüge des Berufungs- und Sendungsvorganges klar bewahrt.

Wenn Gott spricht, zwingt er dem Menschen niemals sein Wort auf. Der Paradiesesbericht zeigt schon, daß Gott zur Verwirklichung seines Planes auf die Antwort des Menschen wartet. Wenn also Moseh mit der dreifachen Bundeszusage, also einem grandiosen Zukunftsentwurf, vom Berg herabsteigt, um diesen Plan den Ältesten mitzuteilen, werden diese in die Entscheidung für oder gegen Gottes Wort gestellt.

Vss

(7) Und Moseh kam herab
     Und rief die Ältesten des Volkes
     Und legte ihnen all die Worte vor
     Die ihm JHWH geboten
(8) Und das ganze Volk antwortete zusammen
     Und sie sagten:

     Alles was JHWH gesprochen hat
     Wollen wir tun.

In diesen Sätzen wird das soziale Milieu der wandernden Beduinen bewahrt. Moseh beruft die Ältesten des Volkes, also die Familienoberhäupter, und legt ihnen das neue Projekt zur Entscheidung vor. Es kommt zu einem „einstimmigen" Beschluß. Damit ist die Bahn für die weiteren Schritte frei.

Da der Bundesschluß ein religiöser Akt ist, war es für die Ältesten und das gesamte Volk selbstverständlich, sich darauf einzustellen, also sich zu „heiligen". Dazu gehören Handlungen, die den Menschen aus dem Alltäglichen herausheben, als Reinigung der Kleider und eheliche Enthaltsamkeit (Vss 12 und 14–15). Ferner wird für Gott ein eigener Raum freigemacht. Der „heilige Berg" wird abgezäunt, sein Betreten unter Todesstrafe (entweder Steinigung oder Erschießung durch Pfeile, Vss 12–13) verboten. Zum heiligen Raum gehört auch die heilige Zeit. Daher die Ansage: „heute, morgen und am III. Tag" (Vss 10–11 und 15).

Dritter Akt: DIE SINAI-THEOPHANIE (Ex 19,16–20)

Die Satzanalyse ergab die sehr klare Bauformel: $23 + 32 + 22 = 77$ HS. Im folgenden richten wir das Hauptaugenmerk auf den Wortbestand. Es könnte sein, daß der so wichtige Bericht über die Sinai-Theophanie (Ex 19,16–20) auch im Wortbestand einem bewußt durchkomponierten Bauplan folgt. Wir bringen daher nochmals die Übersetzung, fügen aber am Rand nur den Wortbestand bei. Dazu rücken wir die Sätze, die JHWH oder Elohim als Subjekt haben, im Schriftbild etwas ein.

Vss		Wörter	JHWH/ELOHIM
(16)	Und am 3. Tag als es Morgen wurde, geschah es	5	
	Und es waren Stimmen und Blitze		
	Und eine schwere Wolke über dem Berg	7	
	Und die Stimme des Hornes war gewaltig stark	4	
	Und es erbebte das Volk, das im Lager war	5	
(17)	Und Moseh führte das Volk aus dem Lager		
	Elohim entgegen	8	
	Und sie stellten sich unten am Berg auf	3	
		32	
(18)	Der Berg Sinai war ganz Rauch	4	
	Weil JHWH auf ihn in Feuer herabstieg		6
	Und sein Rauch stieg auf wie Schmelzofenrauch	4	
	Und das ganze Volk erbebte gewaltig	4	
(19)	Und die Stimme der Hörner wurde stärker, gewaltig	6	
	Und Moseh sprach	2	
	Und Elohim antwortete mit der Stimme		3
(20)	Und JHWH stieg auf den Berg Sinai herab		
	Auf den Gipfeln des Berges		8
	Und JHWH rief Moseh auf den Gipfel des Berges		6
	Und Moseh stieg hinauf	2	
		$22 + 23 = 45$	

ZUR STRUKTUR

Unsere Vermutung hat sich also bestätigt: die Sinai-Theophanie zeigt im Wortbestand den gleichen Bauplan, wie das ganze Kapitel 19. Der unvoreingenommene Leser wird die Kraft dieses „Gedichtes" sofort erspüren und als einheitlichen dichterischen Entwurf empfinden. Die Hexateuch-Synopse zerschlägt aber den ganzen Block in folgende Splitter, die sogenannten Quellenschriften:

Vs 16 abc = J(ahwist)   19 a = J   20 = J
16 d+17 = E(lohist)   19 b = E
18 = L(aienquelle)

NB.: Man scheue die Mühe nicht, den Text nach den einzelnen Quellen zu lesen! Dadurch wird man an einem konkreten Beispiel mit der Pentateuch-Kritik konfrontiert und spürt wohl sofort ihre Fragwürdigkeit.

Der Verfasser des jetzt vorliegenden Textes kann sicher auf eine vorausgehende Sinai-Tradition zurückblicken. Der Text, den er schuf, wirkt keineswegs als zufälliges Konglomerat, sondern als kunstvoll gebautes Gedicht. Das Strukturprinzip findet man leicht. Man braucht nur die vorliegenden Sätze in Gedichtform untereinander zu schreiben, auf Sinn-Abschnitt zu achten, wodurch man Strophen gewinnt, und schließlich die Wörter zu zählen, wodurch der zugrundegelegte Bauplan sichtbar wird.

Es liegen 2 Strophen vor: a) *das Geschehen im Lager* (16–17), und b) *das Geschehen am Berg* (18–20). Die erste Strophe bringt 6 Sätze mit V + 7! + 4 + V + 8 + 3! = X + (3 + 7 + 12) = X + 22 = 32 Wörter. Der Text wurde demnach streng nach dem Modell der „32 wunderbaren Wege der Weisheit" geformt, wobei die schon bekannten Teilwerte des Alphabets im Satzbau ausgeprägt wurden.

Die zweite Strophe wirkt komplizierter, oder — wenn man will — kunstvoller. Der Bauplan der 45 Wörter wird aber sofort klar, wenn man die Sätze mit JHWH und Elohim als Subjekt eigens aushebt. Die 4 Sätze mit JHWH/Elohim geben 23 Wörter, also den spiegelbildlichen Gegenwert zu den 32 Wörtern der ersten Strophe; beide zusammen also 32 + 23 = 55 Wörter, d. i. das Modell der Tetraktys; dies wird sogar in der Verteilung der 10 Sätze (6 Sätze 1. Strophe + 4 Sätze JHWH/Elohim = X) ausgeprägt.

Es verbleiben noch die 6 Sätze mit der Wortsumme 22, d. i. die Summe der 22 hebräischen Buchstaben, das Alphabet-Modell. Die Summe aller Sätze dieses „Dritten Aktes" (Vss 16–20) gibt 55 + 22 = 77 Wörter. – Der Verfasser hat also hier im Wortbestand die gleichen Modelle durchkomponiert wie im Bestand der Hauptsätze des ganzen 19. Kapitels. Die Summe 77 kann als potenzierte Formel für Heiligkeit (7) betrachtet werden.

ERKLÄRUNG

Nicht bloß der Form, sondern auch dem Inhalt nach wird hier der „Berggipfel" bibeltheologischer Sprachweise erreicht: *„herabgestiegen am III. Tag!"*.

Die Elemente der Gotteserscheinung:

An sich werden die Erscheinungsphänomene sehr schlicht und einfach dargestellt. Der ruhende Pol ist der Berg Sinai. Am Morgen des III. Tages brach es dann los! Was brach überhaupt über den Berg herein? Ein Erdbeben? Keine Spur davon im Text! Die Schilderung beschränkt sich auf Donner (wörtlich „Stimme"), Blitz, schweres Gewölk (Vs 16 bc), dazu Rauch und Feuer (Vs 18 ab), wobei der Rauch mit dem Rauch des Schmelzofens verglichen wird (Vs 18 c). Was soll aber der „Schall des Hornes" (wörtlich „Stimme"), der einsetzt und immer stärker anschwillt? Etwa Engel, die in die Fanfaren stoßen? Keineswegs! Der Text spricht sehr nüchtern in der Einzahl, „die Stimme des Hornes" (q ô l š o f a r).

Der š o f a r ist kein Blechinstrument (Flügelhorn, Trompete oder Posaune usw.), mit dem man modulierte Töne erzeugen könnte, sondern vielmehr ein primitives Widderhorn, mit dem man nur Naturtöne, also urtümliche Laute, eine „Stimme" hervorbringen kann. In seiner Urtümlichkeit hat sich das š o f a r -Blasen im Judentum bis zum heutigen Tag erhalten. Mit dem Widderhorn wurde Neujahr, Neumond, Versöhnungstag und Jubeljahr eingeblasen. Der Šofar ist das liturgische Instrument einfachhin (vgl. Ps 47,6: JHWH steigt auf bei der Stimme des š o f a r ; Ps 81,4: Stoßt beim Neumondtag in den š o f a r ! – Dazu Pss 98,6 und 150,3). (Abbildungen des šofar-Hornes mit Notenbeispielen in THE JEWISH ENCYCLOPEDIA XI, 301 ff)

Rückblickend könnte man sagen, daß das š o f a r -Blasen geradezu notwendig zur Einleitung des Festes der Torah-Übergabe am Sinai gehörte. Es braucht sich keineswegs um einen dichterischen Anachronismus zu handeln (Rückprojektion), vielmehr ist mit der Erwähnung gerade des Widderhornes und nicht anderer klingender und schallender Instrumente etwas von der Urtümlichkeit des Geschehens am Sinai bewahrt worden. Moseh zog aus dem Lager hinaus, hin zum Fuß des Berges. Dabei wurde in das heilige š o f a r -Horn gestoßen. Die Stimme des Hornes vermengte sich mit der Stimme des Donners.

Schon bei der Erscheinung im brennenden Dornbusch war die Rede vom „Gottesberg" (h a r - h a ' E l o h î m). Nun gab es im Umkreis Israels andere Gottesberge. Die Kanaanäer betrachteten den pyramidenartig an der Mittelmeerküste (Nord-Syrien) aufragenden h a r - ṣ a p h ô n = „Nordberg" als ihren Gottesberg, der auch Mons Casius genannt wurde. In Casius ist die semitische Wurzel ḥ a ṣ ṣ, hebräisch ḥ e ṣ ṣ = Blitz bewahrt. Bekannt ist der Olymp als Götterberg der Hellenen. Zum Arsenal der Schilderungen des Gottesberges gehört überall eine den Gipfel umhüllende Wolke, aus der Blitze niedersausen und Donnerstimmen grollen. Diese Vorstellungen wurden vielfach in die biblische Dichtung übernommen, etwa im Orkanpsalm 29 mit der Schilderung der gewaltigen „Stimme JHWHs". Die Schilderung der Erscheinung JHWHs am Sinai wird aus dem gleichen Sprachschatz gespeist. Wenn man daher sagt, es liege mythologische Sprachweise vor, hat man die Tiefe des Geschehens nicht ausgeschöpft; wir werden vielmehr auf mystische Erfahrungsweise verwiesen. Wie kann der Mensch die ganz andere Seinsweise Gottes zur Sprache bringen? Nur in Bildern und Gleichnissen! Gott wird einerseits als undurchdringliche „Wolke" (ᶜa n a n), als abgrundtiefe, unauslotbare Finsternis erfahren; andererseits aber als aufblitzendes Licht und drohendes Donnergrollen. Die Schilderung der Sinai-Theophanie arbeitet mit sehr sparsamen Mitteln. Die hier verwendeten Urbilder (Archetypen) fanden dann in den Prophetenvisionen ihre grandiose, teilweise bizarre (Ezechiel) Ausfaltung.

Mit Berufung auf die Naturphänomene „Wolke, Feuer und Blitz" auf ein *Erdbeben* zu schließen, überfordert den Text aber schon total. Daher ist es völlig sinnlos, den Gottesberg in einer vulkanischen Gegend, etwa in Arabien zu suchen. Die biblischen Ortsangaben reichen nicht aus, den Ort geographisch genau zu bestimmen. Die Tradition, die den Gottesberg in einem Gipfel des Sinaimassivs sucht (ǧebel-Mûsa oder ǧebel-Katrîn oder ǧebel-Serbal), dürfte nicht allzuweit fehl gehen.

Nüchtern auf einen Nenner gebracht heißt dies alles, daß Moseh mit seinen Leuten am Fuße des Gottesberges das Lager aufschlug, seine Anordnungen traf, sich für den Bundesschluß zu richten; schließlich führte er das Volk aus dem Lager heraus, hin zum abgegrenzten Gottesberg, um dort die Bundesworte zu verkünden und den Bundesschließungsakt vorzunehmen. Da dies kein profan-ziviler, sondern ein eminent religiöser Akt war, schloß dies den Glauben an den verhüllten und in Donner und Blitz einherfahrenden Gott mit sich ein. Der Dichter hat versucht, auch diesen übernatürlichen Aspekt, der über die menschliche Erfahrung hinausgeht, in seiner Darstellung auszusprechen. Gerade das Nichtschaubare und das Nichtgreifbare ist in diesem Text das Wichtigere.

Fünftes Kapitel
DIE VERKÜNDIGUNG DER ZEHN GEBOTE (Ex 20,2–17)

Vorfragen

Moseh war von JHWH auf das „Haupt des Berges", also auf den Gipfel, der als Gottesthron zu denken ist, hinaufgerufen worden, wo Gott mit ihm redete, d. h. ihm das Bundesgesetz gab: „Er war dort mit JHWH 40 Tage und 40 Nächte; Brot aß er keines, Wasser trank er nicht; er schrieb auf Tafeln die Worte des Bundes (d i b r e j - h a b b ᵉ r î t), die X Worte" (ᶜa ś ä r ä t   h a d d ᵉ b a r î m , wörtlich die „Zehnheit der Worte" Ex 34,28 = Jahwist!). Der Paralleltext Deut 4,13 bringt die ergänzende Notiz, daß es *zwei steinerne Tafeln* waren, auf die Moseh die X Worte schrieb. Diese beiden, zeitlich weit auseinander liegenden Quellenschriften J und D verwenden in gleicher Weise die Fachbezeichnung „Zehngebot" = Dekalog, um dadurch das Grundgesetz einfachhin von den anderen Gesetzesvorschriften zu unterscheiden. –
   Zum Stand der Forschung verweisen wir auf F. L. HOSSFELD: *Der Dekalog.* Seine spätere Fassung, die originale Komposition und seine Vorstufen (Orbis Biblicus et Orientalis 45, 1982). Das Ziel dieses Buches ist nicht die biblische Erklärung der Gebote, sondern die Aufdeckung der Entstehungsgeschichte des Dekalogs mit Hilfe der historisch-kritischen Methode.
   E r g e b n i s : Der Dekalog stamme nicht von Moseh, er sei vielmehr erst in der deuteronomistischen Zeit entstanden. – Ob dieses Buch tatsächlich eine „Wende in der Dekalogforschung" ankündigt [ThR 79 (1983), 458] lassen wir dahingestellt. Es besteht durchaus die Wahrscheinlichkeit, daß im Laufe der weiteren Forschung noch andere Modelle für die Entstehung des Dekalogs entwickelt werden. Die Biblische Theologie ist aber nicht so sehr am Werdegang des Textes als vielmehr an seiner jetzigen Gestalt interessiert, die es vorerst zu analysieren gilt. Mag der Dekalog seine heutige literarische Form auch erst lange nach Moseh erhalten haben, er trägt doch das Siegel mosaischer Autorität.
   Über die Abgrenzung des Dekalog-Textes bestehen keine Zweifel; er wird zweifach überliefert: einmal in Ex 20,1–17 und das zweitemal in Dt 5,1–19. Unterschiede finden sich vor allem in der Formulierung des Sabbatgebotes, im Wesentlichen sind aber die Texte der beiden Fassungen gleichlautend. – Von diesen unterscheidet sich die Neufassung des Dekalogs Ex 34,12–28 (siehe Seite 223).
   Nach Dt 4,13 ist von II steinernen Tafeln die Rede. Diese Zweiheit wird in der Textstruktur beider Fassungen nachgeprägt: es liegen *zwei Reihen* von *Verbots*sätzen vor, die durch *Gebots*sätze voneinander getrennt sind. Am Kopf der I. Tafel steht als Präambel der Hinweis auf den Gesetzgeber selbst. Daher die Gliederung des Exodus-Textes: A) PRÄAMBEL (20,2) – B) ERSTE VERBOTSTAFEL (20,3–7) – C) GEBOTE (Sabbatheiligung und Elternehrung) (20,8–12) – D) ZWEITE VERBOTSTAFEL (20,13–16).

A. PRÄAMBEL (Ex 20,2)

Anokî J H W H E l o h ä j k a
^{a}šär hôṣe'tîka me'äräṣ Miṣrajim
mibbejt ^{ca}badîm   ... (9 Wörter)

Ich, JHWH, dein Gott (bin es)
der dich aus dem Land Ägypten geführt,
aus dem Hause der Knechte.

In der Präambel stellt sich der Gesetzgeber nicht bloß vor, er gibt auch den Grund an, weshalb er berechtigt ist, ein Gesetz zu erlassen. Gesetzgeber ist der Gott JHWH. Den Namen haben wir mit „DER-DA-IST", der in der Not gegenwärtig wird und rettet, erklärt. Das ICH des Retters und Erlösers eröffnet somit das Tafelgesetz. Daß er ein Retter ist, wird noch eigens im Relativsatz angesagt. Wörtlich „Ich bin... welcher *ICH* habe dich herausgeführt". Im Hebräischen steht auch im Relativsatz die 1. Pers., die im Deutschen sinngemäß mit der 3. Pers. übersetzt werden muß. Die Rettertat JHWHs bestand also in der Herausführung aus der Knechtschaft Ägyptens. Dieser Aspekt ist für das Grundverständnis des Dekalogs von größter Bedeutung. Der Dekalog ist kein Gesetz für Sklaven, sondern das Gesetz der Befreiten, also ein Gesetz der Erlösung und Befreiung.

B. DIE ERSTE VERBOTSTAFEL (Ex 20,3–7)

Verbot	Wörter		
I. lo' jihjäh-l^{e}ka Elohîm ^{a}ḥerîm ^{c}al panaj!	7!		
II. lo' ta^{ca}śäh-l^{e}ka päsäl!	4!		
(Ex: w^e)kol-t^{e}mûnah	2		
^{a}šär baššamajim mimma^{c}al	3	XII	
wa'^{a}šär ba'äräṣ mittaḥat	3		
wa'^{a}šär bammajim mittaḥat ha'äräṣ	4		
III. lo' tištaḥ^{a}wäh lahäm w^{e}lo' to^{ca}bdem!	5!		
kî anokî JHWH Elohäjka El qanna'	6		
poqed ^{ca}won abôt ^{c}al-banîm	5		
(Dt: w^e)^{c}al-šillešîm w^{ec}al-ribbe^{c}îm l^{e}śon'aj	5	22	
w^{ec}ośäh ḥäsäd la'^{a}lapîm	3		32
l^e'oh^{a}baj ûl^{e}šomrej miṣwôtaj -S-	3		
IV. lo' tiśśa' ät-šem-JHWH Elohäjka laššaw'	7!		
kî lo' j^{e}naqqäh JHWH	4	10	
et ^{a}šär-jiśśa' ät-š^{e}mô laššaw' -P-	6		

$$67 = 23! + \text{XII} + 32$$

Übersetzung

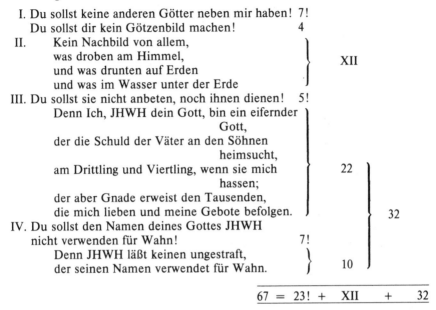

I. Du sollst keine anderen Götter neben mir haben! 7!
   Du sollst dir kein Götzenbild machen!   4
II. Kein Nachbild von allem,
     was droben am Himmel,
     und was drunten auf Erden   } XII
     und was im Wasser unter der Erde
III. Du sollst sie nicht anbeten, noch ihnen dienen! 5!
     Denn Ich, JHWH dein Gott, bin ein eifernder
                                             Gott,
     der die Schuld der Väter an den Söhnen
                                       heimsucht,
     am Drittling und Viertling, wenn sie mich } 22 }
                                       hassen;
     der aber Gnade erweist den Tausenden,
     die mich lieben und meine Gebote befolgen.   } 32
IV. Du sollst den Namen deines Gottes JHWH
     nicht verwenden für Wahn!   7!
     Denn JHWH läßt keinen ungestraft,   }
     der seinen Namen verwendet für Wahn.   } 10

                        67 = 23! + XII + 32

ZUR STRUKTUR

Werfen wir wieder einen Blick in die HEXATEUCH-SYNOPSE, um zu erfahren,
wie der Text quellenkritisch gewertet wird. Durch verschiedenen Druck — antiqua
und kursiv — wird angezeigt, was q u e l l e n h a f t e s   G u t und was n i c h t - q u e l -
l e n h a f t e Z u s ä t z e sind. Auf Grund dieser Unterschiede wird dann ein *elohistischer Dekalog* postuliert. Als ursprünglich gelten nur die drei Verbotssätze I.- II.- IV.
mit 18 Wörtern; alle anderen 49 Wörter werden als sekundäre Zusätze deklariert. Da
müßte man ja den Zu-Setzer als eigentlichen Autor betrachten!? Die Komposition
des Textes wird überhaupt nicht — zum großen Schaden der wissenschaftlichen
Erkenntnis! — ins Kalkül gezogen.
     Am Text kann man klar die mit l o ' = „nicht" eingeleiteten *Verbotsätze* erkennen;
dies auch in der deutschen Übersetzung. Der III. Verbotssatz bringt zwar zwei
Verba, die aber durch das Objekt „sie" und „ihnen" miteinander unzertrennlich verbunden sind. Das erste Ergebnis unserer Bestandsaufnahme ist also, daß die I. Verbotstafel genau IV Verbots-Sätze bringt. Daraus folgt schon, daß in der II. dann 6
Verbote stehen müssen. Die Zehnheit wurde also nach dem klassischen (pythagoreischen) Teilungsschlüssel in IV + 6 Verbote auf zwei Tafeln verteilt. Damit wird
die Zehnheit (Dekade) als Aufbauprinzip klar sichtbar. Diese Zehnheit konnte aber
weiter entwickelt werden. Rechnet man nämlich die Zahlen von 1—10 zusammen
(arithmetische Reihe), erhält man als Summe 55, die nach dem pythagoreischen
Dreieck in die Teilsummen (23 + 32) aufzugliedern ist.

Ein Blick auf die Randzahlen zeigt nun, daß die IV Verbotssätze tatsächlich 23 Wörter bringen; die beiden mit k î = „denn" eingeleiteten Zusätze bringen 22 + 10 = 32 Wörter. Das Grundmodell der Tetraktys wurde also mit klassisch zu nennender Klarheit durchkomponiert.

Dieses Grundmodell konnte aber auch durch Zusätze, die aber im Text klar erkennbar sein müssen, erhöht werden. Als solche Erhöhung ist die *Liste* über die möglichen „Nachbildungen" mit XII Wörtern zu betrachten. Liegt eine Erhöhung durch XII vor, soll dadurch der universale Zeitaspekt (12 Monate, 12 Tierkreiszeichen) betont werden. – Als Gesamtsumme erhalten wir demnach 55 + XII = 67, die babylonische Summenzahl einfachhin (Nach dem Sexagesimalsystem 1 + 6 + 60 = 67, entspricht ungefähr unserer Summenzahl Hundert).

ERKLÄRUNG

Die I. Tafel kündet die größte religionsgeschichtliche Wende an. Sie ist die *magna carta* des Monotheismus (Judentum, Christentum, Islam) einfachhin, und daher unüberholbar. Die IV Verbote richten sich gegen alle Versuche, diesen ein-Gott-Glauben zu zerstören.

I. Die negative Formulierung „Du sollst keine anderen Götter neben mir haben! hieße positiv: „Es gibt keinen Gott außer JHWH!"

II. Dieser eine und einzige Gott ist so groß, daß keine Abbildung ihn fassen kann. Daher das Verbot von „Nachbildungen" aus allen Bereichen der Schöpfung. Sicher hat die Kunst in legitimer Weise versucht, Gott bildhaft darzustellen, schließlich sind ja auch schon die Worte eine Begrenzung des an sich sprachlosen Gottes, der selber Wort ist. Durch das Verbot von Ab- und Nachbildungen wurde aber der radikale Trennungsstrich zu den Heiden gezogen, die ihren Gott und ihre Götter bildhaft verehren, und Leute ohne Gottesbild als „gottlos" betrachten mußten.

III. Nicht bloß die Herstellung, sondern erst recht der *Kult* solcher Götterbilder wird verboten. Als Akt der Anbetung gilt das sich mit dem Antlitz auf den Boden werfen. Mit „nicht dienen" wird der ganze heidnische Opferkult verfemt. – Wird dem Menschen ein Verbot auferlegt, fragt er immer nach dem Warum? Die Antwort wird hier mit dem dazwischengeschalteten Begründungssatz „denn" gegeben. Diese wurde vielfach mißdeutet, als ob der Gott vom Sinai ein rachedürstender Dämon wäre. Hier wird aber nur dasselbe positiv ausgesagt, was schon im ersten Gebot vorausgenommen wurde: JHWH ist der Eine und Einzige Gott. Werden andere Götter ihm gegenüber oder neben ihn gestellt, wird er dadurch in unerhörter Weise herausgefordert. Er wird daher E l - q a n n a ', „eifernder" oder „eifersüchtiger Gott" genannt. Hiebei ist zu beachten, daß im hebräischen q a n n a' kein Mißton mitschwingt. „Eifersucht" könnte hier besser mit leidenschaftlicher Liebe erklärt werden. Und wahre Liebe ist aus-schließlich! Sicher trifft Haß auf Haß, Ablehnung auf Ablehnung. Der biblische Gott ist keine platonische Chimäre, sondern ein menschlich erfahrbarer, leidenschaftlicher Gott. – Aber Gottes Leidenschaft hat ein göttliches Maß. Sein Zorn reicht nur bis in die vierte Generation, seine Gnade und Liebe aber bis in die Tausend! Damit wird schon der Grundzug der gesamten Bundestheologie vorausgenommen. Trotz zahlloser Bundesbrüche bleibt Gott in seiner Liebe den Liebenden treu!

IV. Das vierte Verbot bezieht sich in keiner Weise bloß auf das unbedachte Aussprechen des Namens JHWH („den Namen Gottes eitel nennen"); die Personennamen auf - j a h , - j a h u bezeugen klar, daß man keine Scheu hatte, den Gottesnamen auszusprechen. Der Name JHWH muß im alten Israel so geläufig gewesen sein wie bei uns „Herrgott". – Der Text spricht ja gar nicht vom Aussprechen, sonder vom „legen des Namens auf Wahn" (š a w ') . Was soll damit gesagt werden? Wir haben mit „Verwenden für Wahn" übersetzt. Einen Blick in die Wortkonkordanz zeigt, daß š a w ' eine vielfältige Verwendung findet. Die Grundbedeutung ist „schlecht, böse, wertlos, übel". Die üblen Dinge, die man im Namen Gottes ausüben kann, sind Zauberei, Wahrsagerei, Totenbeschwörung und andere okkulte Praktiken. Dazu kommt noch, wie der Abfall zum goldenen Kalb am Sinai zeigt, daß man den Namen JHWH auf das Stierbild legte; denn Aharon sagte den Stierkult mit den Worten an: „Ein Fest für JHWH ist morgen". D. h., der Name des gestaltlosen JHWH wird auf ein „Wahngebilde" gelegt.

Mit diesen IV lakonisch klingenden Sätzen wird das Fundament der monotheistischen Religion überhaupt und der Existenzgrund Israels in besonderem gelegt. Daher tatsächlich Fundamental- oder Grund-Sätze! Kein Götterbild, kein Götterkult, kein Mißbrauch des Namens Gottes für okkulte Praktiken! Diese Sätze bilden mit ihren Begründungen eine literarische Aussageeinheit, und können daher mit Recht als I. Verbotstafel bezeichnet werden.

C. SABBATGEBOT UND ELTERNEHRUNG

Das Sabbatgebot (Ex 20,8–11):

Vss		Wörter
(8)	An den Sabbattag denken um ihn zu heiligen!	5
(9)	6 Tage sollst du arbeiten und all dein Werk machen!	6
(10)	Doch der 7te Tag ist Sabbat für deinen Gott JHWH; Du sollst kein Werk machen: Du, dein Sohn und deine Tochter, dein Knecht und deine Magd und dein Vieh und dein Gast, der in deinen Toren (weilt)	18
(11)	Denn in 6 Tagen machte JHWH Himmel und Erde das Meer und alles, was drin; Und er ruhte am 7ten Tag. Deshalb segnete JHWH den 7ten Tag und heiligte ihn	26
		55 = 23 + 32

ZUR STRUKTUR

Der Textabschnitt über das Sabbatgebot zeigt die Summe von 55 Wörtern. Dies läßt vermuten, daß die Tetraktys als Baumodell verwendet wurde. Wie und wo sind aber die Teilwerte ausgeprägt? Wir haben schon in der Einleitung darauf verwiesen (Seite 17), daß die Teilwerte eines Modells bereits in der Versverteilung aufscheinen können. Dies liegt nun tatsächlich vor; denn die Teilwerte ergeben sich aus der chiastischen Stellung der vier Verse, die zugleich die inhaltliche Zusammengehörigkeit ansagt:

Sabbat ..... 6. Tag ..... 7. Tag ..... 6. Tag + Sabbat

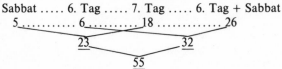

ERKLÄRUNG

Über Entstehung und Herkunft des Sabbat gibt es keine opinio communis. Am wahrscheinlichsten ist die Herleitung vom Rhythmus des Mondes. Wenn der Abstand vom Neumond bis zum Vollmond und von da weiter bis zum Dunkelmond halbiert wird, stößt man auf den Siebener-Rhythmus. Daß die Babylonier die verschiedenen Mondphasen kannten und ihnen besondere Bedeutung zumaßen (Glückstage und Unglückstage), ist bekannt. Für den Wochen-Rhythmus mit 6 Arbeitstagen und den darauf folgenden 7. Ruhetag „hat man außerisraelitische Vorbilder gesucht, bisher aber nicht gefunden" (BHH 1633). Wenn die tatsächliche Einhaltung des Sabbats auch erst für die Königszeit nachweisbar sein soll, so dürfte man doch das Urheberrecht Moseh nicht streitig machen. In der Spätzeit, nach dem Untergang des Tempels, wurde jedenfalls der Sabbat zum *signum distinctivum* des Judentums. Für die Biblische Theologie ist aber die theologische Sinngebung wichtiger als die nicht sicher faßbare geschichtliche Entwicklung.

Im Schöpfungsbericht heißt es, daß der Mensch als Abbild Gottes geschaffen wurde (Gn 1,26). Im Sabbatgebot wird nun die Abbildlichkeit praktisch realisiert. Auch literarisch muß man einen Zusammenhang zwischen Schöpfungsbericht und Sabbattext annehmen, obwohl der erste nach der Literarkritik der Quelle P, der zweite der Quelle E zugeordnet wird. Was heißt aber Abbild? Die Antwort wird nicht seinsmäßig sondern praktisch gegeben. Der Mensch handelt so wie Gott: 6 Tage Arbeit und ein Tag Ruhe. Im Text ist die Parallelität zwischen den 6 Tagen bzw. 7ten Tag klar ausgeprägt. Sicher ist es ein theologisch aufregender Gedanke: Der Mensch als Nachahmer Gottes! Daher verwendet der Text dasselbe Verb ^{c}aśah, „machen", für Gott und für den Menschen. Der Mensch „macht" das, was Gott ihm vor-„gemacht" hat. In der Übersetzung haben wir daher streng das Verbum „machen" beibehalten.

Kritisch betrachtet mag es sich um eine Theologisierung eines bereits bestehenden religiösen Brauches handeln. Den Sabbat hat es schon vor der Niederschrift dieses Textes gegeben. Man fragte aber nach dessen Sinn. Die Antwort ist eine *Theologie des Sabbats*. Dadurch erst wurde der Sabbat zu einem Bekenntnistag inmitten des Heidentums. Wer den Sabbat hält, glaubt an den einen Gott, den Schöpfer der Welt.

Daß es auch eine andere Theologie des Sabbat gab, zeigt die Begründung im Paralleltext Dt 5,15:

Dt 5,15 Denke daran,
         daß du Sklave gewesen im Lande Ägypten,
         daß dich dein Gott JHWH von dort herausgeführt,
         mit starker Hand und gestrecktem Arm.
         Darum gebot dir dein Gott JHWH
         den Tag des Sabbats zu halten.

Der Sabbat wird demnach zum Tag des Gedenkens an die Befreiung aus der Sklaverei Ägyptens. Dadurch bekommt er einen speziellen Akzent. Auch der Sklave soll an einem Tag der Woche die Luft der Freiheit atmen. Aber auch dieser soziale Aspekt wird in der Heilstat JHWHs verankert. Daher der gleiche theologische Ansatz wie oben: Der Mensch als Nachahmer/Abbild Gottes! Gerade dadurch, daß der Mensch Gott nachahmt in seiner Schöpfungs- und Heilstat, wird er Zeuge dieses seines Gottes. Auf die einfachste Formel gebracht könnte man sagen: der Sabbat ist Bekenntnistag für den Glauben an den Einen Gott, den Schöpfer und Erlöser.

Das Elterngebot (Ex 20,12)

         Ehre deinen Vater und deine Mutter   5 ⎫
         auf daß du lange lebest auf dem Boden   5 ⎬ *15 Wörter*
         den JHWH dein Gott dir gibt   5 ⎭

Das Gebot, die Eltern zu ehren, gehört zu den Urgeboten der Menschheit. Das spezifisch Biblische liegt darin, daß es mit der Heilsgeschichte verbunden wird. Als Lohn für Elternehrung wird langes Leben auf dem von JHWH gegebenen Stück Erdboden ('ᵃdamah) in Aussicht gestellt. Das Elterngebot wird heilsgeschichtlich verankert. Unausgesprochen klingt mit, daß Ehrfurchtslosigkeit den Verlust des gelobten Landes zur Folge haben werde.

In der Fassung des Elterngebotes Dt 5,16 wird in der ersten Zeile „wie es dein Gott JHWH dir gebot", und in der zweiten Zeile „und damit es dir wohlergehe" eingefügt, was aber den theologischen Sinn nicht ändert.

D. DIE ZWEITE VERBOTSTAFEL (Ex 20,13—16)

Vss	Verbot	Wörter	
(20,13)	V. lo' tirṣaḥ	2	⎫
(14)	VI. lo' tin'aph	2	⎪
(15)	VII. lo' tignob	2	⎪
(16)	VIII. lo' taᶜᵃnäh bᵉreᶜᵃka ᶜed šaqär	5	⎬ 19
(17)	IX. lo' taḥmod bejt reᶜäka	4	⎪
	X. lo' taḥmod 'ešät reᶜäka	4	⎭
	wᵉᶜabdô wa'ᵃmatô wᵉšôrô waḥᵃmorô		
	wᵉkol ᵃšär lᵉreᶜäka -P-	7	
		26	

Übersetzung:

V. Du sollst nicht morden!
VI. Du sollst nicht huren!
VII. Du sollst nicht stehlen!
VIII. Du sollst nicht als falscher Zeuge
     gegen deinen Nächsten aussagen!
IX. Du sollst nicht begehren deines Nächsten Haus!
X. Du sollst nicht begehren deines Nächsten Frau,
    seinen Knecht, seine Magd, seinen Ochsen und Esel,
    und alles, was deinem Nächsten gehört.

ZUR STRUKTUR

Diese Verbotssätze sind elementar kurz formuliert; nur der letzte Satz wird mit einer aufzählenden Liste erweitert. Als Gesamtsumme erhalten wir 26 Wörter, was wieder auf das Gottessiegel JHWH weist. Hebt man die Liste eigens aus, gibt dies 19 + 7.

Dt 5,21 bringt folgende Abweichungen: statt das gleiche Verbum t a ḥ m o d, „begehren", zu wiederholen (IX. und X.), steht im X. Gebot t i t ' a w w ä h, „verlangen"; dazu wird „Frau" (IX.) und „Haus" (X.) umgetauscht. Ferner wird in der Liste noch „sein Feld" eingefügt. Die II. Tafel zählt daher nach Dt 27 Wörter.

Wie der Text zeigt, bringt die II. Tafel tatsächlich die von uns als Ergänzung zu den IV Verbotssätzen der I. Tafel postulierten 6 Verbote. Es kann also kein Zweifel über die Zählung der X „Worte" aufkommen. Sie ist im Text unverrückbar verankert!

Merk-Reime:

Die X Gebote gehören zum Grundbestand des atl. Katechismus. Sie wurden daher so formuliert, daß sie leicht auswendig gelernt werden konnten. Horcht man die II. Tafel ab, spürt man sofort die Vokalharmonie, d. i. das Spiel mit hellem a- und dunklem o-Laut. Vom musikalischen Standpunkt aus könnte man daher folgenden „ursprünglichen" Merk-Reim mit 4 Akzenten rekonstruieren, der mit Pausalkadenz schließt:

       ló tirṣáḥ w^{e}ló tin'áph
       ló tignób w^{e}ló taḥmód
       w^{e}ló ta^{ca}nāh ^{c}éd šāqär

       Nicht morden und nicht huren
       Nicht stehlen und nicht begehren
       Und nichts Falsches aussagen und bezeugen

ERKLÄRUNG

Während die I. Tafel *Gottesrecht* brachte, verkündet die II. sozusagen die *Menschenrechte.* Die hebräische Formulierung ist derart einsichtig, daß es keiner weiteren Erklärung bedarf. Und doch wurde das V. Gebot in der Übersetzung „Du sollst nicht töten" vielfach mißdeutet. Im Hebräischen steht das Verb r a ṣ a ḥ, das nicht ein beliebiges Töten, sondern das „widerrechtliche Morden" bedeutet. Es kann also nicht für die Abschaffung der Todesstrafe beansprucht werden. Liest man in der Bibel weiter, stößt man sofort auf die verschiedenen Fälle von Untaten, die mit Todesstrafe belegt und gesühnt werden. – Ebenso klar ist die Aussage des VI. Gebotes, das richtig mit „Du sollst nicht ehebrechen" übersetzt wird. Obwohl das jüdische Eherecht zwischen „Verlobung" und „Heimführung" unterscheidet, ist mit „Verlobung" nicht bloß in unserem Sinn das Eheversprechen, sondern bereits der rechtsgültige Eheabschluß gegeben. Mit dem Verb n a ' a p h wird also „Ehebruch" einfachhin verboten. Der Fall des vorehelichen Verkehrs wird im Dekalog überhaupt nicht aufgerollt; denn „solches tut man in Israel nicht!" (Dt 20,13 ff). – Das V. Gebot schützt also das Leben, das VI. Ehe und Familie, das VII. das Eigentum. Wird man als Zeuge vorgeladen, darf man nicht als „Lügenzeuge" aussagen [VIII]. Dadurch wird die Rechtssprechung abgesichert, die zeitweise sehr im Argen lag, wie aus den prophetischen Demaskierungen ersichtlich wird. – Das IX. und X. Gebot gehören zusammen, weil sie die Entscheidung vom äußeren auf das innere Forum verlegen. Sünde beginnt nicht erst mit der nach außen sichtbaren Tat, sondern bereits im inneren Akt des Verlangens und Begehrens. Die beiden Gebote werden nach dem Objekt des Begehrens unterschieden. In der Exodus-Fassung steht „Haus des Nächsten" voran, in der Dt-Fassung dagegen „Frau des Nächsten". Beide widersprechen einander nicht; denn b a j i t = „Haus" bezieht sich nicht auf das gemauerte Haus, sondern auf die Hausgemeinschaft, also auf den Familienstand in seiner Gesamtheit; daher werden im X. Gebot die Kostbarkeiten des „Hauses" einzeln aufgezählt: am Anfang steht als größter Schatz des Mannes seine Frau; dann das Gesinde, weiters der Viehbestand, und schließlich umfassend „alles was ihm gehört". Während in den Geboten V–VIII das personale Ich angesprochen wird, treffen die Gebote IX. und X. das soziale Ich. Das friedliche Verhältnis der Familien = Sippen untereinander darf nicht durch Begehren und Verlangen, was auf Unruhestiftung hinausläuft, gestört oder gar zerstört werden.

Diese 6 kurzen, elementaren Sätze, die zwar negativ formuliert sind, künden tatsächlich die unüberholbaren *Menschenrechte*.

Dem Grundgesetz der X Worte folgt das sogenannte „Bundesbuch" (s ᵉ p h ä r h a b b ᵉ r î t , Ex 21,1–23,33). Ein Vergleich mit den andern altorientalischen Gesetzesbüchern hat ergeben, daß hier altsemitisches Bauern- und Beduinenrecht unter dem Blickwinkel der neuen Gottesoffenbarung kodifiziert wurde.

Vom literargeschichtlichen Gesichtspunkt her wird man sagen müssen, daß die Formulierungen des Bundesbuches teilweise viel älter sind als die thesenhaft vorangestellten X Worte; doch gerade in diesen X Worten wurde die Summe des Gesetzes auf die kürzeste Formel gebracht. Die Zahl X ist Symbol für Universalität einfachhin! Daher wurde an der Zehnheit festgehalten, wenn auch die Einzelgebote anders angeordnet wurden, wie dies in der zweiten Fassung des Dekalogs nach dem Bundesbruch (Ex 34.10–26) sichtbar wird.

Anhang: Buchstabenbestand des Dekalogs (Ex 20,2–17)

Wir haben bereits den Buchstabenbestand der „Zehn Schöpfungsworte" aufgenommen und dabei die Summe von 620 Buchstaben vorgefunden (Siehe oben Seite 45). Wie dort ausgeführt, ist die Zahl 620 die Zahlensumme für das hebräische Wort k ä t ä r , „Krone" (Gottes). Die „Zehn Worte am Anfang" gingen nach altjüdischer Überlieferung von der Krone Gottes aus.

Bei den X Worten am Sinai, also beim Dekalog, taucht nun die gleiche Summe von 620 Buchstaben auf. Soll dies nochmals heißen, daß „diese Worte", also die X Verbote und II Gebote ebenfalls aus der Krone Gottes ausgehen?

Wir erfassen hier den Buchstabenbestand in der gleichen Art, nach der wir den Text aufgeschlüsselt haben:

VER-/GEBOT	Vss	Buchstaben	
Präambel	2	41	
I.	3	23	
II.	4	59	
III.	5–6	103	
IV.	7	51	
Sabbat	8–11		203
Eltern	12		53
V.	13	6	
VI.	14	6	
VII.	15	6	
VIII.	16	15	
IX.	17a	12	
X.	17b	42	

$$364 + 256 = 620 \text{ Buchstaben}$$

Die Verbote mit der Präambel geben 364 Buchstaben, die den 364 Tagen des sakralen Jahres entsprechen. Mit den Geboten zusammen erreichen wir tatsächlich 620 Buchstaben, also den Zahlenwert für das Wort k t r (= 20 + 400 + 200 = 620), „die Krone Gottes". – Der hebräische Text ließe sich leicht verändern, denn es kommen darin etliche defektive Schreibungen vor, dies vor allem bei den Partizipien: etwa p o q e d, „heimsuchend" mit kurzem o ohne Waw, statt der üblichen Langform p ô q ē d mit Waw. Daraus kann gefolgert werden, daß der jetzige Buchstabenbestand nach einem gezielten Plan eingerichtet wurde, der wohl kein anderer war, als verschlüsselt aufzuzeigen, daß „diese Worte" aus der Krone Gottes hervorgehen. Man könnte geradezu von einer Theologie der Buchstaben sprechen.

Sechstes Kapitel
DER DEKALOG NACH TARGUM NEOPHYTI

Wie innerhalb des alten Judentums die X Worte gezählt wurden, wird auch an der aramäischen Übersetzung, die uns im TargNeoph vorliegt, sichtbar. Wir bringen daher anschließend die Übersetzung des aramäischen Textes, an der man sofort das typisch Neue erkennen kann. Die Offenbarung der X Worte wird noch stärker als im hebräischen Text ins Wunder getaucht. Das I. Gebot entspricht der Präambel„ das II. den 3 ersten „Nicht"-Sätzen des hebräischen Textes. Bemerkenswert ist, daß auch die positiven Gebote, also Sabbat-Heiligung und Eltern-Ehrung, in die Zählung mit einbezogen werden. Die Abgrenzung der weiteren Gebote wird durch das vorange-stellte „Mein Volk, Israels Söhne" angezeigt. Völlig neu sind die Schlußfolgerungen bei den Geboten VI–X, wo ausgeführt wird, daß wegen der Übertretung der Gebote das Schwert, das große Sterben, die Hungersnot, die wilden Tiere und die Gier der Königreiche in diese Welt kommen werden. Die aramäische Übersetzung ist also bestrebt, die „Herrlichkeit dieser Worte" (20,1) in neuem Licht aufleuchten zu lassen.

Ex 20,1–19 nach Targum Neophyti

I.

Vss
___

(1) Und JJJ sprach all die Herrlichkeit dieser Worte, lautend:
(2) Das I. WORT,
Das aus dem Munde des Heiligen hervorging
– Gepriesen sei sein Name! –
War wie Funken, wie Blitze, wie Feuerfackeln
Eine Feuerfackel zu seiner Rechten
Und eine Flammenfackel zu seiner Linken
Und es flog und schwebte im Äther des Himmels und kreiste
Und ganz Israel sah es und fürchtete sich
Es kreiste und grub sich auf die zwei Bundestafeln ein
Und sagte: Mein Volk, Söhne (Israels)
Und es kreiste und fuhr über die Lager Israels hin
Und es kreiste und grub sich auf die Bundestafeln ein
Und ganz Israel sah es
Dabei gebot Er und sagte:

Mein Volk, Israels Söhne
Ich bin JJJ, euer Gott
Ich habe euch erlöst
Und als Freie herausgeführt
aus dem Lande Ägypten, dem Hause der Knechtschaft

Vss

II.

(3)   Das II. WORT,
Als es aus dem Munde des Heiligen hervorging
— Gepriesen sei Er —
War wie Funken, wie Blitze, wie Feuerfackeln
Eine Feuerfackel zu seiner Rechten
Und eine Flammenfackel zu seiner Linken
Und es flog und schwebte im Äther des Himmels und kreiste
Und ganz Israel sah es und sie fürchteten sich
Es kreiste und grub sich auf die zwei Tafeln des Bundes ein
U n d   s a g t e : Mein Volk, Söhne (Israels)
Und kreiste und flog über die Lager Israels
Und kreiste und grub sich auf die Bundestafeln ein
Und ganz Israel sah es
U n d   s o   g e b o t   u n d   s p r a c h   e s :
Mein Volk, Israels Söhne
Du sollst außer mir keinen anderen Gott haben
(4)   *Ihr sollt keine (Statuen und Gestalten) und kein Abbild machen*
Von dem, was im Himmel oben und auf der Erde unten
Und was im Wasser unter der Erde unten
(5)   *Und ihr sollt euch nicht niederwerfen*
Und vor ihnen keinen Kult verrichten
Denn Ich, JJJ, bin euer Gott
Ein eifernder und rächender Gott
Der sich mit Eifersucht rächt an den Frevlern
An den rebellischen Söhnen
Bis in das dritte und bis in das vierte Geschlecht
Sofern sie mich hassen
Wenn die Söhne es in der Sünde ihren Vätern nachmachen
Dann heiße ich sie meine Hasser
(6)   Ich bewahre jedoch Gnade und Huld tausenden Geschlechtern
Den Gerechten, die mich lieben und die Gebote befolgen

III.

(7)   Mein Volk, Israels Söhne!
Niemand von euch soll den Namen seines Gottes JJJ
Für Wahn verwenden
Denn JJJ läßt am Tage des großen Gerichtes nicht ungestraft
(Den), der den Namen des Gottes JJJ für Wahn verwendet

IV.

(8)   Mein Volk, Israels Söhne!
Seid eingedenk des Tages des Sabbat ihn zu heiligen
(9)   Sechs Tage sollt ihr arbeiten
Und euer Werk verrichten

Vss

(10) Der siebente Tag sei Sabbat und Ruhe vor eurem Gott JJJ
Ihr sollt keinerlei Arbeit verrichten
Ihr, eure Söhne und Töchter, Sklaven und Mägde und euer Vieh
Und eure Fremdlinge, die bei euch sind

(11) Denn in sechs Tagen schuf JJJ Himmel und Erde
Das Meer und alles darin
Und es war Sabbat und Ruhe vor ihm am siebenten Tag
Daher segnete JJJ den Tag des Sabbat
Und erklärte ihn heilig.

V.

(12) Mein Volk, Israels Söhne!
Jedermann sei bedacht auf die Ehre seines Vaters
Und die Ehre seiner Mutter
Damit eure Tage sich mehren in dem Lande
Das euer Gott JJJ euch gibt

VI.

(13) Mein Volk, Israels Söhne!
Werdet nicht Mörder
Noch Genossen und Teilhaber mit Mördern
Und in der Gemeinde Israels
Werde kein Volk von Mördern gesehen
Damit nicht eure Söhne nach euch aufstehen
Und lernen, ebenfalls ein Volk von Mördern zu werden
Denn wegen der Schuld des Mordens
Kommt das Schwert über die Welt.

VII.

(14) Mein Volk, Israels Söhne!
Werdet keine Ehebrecher!
Noch Genossen und Teilhaber von Ehebrechern
Und in der Gemeinde Israels
Werde kein Volk von Ehebrechern gesehen
Damit nicht eure Söhne nach euch aufstehen
Und lernen, ebenfalls ein Volk von Ehebrechern zu werden
Denn wegen der Schuld des Ehebruches
Kommt das große Sterben über die Welt

VIII.

(15) Mein Volk, Israels Söhne!
Werdet keine Diebe
Noch Genossen und Teilhaber mit dem Diebsvolk
Damit nicht eure Söhne nach euch aufstehen
Und lernen, ebenfalls ein Diebsvolk zu werden
Denn wegen der Schuld des Diebstahls
Kommt die Hungersnot über die Welt

Vss

IX.

(16) Mein Volk, Israels Söhne!
Werdet keine Lügenzeugen
Noch Genossen noch Teilhaber mit dem Volk der Lügenzeugen
Und in der Gemeinde Israels
Werde ein Volk von Lügenzeugen nicht gesehen
Damit nicht eure Söhne nach euch aufstehen
Und lernen, ebenfalls ein Volk von Lügenzeugen zu werden
Denn wegen der Schuld der Lügenzeugen
Brechen wilde Tiere über die Menschensöhne herein.

X.

(17) Mein Volk, Israels Söhne!
Werdet nicht lüstern
Noch Genossen und Teilhaber mit Lüstlingen
Und in der Gemeinde Israels
Werde kein Volk von Lüsternen gesehen
Damit nicht eure Söhne nach euch aufstehen
Und lernen, ebenfalls ein Volk von Lüsternen zu werden
Niemand von euch soll begehren das Haus seines Genossen
Nicht die Frau seines Genossen
Nicht seinen Knecht und nicht seine Magd
Und nicht den Ochsen und nicht seinen Esel
Und nichts von dem, was deinem Genossen gehört
Denn wegen der Schuld der Begehrlichkeit
Werden die Königreiche angereizt auf die Menschensöhne

(18) Und das ganze Volk sah seine Stimme und die Fackeln
Und die Stimme der Hörner und den Berg, der rauchte
Und das Volk schaute und zitterte und stand von ferne
(19) Und sie sagten zu Moseh:
Rede du mit uns und wir wollen hören
Und nicht soll mit uns von JJJ her geredet werden
Sonst müßten wir sterben.

Siebentes Kapitel
BUNDESSCHLUSS-RITUS AM SINAI (Ex 24,1–18)

Zur Quellenlage

Auch hier ein Blick in die HEXATEUCHSYNOPSE: Ex 24 wird auf die drei Quellen L (Laienschrift, auch Beduinenquelle genannt), E (Elohist) und P (Priesterschrift) aufgeteilt:

L: 1–2; 9–11; 13a1 14–15a; – E: 3–8; 12; 13b; 18c; – P: 15b–18b.

Der Laien-/Beduinen-Quelle wird also ein großer Block zugeordnet; dies deshalb, weil in diesen Versen das Milieu der Wanderzeit am besten zum Ausdruck komme; denn auch die „Ältesten" werden in das Bundesgeschehen mit einbezogen. – Untersucht man aber die literarische Struktur der fast 500 Jahre auseinanderliegenden Quellenschriften L und P, stößt man bei beiden auf die gleichen Baugesetze. Mit einer bloßen Abgrenzung nach Quellenschriften ist also nicht viel gewonnen. Man müßte vielmehr annehmen, daß beide durch den Schlußredaktor überarbeitet und in die jetzige Form gebracht wurden. Daher drängt sich wieder der Schluß auf, daß es „Quellenschriften" in der von der Pentateuchkritik postulierten Art nicht gegeben hat. Wir bezweifeln aber in keiner Weise, daß der Endgestalter auf alte Überlieferung zurückgriff; er hat aber aus alten mündlichen und auch schriftlichen Überlieferungen ein neues, selbständiges Werk geschaffen, das allein Grundlage für die Biblische Theologie sein kann. Entfernt man sich vom jetzt vollendet vorliegenden Text, betrit man den Bereich von mehr oder weniger überzeugenden Hypothesen.

Daher müssen wir vorerst fragen, ob in Kap. 24 ein literarisches Aufbauprinzip feststellbar ist. Der erste methodische Schritt ist ein Blick in die Handschrift Cod-Len. Hier wird Kap. 24 in zwei Hälften gegliedert, Vs 1–11: der Bundesschluß mit nachfolgender Theophanie; Vs 12–18: Aufstieg des Moseh mit abschließender Theophanie. Also ähnlich wie beim Dekalog eine Zweitafel-Gliederung. Auf Grund des Handlungsablaufes kann man 7 Szenen in der Aufteilung 4 + 3 unterscheiden.

I. Szene: AUFSTIEG UND ANBETUNG (Ex 24,1–2)

Vss

(1) Und ER sprach zu Moseh:
Steige du zu JHWH hinauf!
Doch Aharon, Nadab und Abihû
und die 70 Ältesten Israels,
ihr sollt von ferne anbeten!

(2) Moseh allein trat hin zu JHWH,
sie aber traten nicht hin,
auch das Volk stieg mit ihm nicht hinauf.

Der Verkündigung der „X Worte" mit dem anschließenden „Bundesbuch" ging die Notiz voraus: „Und Moseh stieg vom Berg herab und sprach zu ihnen" (19,25). Nach der Gesetzesverkündigung wird nun 24,1 die Handlung wieder aufgenommen.

Unvermittelt setzt eine Rede ein. „Und er sprach" klingt reichlich unklar. Da der Sprecher vielfach nicht eigens genannt wird, könnte man als selbstverständlich voraussetzen, daß es JHWH oder Elohîm ist, der spricht; doch dann würde man statt „steige zu JHWH hinauf" besser „steige zu Mir hinauf" erwarten. Auf Grund des Kontextes wäre aber nicht auszuschließen, daß der m a l ' a k, der Engel JHWHs, der Sprecher ist; denn Moseh wurde doch aufgetragen: „Höre auf seine Stimme ... denn mein Name ist in ihm!" (23,21).

Unklarheit herrscht auch über das Ende der direkten Rede. Von den meisten Übersetzern wird auch noch Vers 2 zur Rede gerechnet. Achtet man aber auf den Wechsel der Person im Verb, wird man Vs 2 wohl als Bericht auffassen müssen.

Am Tag nach der Gesetzesverkündigung stiegen Moseh und Aaron mit den 70 Ältesten (zusammen mit Nadab und Abîhu sind es 72) auf den Berg zur Anbetung Gottes hinauf. Moseh allein trat zu JHWH hin; die anderen beteten von ferne an. Also ein Tag der Anbetung nach dem großen Gnadengeschenk der Torah-Übergabe.

II. Szene: BERICHT UND JA-WORT (Ex 24,3)

Vss
<hr>

(3)   Und Moseh kam herab,
        und berichtete dem Volk alle Worte JHWHs
            und alle die Rechtsentscheide,
        und alles Volk antwortete mit einer Stimme;
        sie sprachen:
            All die Worte, die JHWH gesprochen,
            wollen wir tun!

Dem Aufstieg folgt hier der Abstieg; denn w a j j a b o ' heißt nicht „Und Moseh kam ...“; das Verbum b ô ' wird auch für den Sonnenuntergang verwendet. Analog zum Schöpfungsbericht könnte man sagen: „Und es ward Morgen (Aufstieg), und es ward Abend (Abstieg), der sechste Tag!" (1. Tag: Bundesangebot, – 2. Tag: Antwort des Volkes, – 3. und 4. Tag: Warten, – 5. Tag: Gottesoffenbarung und Übergabe der Torah). – Da Gott auf Grund der bereits erarbeiteten Grundstruktur des Bundes den Menschen sein Bundesangebot nicht diktatorisch aufzwingt, muß geradezu mit innerer Notwendigkeit auf die Verkündigung des Gesetzes die Antwort des Menschen folgen. Der 6. Tag bringt daher nochmals, und zwar in sehr gedrängter Form, die Entscheidung zwischen Gott und Mensch. Weil alles Volk „einstimmig" (hebr. q ô l ä ḥ a d, Lat.: una voce) zustimmt, ist der Weg für den Bundesschlußritus frei.

III. Szene: VOLLZUG DES BUNDESSCHLUSSES (Ex 24,4–8)

Vss		B	E:	R
(4)	Moseh schrieb alle Worte JHWHs auf.			
	Am Morgen stand er früh auf			
	und baute unten am Berg einen Altar,	12!		
	und 12 Malsteine nach den 12 Stämmen Israels.	7!		
(5)	Dann entsandte er die Jungmänner der Israelsöhne			
	und sie brachten Brandopfer dar			
	und schlachteten Jungstiere als Friedopfer für JHWH.			
(6)	Und Moseh nahm die Hälfte des Blutes			
	und goß es in Schalen,			
	und die Hälfte sprengte er auf den Altar.			
(7)	Dann nahm er das Buch des Bundes			
	und las es vor den Ohren des Volkes vor.	6		
	Und sie sprachen: Alles was JHWH gesprochen,			
	wollen wir tun und hören!		1: +	6
(8)	Und Moseh nahm das Blut	4		
	und sprengte es über das Volk	3!		
	und sprach: Seht das Blut des Bundes,			
	den JHWH mit euch schließt			
	auf Grund all dieser Worte!		1: +	11

Verse (5)–(6) Klammerwerte: 12, 23, 11

$$74 = (32 + 23) + 2: + 17$$

ZUR STRUKTUR

Da es sich um einen bibeltheologischen Fundamentaltext handelt, müssen wir wenigstens in groben Zügen auf die Strukturgesetze eingehen. Die Verse 4–8 bilden eine Aussageeinheit: Zeit des Geschehens: „am Morgen"; Ort des Geschehens: „unten am Berg"! Daher kann man auch einen einheitlichen Bauplan vermuten. Die Handlung schreitet in drei Szenen voran: a) Errichtung des Altars mit den Steinsäulen (Vs 4); – b) Schlachtung der Opfer und Auffangen des Blutes (5–6); – c) Bundesschluß (7–8). – Wir haben den Wortbestand zwar nur summarisch erfaßt, trotzdem tritt der Bauplan der Berichtwörter klar in Sicht: $a + b + c = (12 + 7) + 23 + (6 + 4 + 3) = 55$ B-Wörter. Wir stoßen nochmals auf das Modell der Tetraktys, also das Modell der Großen Zehnheit. Sogar die Teilwerte der „32 wunderbaren Wege der Weisheit" sind in der Satzstruktur nachgeformt: $12 + 7 + (6 + 4) + 3 = 3 + 7 + 12 + X$. Dieses Modell dürfte dem Leser schon geläufig sein. Daher erübrigen sich weitere Erklärungen. Immerhin ist es bemerkenswert, daß Inhalt und Form eine harmonikale Einheit bilden. Der Bund wurde doch auf Grund der „zehn Worte" (^{c}asärät debarîm) geschlossen. In der Textstruktur wird diese Zehnheit im Bau der Sätze und Wörter nachgeformt. Die direkt gesprochenen Wörter ($6 + 11 = 17$) könnten als Siegel des kleinen Gottesnamens jHWH ($1 + 5 + 6 + 5 = 17$) verstanden werden. – Die Summe von B + R mit $(55 + 17) = 72$ Wörter weist auf die 70 + 2 Ältesten Israels, die Zeugen der Bundesschließung waren; rechnet man noch Moseh und Aharon dazu, erhält man 2 E: + 72 BR = 74. – In der Pentateuchkritik wird dieser ganze Abschnitt dem Elohisten zugeordnet. Kann dieser bereits als Baumeister des Wortes betrachtet werden???

ERKLÄRUNG

Auf die drei Vorgänge des Bundesschluß-Vollzuges haben wir schon verwiesen. Stellt man das hier Erzählte in die altorientalische Umwelt hinein, findet sich nichts, das nicht alt oder mosaisch sein könnte.

1) Steinkreis und Altar:

Das Aufrichten von 12 Steinmalen (m a ṣ ṣ e b a h) mit dem Altar in der Mitte (12 + 1 = 13) ist bereits aus der Jungsteinzeit nachweisbar. Der durch die Steine markierte Kreis galt als Abbild des himmlischen Kreises. Das Denkmodell „Bild — Abbild" bestimmt ja schon die Erschaffung des Menschen (Gn 1,26). Aber nicht bloß der Himmelskreis wird im irdischen Abbild eingefangen und gegenwärtiggesetzt. Da der Altar Gott versinnbildet, ist auch Gott als gegenwärtig mitzudenken. Der Bund, der hier geschlossen werden soll, zeigt daher kosmische Dimensionen und ist daher von Grund auf universal veranlagt.

2) Opfer und Blut:

Durch den Altar in der Mitte des Steinkreises wird von selbst schon auf Opfer verwiesen. Daß es blutige Tieropfer sind, überrascht bei den Semiten in keiner Weise. Der Text unterscheidet zwei Arten von Opfern: ᶜ ô l a h (von Martin BUBER mit „Darhöhung" übersetzt); dabei wurde das ganze Tier auf dem Altar verbrannt, daher „Ganzopfer", Holokaustum, genannt; und z ᵉ b a ḥ î m š ᵉ l a m î m , „Heils- oder Fried-Opfer"; hierbei wurde nur ein Teil verbrannt, der andere aber von den Opfernden im Opfermahl verzehrt. Bei allen Opfern galt das Blut als Sitz des Lebens immer der Gottheit vorbehalten. Daher wurde es in Schalen aufgefangen. Vorausgesetzt wird Schlachtung durch „Schächten" (hebr. Wort: š a ḥ a ṭ), d. i. durch Aufschneiden des Halses, so daß das Blut aus den Schlagadern strömte. – An sich hätte Moseh das gesamte Blut, als Gott gehörig, auf den Altar schütten müssen. Er behielt sich aber die Hälfte für den Bundesschluß-Ritus vor.

3) Der Bundesschluß-Ritus:

Bisher könnte man an Magie oder Analogiezauber denken. Doch bevor Moseh zum sakramentalen Akt schreitet, ergreift er das „Buch des Bundes" (s e f ä r h a b b ᵉ r î t) und liest es nochmals vor. Erst nachdem das *Wort Gottes* die Antwort des Volkes gefunden hatte, wurde der Bundesschluß möglich! Nicht Magie, sondern Gottes Wort und des Menschen Antwort bestimmen den Bundesschlußvorgang.

Die Verschmelzung von Gottes Wort und des Menschen Antwort wird im Blutbesprengungs-Ritus veranschaulicht. In der sakralen Symbolsprache ist Blut sakramentales Zeichen für Gott. Blut ist „Sitz des Lebens", und Leben schaffen kann nur Gott, der Lebendige. Wenn also Moseh die aufgesparte Hälfte des Blutes auf das Volk sprengt, nimmt er dadurch dieses Volk in die „Blutgemeinschaft mit Gott" auf, wodurch es „Volk Gottes" und „Heiliges Volk" wird. Israel wird Volk Gottes nicht auf Grund biologischer Abstammung, sondern einzig auf Grund von Opferblut und Wort. Die Bundesschließungs-Formel müssen wir auch im hebräischen Urtext bringen:

> hinneh dam-habbᵉrît
> ʾašär Karat JHWH ᶜimmakäm
> ᶜal kol-haddᵉbarîm ha'elläh

Seht das Blut des Bundes,
den JHWH mit euch schließt
auf Grund all dieser Worte!

Das Ja-Wort zum Bundesschluß wurde vom ganzen Volk „einstimmig" gegeben. Eine solche Einstimmigkeit war in der religiösen Begeisterung am Fuße des Gottes-berges möglich. Wenn man sich aber vergegenwärtigt, was „all diese Worte" aussagen und wen sie auffordern, wird man ein Doppeltes unterscheiden müssen: einerseits richten sich „diese Worte" an das Volk als ganzheitliche Gemeinschaft; andererseits aber treffen sie jeden Einzelnen im Gewissen. Der Bundesschluß am Sinai ist daher sicher Abschluß und Krönung des Weges aus der Knechtschaft in die Freiheit, aber noch mehr Anfang und Wagnis für eine neue Zukunft. Die Ungewiß-heit liegt nicht bei Gott, der sein Wort gegeben hat; sie liegt vielmehr beim Menschen, der jeweils neu in seinem Gewissen die Antwort zum Anruf Gottes in den „X Worten" geben muß. Die innerste Mitte des Sinaibundes ist demnach das Wort „Es fiel ein Wort in Israel ..." (Jes 9,7). Der Bundesschluß kann daher mit Recht als personaler Sprachvorgang zwischen Gott und dem Menschen bezeichnet werden.

IV. Szene: ERSCHEINUNG DER HERRLICHKEIT GOTTES (Ex 24,9–11)

Vss	SFü		Sing.	Plur.
(9)	1.	Und Moseh stieg auf und Aharon/	*3*	
	2.	Nadab und Abîhû/		2 ⎫
	3.	und die 70 Ältesten Israels/		3 ⎬ 5
(10)	4.	Und sie sahen den Gott Israels/		4 ⎫
	5.	und seine Füße wie das Gebild einer Saphirplatte/		5 ⎬ <u>12</u>
	6.	und wie der Himmel selbst an Glanz/		3 ⎭
(11)	7.	Und wider die Edlen Israels/		4 ⎫ <u>7</u>
	8.	Streckte er nicht aus seine Hand/		3 ⎭
	9.	Und sie schauten Gott/		3 ⎫ 5
	10.	und aßen und tranken/		2 ⎭

(Rechte Spalte: 5 und 12 verbunden zu 10)

$$(3 + 7 + 12) + 10 = 22 + 10 = 32$$

ZUR STRUKTUR

Nach der Handschrift CodLen werden diese 3 Vss durch Trennungs-Striche in 10 kleine SFü gegliedert. Es liegt also ein kleiner Dekalog vor. Die Gesamtsumme von 32 Wörtern läßt auf das Vorhandensein des Modells der „32 wunderbaren Wege der Weisheit" schließen. Erfaßt man nun die Sätze nach Singular und Plural, treten die Teilwerte in Sicht: 2 Sätze stehen im Singular: SFü 1: „Und Moseh stieg auf" mit *3*, und SFü 7.8.: „Und wider ... streckte er nicht aus ..." mit *7* Wörtern. Damit sind zwei Werte des Modells gewonnen. Die drei SFü über die Erscheinung der Herrlichkeit Gottes (4.–6.) bringen *12* Wörter, und dies sogar in der klassischen Aufgliederung in 3 + 4 + 5. Der Schlußsatz (SFü 9.10.) „Und sie schauten Gott und aßen und tranken" bringt 5 Wörter. Es fehlt nun noch die erweiternde Liste (SFü 2.3) „Nadab, Abîhû und die 70 Ältesten Israels" mit ebenfalls 5 Wörtern, die – wenn auch ohne Verbum

– als Plural zu verstehen sind. Daher die Bauformel: $(3 + 7 + 12) + 5 + 5 = 22 + 10 = 32$ Wörter. – Mit geradezu klassisch zu nennender Klarheit wurde hier das Modell der „32 wunderbaren Wege der Weisheit" durchkomponiert. Kann man nun diesen kunstvoll gebauten Text tatsächlich der beduinischen Laienquelle zuordnen?!

ERKLÄRUNG

Mit der Wortverkündigung und der Blutbesprengung war das Wesentliche der Bundesschließung, aber noch nicht alles, geschehen. Es fehlt noch das *Bundesmahl* vor dem Antlitz Gottes. Da es oben hieß, daß die Jungmänner Israels auch Heils- oder Friedopfer schlachteten, wäre das Opfermahl schon mit eingeschlossen, es bräuchte gar nicht eigens angeführt zu werden. Vor dem Mahl wird aber wieder ein Aufstieg zum Gottesberg angesetzt. Es stiegen dieselben Männer empor wie bei der in Vs 1 erwähnten Anbetung, nämlich Moseh und Aharon, sowie Aharons zwei Söhne Nadab und Abîhû (Ex 6,23), und die 70 Ältesten Israels, als $2 + 2 + 70 = 2 + 72$ (!). Moseh und Aharon könnte man als Bundesmittler eigens zählen. Die beiden Aharon-Söhne geben mit den 70 Ältesten die kosmische Summenzahl 72.

(NB.: Oder sind etwa die beiden Aharon-Söhne als Eindringlinge zu betrachten? Denn Moseh + Aharon + die 70 Ältesten geben schon 72! Im Buche Lev 10,1–2 kommen die beiden wieder vor. Dort wird berichtet, daß sie sich nicht an die Opferordnung hielten und zugrunde gingen.)

Was soll nun der Satz heißten„ Und wider die Edlen Israels streckte er nicht aus seine Hand"? Schwingt hier die Vorstellung mit, daß „Gott schauen und sterben müssen" dasselbe bedeute? Im Text heißt es zwar, „sie sahen" (Vs 10a) und „sie schauten" (Vs 11c) Gott; beschrieben wird aber nicht die Gestalt Gottes, sondern nur der Schemel seiner Füße, der mit einer Saphirplatte, strahlend wie der Himmel, verglichen wird. Auf Grund dieser Bildsprache kann man noch nicht auf eine außergewöhnliche Vision schließen, handelt es sich doch um anschauliche Formulierung des schlichten Glaubens an den Einen Gott, dessen Thron der Himmel ist. Auch die Jerusalem-Pilger zogen zum Tempel hinauf, um dort „Gott zu schauen". Dieser Gott ist nicht mit leiblichen Augen, sondern nur mit den Augen des Glaubens schaubar. – Moseh hat also nach dem Ritus der Bundesschließung mit dem innersten Kreis der Verantwortlichen, d. i. der „Edlen", die durch ihre Zahl 72 das gesamte Volk verkörperten, die abschließende religiöse Mahlzeit gehalten. Der Bund wurde nicht im Mahl geschlossen; das Mahl ist nur der krönende Abschluß.

Das Opfermahl der 72 auf dem Gottesberg unter strahlendem Himmel bildet den feierlichen Abschluß der Bundesschließung am Sinai.

V. Szene: NOCHMALIGES ANGEBOT GOTTES (Ex 24,12)

Vss

(12) Und JHWH sprach zu Moseh:
    Steige zu mir auf den Berg herauf
    und verweile daselbst!
    Ich geb' dir die steinernen Tafeln,
    die Torah und das Gebot,
    das ich zu ihrer Weisung geschrieben.

VI. Szene: AUFSTIEG MIT JOSUA (Ex 24,13–14)

(13) Und Moseh stand auf, sowie sein Diener Jehošua^c
      und Moseh stieg zum Berg Gottes empor
(14) Und zu den Ältesten sprach er:
      Bleibt hier, bis wir zu euch zurückkehren!
      Seht, es sind Aharon und Hûr bei euch;
      Wer einen Streitfall hat, wende sich an sie!

ZUR STRUKTUR

Haben diejenigen Recht, die sagen, der Text sei durcheinander geraten? Wozu nochmals nach dem Bundesschluß ein Berglauf des Moseh? Die Quellenkritik trifft folgende Aufteilung:

E: 12; 13b; 18c – L: 13a; 14–15a. – P: 15b–18b. Dergestalt erhält man natürlich einen „frisierten" Text, der nur den einen Nachteil hat, nämlich daß die Frisur nach westlich-europäischen Vorstellungen, nicht aber nach altorientalisch-literarischer „Mode" zugeschnitten wurde.

ERKLÄRUNG

Der Bundesschluß bildet sicher einen Höhepunkt, nicht aber den Endpunkt des Bundesvorganges. Durch den Blutritus wurde der Bund auch nach außen erkennbar besiegelt. Das erste Bundesangebot: „Ihr sollt mir ein Sonderbesitz (s^{e}g u l l a h) sein" war damit erfüllt. Denn durch den Bund am Sinai unterschied sich fortan Israel von allen anderen Völkern: es war Eigenbesitz JHWHs geworden. Was ist aber mit den beiden anderen Zusagen: „Priesterreich" und „Heiliges Volk"? Sicher wurde ein heiliger Kreis mit dem Altar in der Mitte errichtet; die Opfer von „Jungmännern" (n a ^{c} a r î m) dargebracht, das Ja-Wort von den „Ältesten" (z e q e n î m) gesprochen; die „Jungen" und die „Alten" gehören zur normalen Struktur eines wandernden Beduinenstammes. Wo sind aber die Priester (k o h a n î m), die Vertreter des Reiches Gottes auf Erden? Wo ist der heilige Ort, an dem die Priester für das Volk den Dienst vor Gott vollziehen sollen? Es fehlt also noch viel, ja sogar Wesentliches, zur vollen Realisierung des Bundesentwurfes von „Priesterreich" und „heiligem Volk".

Deshalb der neue Ruf an Moseh, nochmals aufzusteigen, um die „Steinernen Tafeln" (l u ḥ ô t h a ' ä b ä n) und „Torah und Gebot" (m i ṣ w a h) in Empfang zu nehmen. Handelt es sich hier nicht um eine Wiederholung? Beim Bundesschluß hatte doch Moseh schon das „Bundesbuch" (s e f ä r h a b b ^{e}r î t) verlesen! Sicherlich! Aber „Bundesbuch" war ein Rückverweis auf den Dekalog und die anschließenden Gesetzesordnungen in Ex 20–23; hier aber weist Torah voraus auf die Niederschrift der Anordnungen für Bundeszelt, Bundeslade, Priester usw. in Ex 25–31. Daher ist der neuerliche Aufstieg Moseh kein sinnloser „Berglauf", er ist geradezu notwendig, damit die „Sache des Bundes" weitergehen kann.

VII. Szene: MOSEH ALLEIN STEIGT HINAUF (24, 15–18)

Vss		Wörter
(15)	Und Moseh stieg auf den Berg hinauf und die Wolke bedeckte den Berg.	8
(16)	Und die Herrlichkeit JHWHs ließ sich auf dem Sinaiberg nieder. Sechs Tage bedeckte die Wolke ihn, am 7. Tag rief ER mitten aus der Wolke nach Moseh.	17
(17)	Die Erscheinung der Herrlichkeit JHWHs war wie fressendes Feuer auf dem Gipfel des Berges vor den Augen der Söhne Israels.	X
(18)	Und Moseh ging mitten in die Wolke hinein und stieg auf den Berg hinauf und Moseh verweilte auf dem Berg 40 Tage und 40 Nächte. -P-	14
		49

ZUR STRUKTUR

Nur einige grobe Hinweise zur selbständigen Feinarbeit:
a) Man zähle den Wortbestand der 4 Verse! Ergebnis: 8 + 17 + X + 14 = 49 Wörter = Jubiläenzahl (7 x 7). – b) Man unterscheide grade und ungrade Zahlen. Ergebnis: 17 + (22 + X)! In den graden Zahlen taucht das Modell der „wunderbaren Wege der Weisheit" auf: 22 Buchstaben + X Urworte. Die X Urworte finden sich in Vs 17, der aus einem einzigen Satz besteht. – c) Man mache die Probe, ob auch die Teilwerte der 22 Buchstaben im Text ausgeprägt sind! Dazu muß man den Wortbestand der einzelnen Sätze der Vss 15 und 18 ausheben. Ergebnis: (4 + 4) + (4 + 3! + 7) = 12 + 3 + 7 = 22 Wörter. – Exakter geht es nicht mehr! Nach der Pentateuchkritik wird der ganze Abschnitt mit Ausnahme von Vs 18b der Quelle P zugeordnet, was wieder in die religionsgeschichtliche Achsenzeit ± 500 v. Chr. weist.

ERKLÄRUNG

Moseh verabschiedet sich von den Ältesten, beauftragt Aharon und Hûr mit Schlichtung auftretender Streitigkeiten und steigt mit seinem Diener Jehošu^{ac} auf den Berg hinauf. Der Berg selbst galt als Thronsitz Gottes. Wolke und fressendes Feuer (Blitze) sind die Zeichen seiner Gegenwart. Also nochmals die üblichen altorientalischen Vorstellungen über den Gottesberg! Doch auch diesmal sind nicht die Naturphänomene das Wichtigste, sondern das personale Geschehen, das sich in dieser Szenerie abspielt. Wenn es heißt, daß Moseh „mitten in die Wolke hineinging" (18), wird dadurch ausgedrückt, daß sich für ihn zwar der irdisch-menschliche Horizont schließt, der göttliche Lichtglanz aber offenbar wird; denn „Wolke" (ʿanan) wird näher mit „Lichtglanz, Herrlichkeit" (kabôd) erklärt. So emporgehoben kann Moseh das himmlische „Baumodell" (tabnît, von banah = „bauen") schauen, nach dem das irdische Heiligtum nachgebaut werden soll. Was Moseh in diesen 40 Tagen und Nächten in der Wolke schaut, wird in den langen Kapiteln Ex 25–31 niedergeschrieben.

Achtes Kapitel
DER GEBROCHENE BUND (Ex 32–33)

Man möchte es kaum für möglich halten, welche Tragödie sich am Fuße des Berges vorbereitete, während Moseh auf dem Gipfel des Berges in der Wolke Gottes weilte. Der Bundesschluß war wie Wasser über Kieselsteinen zerronnen. Das Gerede ging um: „Wir wissen nicht, was mit diesem Moseh, dem Mann, der uns aus Ägypten herausgeführt hat, geschehen ist". Moseh ist nur noch irgendjemand, der spurlos verschwunden ist. Ebenso spurlos schien auch sein gestaltloser Gott JHWH verschwunden zu sein. Daher die Forderung an Aharon: „Auf, mach uns Götter (Elohîm), die vor uns herziehen!" Mit dieser Forderung waren eigentlich alle vier Verbots-Sätze der I. Tafel gebrochen.

1) Der Stierkult:

Daß sich Aharon dem Druck des Volkes beugte, Goldringe einsammeln und ein Stierbild gießen ließ, bleibt ein psychologisches und religiöses Rätsel. War auch er an der Religionsreform seines Bruders irre geworden? Versuchte er daher einen ihm tragbar scheinenden Kompromiß? Das Volk sagte zwar: „Das sind deine Götter, Israel, die dich aus dem Lande Ägypten heraufgeführt haben" (Vs 4b); doch Aharon verkündet kein Fest für „Götter" sondern eines für JHWH: „Ein Fest für JHWH ist morgen!" (Vs 5).

Somit wird Aharon zum Urtyp des Synkretismus. Er wollte den Neuentwurf des JHWH-Glaubens zwar bejahen, aber auch den alt-einheimischen Stierkult bewahren. Was nach der Reichstrennung im Nordreich Israels geschah, wetterleuchtet hier bereits voraus: JHWH als Fruchtbarkeitsgott in Stiergestalt. Im Hebräischen steht das Wort ᶜegäl, das gewöhnlich mit „Kalb" übersetzt wird, aber genau „männliches Jungrind, Jungstier" bedeutet. Durch die Wahl des Stieres wird schon der Charakter des ausgerufenen Festes angekündigt. Brand- und Friedopfer vor dem stiergestaltigen JHWH, Essen und Trinken, „dann standen sie auf, um sich zu ergötzen". „Ergötzen" (ṣaḥeq) weist nicht bloß auf ein lustiges Volksfest mit Scherzen und Lachen; es hat den Nebenton von sexueller Ausschreitung, was aber im Rahmen des Fruchtbarkeitskultes als Gottesdienst empfunden wurde.

Aharon hat am Sinai keinen neuen Stierkult erfunden; die Textfunde aus Ugarit bezeugen, daß man den höchsten Gott El einfach „Vater der Menschen" oder „Stier" nannte. Der semitische Gott, der im Sturm einherfährt, Blitze schleudert, Regen und Fruchtbarkeit bringt, hat als *Jupiter* mit Beinamen nach Verehrungsstätten, etwa „der von Damaskus" *(damascenus)*, „der von Hierapolis" *(hierapolitanus,* Baalbek), „der von Doliche" *(dolichenus)* seinen Siegeszug durch das Imperium Romanum angetreten. Auch von dem im Zeichen der Urkraft des Stieres verehrten Gott ging und geht eine religiöse Faszination aus. – Dieser so tief eingefleischte altsemitische Gottesglaube konnte zwar unter dem Eindruck der Befreiung aus Ägypten durch den neuen Glauben an den gestaltlosen JHWH verdrängt werden, aber in die Tiefe der Volksseele konnte er so schnell nicht eindringen, zumal dieses Volk „ein Volk mit hartem, unbeugsamem Nacken" genannt wird (32,9). In politische Kategorien umgesetzt heißt dies, daß die religiös-nationale Revolution des Moseh durch die wiedererwachten reaktionären Kräfte beinahe vernichtet wurde.

2) Bundesangebot an Moseh:

Damit ist wieder das Ende eines Weges erreicht. Die Herausführung aus Ägypten erwies sich als Fehlschlag. Das Wunder der Herausführung führte man nicht auf den gestaltlosen JHWH sondern auf den stiergestaltigen Gott zurück. In diese Endsituation hinein fällt das Gespräch zwischen JHWH und Moseh (Ex 32,7–14). JHWH gibt auf! Es sei doch aussichtslos, mit diesem halsstarrigen Volk das Neue zu verwirklichen. Daher ein neuer Entwurf: nicht mit dem Volk als ganzem, das doch im Gotteszorn vernichtet werden soll, sondern einzig und allein mit Moseh soll ein neuer Bund gewagt werden. Die dem Abraham gegebene Verheißung wird also auf Moseh eingeschränkt: *„Ich will dich zu einem großen Volk machen!"* (32,10). – Reagiert Moseh wie Abraham mit einem glaubenden Ja? Keineswegs! Er denkt nicht an sich, er redet sozusagen vielmehr Gott ins Gewissen. Zwei Gedanken führt er ins Treffen: Das Volk aus Ägypten unter großen Wunderzeichen herausführen und dann in der Wüste in einem Zornanfall vernichten, wäre doch zugleich ein Scheitern Gottes. Alles wäre sinnlos gewesen. – Zum anderen gelten wohl auch die den Vätern gegebenen Schwüre, ihren „Samen" wie die Sterne des Himmels zu mehren und ihm das Land zu geben! Bleibt Gott nicht treu, wenn der Mensch untreu wird?" Da erfaßte JHWH Reue über das Böse, das er seinem Volke antun wollte" (32,14). – Dieser menschlich allzu menschlich dargestellte Gott erweist sich gerade in dieser Art als der wahre Gott, als der Gott, der sich und seiner Verheißung trotz Abfall des Menschen treu bleibt. Gerade aus diesem Ringkampf ersteht siegreich als neue Gotteserkenntnis die Grundformel des alttestamentlichen Credos überhaupt:

JHWH El raḥûm weḥannûn
'äräk 'appajim werab-ḥäsäd wä'ämät

JHWH ist ein gnädiger und barmherziger Gott
langmütig und reich an Gnade und Treue (34,6)

Bei den anderen Bundesschließungs-Texten haben wir erarbeitet, daß das gläubige Ja des Menschen Gott erst die Möglichkeit eröffnete, das Angesagte neu zu verwirklichen. Schließlich ist es, menschlich gesprochen, nichts Besonderes, auf ein großes Zukunftsangebot einzugehen, wenn dies auch Glaube und Wagnis kostet. An die Allmacht Gottes zu glauben, ist nicht schwer. Was aber dann, wenn Gott in Ohnmacht dasteht, wenn er von den Menschen verworfen wird, also ein „gescheiterter" Gott ist?! Wieder menschlich gesprochen, müßte doch das Gesetz „Aug um Aug, Zahn um Zahn" gelten. Wenn das Volk JHWH verwirft, wäre es recht und billig, daß sich JHWH von diesem Volke zurückzieht. Dieser Gedanke wird auch ausführlich im obigen Ringkampf ausgesprochen. Die Schlußerkenntnis lautet aber anders: nicht Vernichtung sondern Verzeihung von Sünde, Schuld und Frevel. Nicht Ende des Weges, sondern trotz Halsstarrigkeit ein Weiterwandern in nicht ermüdender Treue. Die Kurzformel für das Verhalten JHWHs im Ablauf der Heils- und Unheilsgeschichte bilden die beiden Worte ḥ ä s ä d und ' ä m ä t, die mit „Gnade und Wahrheit", „Huld und Treue", usw. übersetzt werden. Der Bedeutungsumfang von ḥ ä s ä d ist sehr weit, kann „Huld, Gnade, Liebe, Zuneigung" bedeuten. Aber gerade dadurch sagt er das Wesen von b e r î t aus, das wir mit „Spontaneität" zu umschreiben suchten. Bund ist geschenkte Gnade und schöpferische Liebe in einem! Das zweite Wort ' ä m ä t kommt von der bekannten Wurzel a m e n, „fest, stark, dauerhaft sein". Aus der Tragödie des goldenen Kalbes wächst also der Glaube an die „unerschütterliche Bundestreue JHWHs".

3) Das Strafgericht (Ex 32,15—38)

Mit der Glaubensformel über die unerschütterliche Bundestreue Gottes haben wir einen Höhepunkt bibeltheologischer Reflexion erreicht; sie ist die reife Frucht des Überdenkens der Wege Gottes in der Geschichte, wobei wohl auch schon der Untergang Jerusalems mitschwingt. Mit dem Bericht über das Fest des goldenen Kalbes und über das nachfolgende Blutgericht Mosis finden wir wieder sozusagen historischen Boden unter den Füßen.

Im Dekalog und im anschließenden Bundesbuch stehen zwar keine ausführlichen Sanktionen mit Strafandrohung und Segensverheißung, wie wir sie im Moab- und Sichem-Bund finden werden; kurz formulierte Strafsanktionen stehen aber auch schon in der I. Verbotstafel: „Denn JHWh läßt keinen unbestraft, der seinen Namen verwendet für Wahn." Darunter kann auch der Kult des goldenen Kalbes verstanden werden. Den feierlichen Bundesschluß hätte man als unverbindliche religiöse Schwärmerei betrachten müssen, hätte Moseh den Bundesbruch stillschweigend hingenommen. So stellte er sich aber in das Tor des Lagers und schrie: „Wer für JHWH, her zu mir!" (32,26). Es scharten sich die Leviten um ihn und hielten ein Blutgericht. Ohne Rücksicht auf Verwandtschaft wurden an die 3000 Mann mit der Schärfe des Schwertes erschlagen (32,28). So wurde der Bund am Sinai nochmals mit Blut, diesmal mit dem Blut der Abtrünnigen, besiegelt. Also doch Aufrichtung der Gottesherrschaft mit Hilfe bewaffneter Gewalt?! Die Leviten als heilige Krieger, eine Garde um Moseh?!

4) Das Offenbarungs- oder Begegnungszelt ('ohäl mô^ced, Ex 33,7—11)

Moseh zog die Folgerungen aus dem Abfall. Er setzte eine sinnvolle Handlung. Da für JHWH im Volk kein Platz mehr war, nahm er das Zelt und schlug es draußen auf, fern vom Lager, und er nannte es 'o h ä l m ô ^c e d (Vs 7). Dieser Vers wirft verschiedene Fragen auf. Welches Zelt versetzte Moseh? Sein eigenes? Oder hatte Israel bereits vor dem Bau des Bundeszeltes mit der Bundeslade ein eigenes heiliges Zelt? Hat Moseh daher das alte heilige Zelt aus dem Lager hinaus versetzt? Der Text reicht u. E. nicht aus, ein solches Gotteszelt zu postulieren. Sicher wurde 'o h ä l m ô ^c e d Fachbezeichnung für das Offenbarungszelt mit der Bundeslade; achtet man aber auf die Urbedeutung von m ô ^c e d, heißt dies einfach „Zelt der Begegnung" (NB.: In der arabisch-ägyptischen Umgangssprache heißt m a ^c a d a h „Rendez-vou, Treffpunkt"). Moseh mußte schon während der Wanderung bis zum Sinai ein Führerzelt gehabt haben, wo er sich mit den Ältesten zur Lagebesprechung traf. Dies war auch das Zelt, vor dem er die Worte Gottes dem Volk und den Ältesten mitteilte. Also tatsächlich ein Zelt der Begegnung zwischen Gott und Moseh im Zelt, und Moseh und dem Volk vor dem Zelt. Nach der Revolte verlagerte er den Ort der Begegnung außerhalb des Lagers, da im Lager selbst doch für JHWH kein Platz mehr war. Die Bewachung dieses Zeltes wurde Josua anvertraut.

Wollte jemand JHWH befragen, d. i., hatte er einen Rechtsfall zu entscheiden, mußte er zum Zelt hinausgehen. Wenn Moseh selbst ins Zelt hineinging, so „stieg die Wolkensäule herab" (^c a m m û d h a ^c a n a n, Vs 9) und Moseh sprach „Antlitz gegen Antlitz" mit dem in der Wolke gegenwärtigen JHWH.

Ein solches Gespräch wird 33,12—17 festgehalten. Moseh quälte sich doch mit der Frage, wie es weitergehen sollte. Die Verlegung des Zeltes zeigt doch an, daß JHWH nicht mehr mit seinem abtrünnigen Volke mitziehen wolle. (NB.: Der Auszug aus dem Lager erinnert an den Auszug der Herrlichkeit JHWH aus dem Tempel, Ezechiel 10,19 ff). Wie aber Gott ins Lager zurückholen? Die Entscheidung fiel im Gebet: „Laß mich deine Wege wissen ... dieses Volk ist ja dein Volk!" (Vs 13). „Wenn DU (p a n î m) nicht mitgehst, laß uns von hier gar nicht weiterziehen!" (Vs 15). Denn dann hört Israel auf, Eigentumsvolk (s^{e}g u l l a h) zu sein, es verliert seinen Vorrang vor den Heiden.

Der Gebetskern konzentriert sich auf das Wort p a n î m, wörtlich „Antlitz", so in der fragenden Zusage Gottes: „(Wenn) mein Antlitz mitginge (p a n a j j e l e k û), würde ich dich dadurch beruhigen?" (Vs 14). Die Echterbibel übersetzt „Antlitz" mit „wenn ich *persönlich* ..."; doch „persönlich" wirkt zu abstrakt. Hebr. „Antlitz" ist viel anschaulicher. Gott möge mit Augen schaubar mitten im Volke wohnen und sichtbar mit ihm ziehen! – eine unerhörte Zumutung! hat denn der gestaltlose Gott, den kein Ding der Schöpfung abbilden kann, ein Gesicht?

Des Moseh Bitte, Gottes Antlitz zu schauen, wird auf göttliche Art ad absurdum geführt *(33,18–23)*. Moseh darf sich auf einen Felsen stellen, um den Vorübergang des k^{e}b ô d J H W H, „der Lichtherrlichkeit Gottes", zu schauen; doch nein, nicht zu schauen? „Wenn mein k a b ô d vorüberzieht, stelle ich dich in die Felsnische und bedecke dich mit meiner Hand, bis ich vorübergezogen bin. Wenn ich meine Hand fortnehme, kannst du meine Rückseite ('^{a}ḥ o r a j) schauen. Mein Antlitz (p a n a j) kann niemand schauen" (Vss 22–23).

Somit endet der Gebets-Ringkampf in einer eigenartigen Spannung: einerseits die Zusage Gottes „Wenn mein Antlitz mitzieht" (Vs 14), und andererseits „Du kannst mein Antlitz nicht schauen, denn kein Mensch (a d a m) kann mich schauen und am Leben bleiben" (Vs 20). Denn Gott ist so sehr Licht, daß das menschliche Auge bei seinem Anblick erblinden müßte, so gewaltig, daß der Mensch in Nichts versinken müßte. Und doch ist der Nach-Blick auf Seinen entschwindenden Lichtglanz (k a b ô d) für Moseh Erhörung genug, den Weg mit Gott weiter zu wagen. Trotz Offenbarung bleibt Gott der Verborgene *(deus absconditus)*.

Was in diesen Versen geschrieben steht, ist Biblische Theologie im eminenten Sinn, ein Überdenken des Problems: Gott in der Geschichte seines Volkes. Wenn Israel Volk Gottes ist, müßte doch das Antlitz Gottes über ihm sichtbar werden; die Wirklichkeit schaut jedoch ganz anders aus. Die Lösung des Problems wird dialektisch angegangen. Die Spannung wird nicht wegdisputiert sondern durchgehalten. Einerseits bleibt wahr, daß das Antlitz Gottes mit seinem Volk weiterzieht; andererseits bleibt ebenso wahr, daß im Geschichtsablauf nur die „Rückseite" Gottes geschaut werden kann. Damit wird Theologie nicht auf Wissen, Erkennen und Schauen, sondern auf die Grundfunktion „Glauben" zurückgeführt.

Neuntes Kapitel
DIE ZWEITE FASSUNG DES DEKALOGS (Ex 34,12–28)

Der Bericht über die Zweitschrift der Tafeln wird wieder vom Aufstieg (Vs 4) und Abstieg (Vs 29) Mosis umrahmt. Er solle sich zwei steinerne Tafeln (l u ḥ ô t ᵃ b a n î m) zurechthauen, und mit diesen auf das Haupt des Gottesberges steigen, um dort erneut das Gesetz in Empfang zu nehmen. Als Sinnbild der Gegenwart Gottes läßt sich wieder die „Wolke" auf den Berg nieder (Vs 5); aus der Wolke offenbart sich JHWH als der „gnädige und verzeihende Gott" (vgl. oben S. 220). Nur weil JHWH der Verzeihende ist – hier konkret, weil er den Bundesbruch verzeiht! – besteht die Möglichkeit der Zweitschrift der zerbrochenen Tafeln und damit auch die der Erneuerung des Bundes: „Siehe, ich schließe einen Bund ..." (h i n n e h a n o k î k o r e t bᵉ r î t, Vs 10).

„Moseh blieb 40 Tage und 40 Nächte auf dem Berg dort bei JHWH; Brot aß er nicht, Wasser trank er keines. Er (?) schrieb auf die Tafeln die *Worte des Bundes, die X Worte*" (d i b r e j h a b bᵉ r î t, ᶜᵃ ś ä r ä t h a d dᵉ d a r î m, Vs 28). Umstritten ist, wer es war, der schrieb? Die Echterbibel fügte in Klammer bei „Er (JHWH) schrieb"; ein unvermittelter Personenwechsel wäre durchaus möglich, auf Grund von Vs 28 käme man aber nicht auf die Idee, daß ein anderer als Moseh die Tafeln beschrieben hätte. Nur der Rückgriff auf Vs 1 berechtigt zur Annahme, daß JHWH als Schreibender gemeint ist: „Und JHWH sprach zu Moseh: ‚Haue dir zwei steinerne Tafeln zurecht ... ich werde dann auf die Tafeln die Worte schreiben, die auf den ersten Tafeln standen, die du zerschlagen hast'".

Die Neufassung steht in den langen Versen Ex 34,10–26. Wie aber sind hier die „X Worte", auf die ausdrücklich Vs 28 verwiesen wird, abzugrenzen? Die Pentateuchkritik schreibt den ganzen Abschnitt dem Jahwisten zu, wobei aber quellenhaftes und nicht-quellenhaftes Gut unterschieden wird, die sich ungefähr die Waage halten (vgl. HEXATEUCH-SYNOPSE). Auf Grund der Quellenscheidung wird leider wieder eine literarische Einheit zerschlagen und die Zehnheit der Worte bis zur Unkenntlichkeit zerstört. Sucht man aber den Text ab, wo klar mit l o ' = „nicht" formulierte Verbotssätze und wo ebenso klar erkennbar Gebotssätze stehen, tritt die Zehnheit in der Gliederung IV Verbot + 6 Gebot in Erscheinung. Wie bei dem bereits analysierten Bundesdekalog steht am Anfang die Präambel; ferner werden apodiktische Sätze durch Begründungen mit „denn" (k î) erweitert. Als Sondergut sind die beiden Warnrufe „Hüte dich, daß du nicht ...!" (p ä n, (Vss 12,15–16) zu beachten. – In der folgenden Übersetzung erfassen wir auch den hebräischen Wortbestand, soweit dies für das Erkennen der Struktur notwendig ist. Wir gliedern den Text wieder nach den kleinen Satzfügungen (SFü) auf.

A. PRÄAMBEL (Ex 34,10–11)

Vss	SFü		Wörter
(10)	1. Siehe, ICH schließe den Bund (b^{e}rît)		4
	2. Vor dem ganzen Volke wirke ICH Wunder		5 ⎫
	3. Die noch in keinem Land		⎬ 12
	Und bei keinem Volk geschaffen wurden		7 ⎭
	4a. Und schauen wird alles Volk –		
	5. In dessen Mitte du bist		3
	4b.– Das Wirken JHWHs		6̄
	6. Denn furchterregend ist		3 ⎫
	7. Was ICH mit dir wirke		4 ⎭ 7
(11)	8. *Merke dir wohl*		2 ⎫
	9. Was ICH dir heute gebiete		5 ⎪
	10. Siehe ICH vertreibe vor dir		⎬ 17
	den Ämorî, den Kana‘anî, und den Hittî		⎪
	den Perîzzî, den Hiwwî und den Jebûsî		10 ⎭
	10 SFü		49 Wörter

ZUR STRUKTUR

Die Präambel bringt 10 SFü und kann daher als kleiner Dekalog bezeichnet werden. Das Auftauchen der Zahl 49 im Wortbestand könnte eine Aufgliederung in 7 x 7 vermuten lassen; diese liegt jedoch nicht vor. Die Vers-Einteilung gibt zugleich die Gliederung des Textes an. Vs 10 kündet den Bund und die begleitenden Wunder an, Vs 11 setzt mit dem Ruf „Merke dir wohl!" ein und weist auf die Vertreibung der Völker voraus. Daher die *Aufteilung des Wortbestandes* in: 32 + 17 = 49 Wörter. – *Vs 10* ist also nach dem Modell der „32 wunderbaren Wege der Weisheit" durchkomponiert. Die Teilwerte lassen sich unschwer an den Randzahlen kontrollieren. Daher die Bauformel zunächst in der Reihenfolge des Textes: 4 + *12* + *3* + 6 + 7, gibt dann 3 + 7 + 12 + X = *22* + X = *32*.

ERKLÄRUNG

In der Präambel stellt sich der Gesetzgeber vor und gibt zugleich die Gründe an, warum gerade er berechtigt ist, einen Bund zu schließen, d. h. ein Gesetz zu geben. Daher dominiert im Text das ICH JHWHs. Sein Angebot ist auch hier ein Zukunftsentwurf. Vs 10 spricht allgemein vom wunderwirkenden Gott; solche Wunder kann ein Mensch nicht vollbringen; daher wird hier das Gott allein vorbehaltene Verbum b a r a ' , „erschaffen", verwendet (SFü 3). Durch diesen Text wird der von uns schon ausgesprochene Gedanke bestätigt, daß Bund gleich Neuschöpfung ist! – In Vs 11 wird das gewaltige Wirken JHWHs mitten in die Geschichte hineingestellt. Die Vertreibung der vorisraelitischen Bevölkerung wird als Wundertat Gottes erklärt.

B. VERBOTSTAFEL (Ex 34,12–17)

Vss	Verbote Wörter		
(12)	*Hüte dich,*		
	daß du nicht gar einen Bund		
	mit dem Bewohner des Landes schließest,		
	in das du hinaufkommst!	11!	
	Sonst wird er mitten unter dir gar noch zur Falle.	4	
(13)	Ihr sollt daher seine Altäre zerschlagen,		
	seine Steinmale zerbrechen,		
	und seine Ascheren zerhauen!	10!	21
(14)	I. *Denn du sollst nicht einen anderen Gott anbeten!*	V!	
	Denn „Eiferer" ist JHWHs Name,		
	ein Eiferer-Gott ist er!	7	

(15)	*Daß du nicht gar einen Bund mit dem Bewohner*		
	des Landes schließest!	5!	
	Sie huren hinter ihren Göttern her		
	und opfern ihren Göttern.		
	Man ladet dich ein,		
	und du ißt von ihrem Opfer.	9	
(16)	Du nimmst ihre Töchter für deine Söhne		21
	ihre Töchter huren ihren Göttern nach		
	und verführen deine Söhne, ihren Göttern nachzuhuren.	12	
(17)	II. *Du sollst dir nicht Götter-Gußbilder machen!*	V!	

$$68 = 26 + 42$$

ZUR STRUKTUR

Der Bauplan ist sehr einfach und übersichtlich. Es liegen folgende Bauelemente vor:
a) zwei Verbotsätze mit l o' = „nicht" (Vss 14a.17) – b) zwei Warnsätze mit p ä n =
„nicht gar!" (12 abc; wörtlich wiederholt in Vs 15a) – c) drei Folgerungen und
Begründungen. – Den Wortbestand haben wir dementsprechend am Rand vermerkt. Das Ergebnis wirkt alarmierend! Die beiden Verbotsätze (nicht!) ergeben
mit den beiden Warnsätzen (nicht gar!) 26 Wörter, also das Siegel des Gottesnamens
JHWH. Hebt man den wörtlich wiederholten Satz „daß du nicht gar ..." (Vs 15a)
eigens aus, erhält man: 26 – 5 = 21, also den schon bekannten Zahlenwert für den im
brennenden Dornbusch geoffenbarten Gottesnamen ÄHJH. – Derselbe Wert 21
tritt in den Folgerungen und Erweiterungen sogar zweimal in Sicht. Die Zäsur wird
durch die Wiederholung des Satzes (15a) markiert. Man könnte also den Text auf folgende Formel bringen: 21 + 26 + 21 = ÄHJH + JHWH + ÄHJH. Auf Grund der Textstruktur könnte man weiters folgern, daß das Gesetz jener brennende Dornbusch ist,
der brennt und nicht verbrennt. Damit haben wir für die Erklärung schon viel gewonnen. – Diese Verbotstafel bringt zwar 4 Verbotsätze, aber Verbote in der Art des
Bundesschließungs-Dekalogs „du sollst nicht!" (l o') liegen nur II vor (Vss 14 und
17); alles andere könnte man als Kommentar bezeichnen.

ERKLÄRUNG

1) Die Warnung:

Den Ausdruck „Bund schließen" (k a r a t b e r î t) haben wir in unseren bisherigen Untersuchungen immer in bezug auf Gott untersucht, und dabei festgestellt, daß die Initiative von Gott ausgeht. Die gleiche Struktur liegt auch hier vor. Wie schon der Abfall zum Stierkult am Sinai zeigte, stand Israel im Laufe seiner Geschichte stets in der Gefahr, in den Sog der kanaanäischen Götter und Kulte zu geraten. Diese waren für Israel Einladung und Falle (m ô q e š) zugleich. Was konkret darunter zu verstehen ist, wird in der zweiten Begründung näher beschrieben: die Versuchung zur Interkommunion im Kult (Vs 15) und das Inter-Connubium (Mischehe) im praktischen Leben. Das ganze Treiben ist aber ein Geschehen, wodurch JHWH persönlich getroffen wird; daher der harte Ausdruck „huren" (z a n a h). Dies setzt voraus, daß der Bund am Sinai als personaler Ehebund zwischen JHWH und seinem Volk verstanden wird. Abfall zu den Göttern ist daher gleichbedeutend mit religiösem Ehebruch.

Um diese Gefahr zu bannen, wird nicht etwa zu einem religiösen Dialog mit den heidnischen Umweltreligionen aufgerufen, sondern der Vernichtungskampf angesagt: die heidnischen Altäre zerschlagen, die Steinmale zerbrechen und die hölzernen Kultpfähle (a š e r a h) zerhauen (Vs 13). Der zornige Moseh, der das goldene Stierkalb zerschlug, steht als Vorbild hinter diesen Vernichtungsbefehlen. Oder ist es JHWH selbst? Warum wird gerade in diesem Zusammenhang zweimal auf seinen Namen „Eiferer" (q a n n a ') verwiesen? Zweimal sicher in Analogie zur Namensoffenbarung im brennenden Dornbusch! Wir haben schon bei der Erklärung des IV. Verbotes (Seite 200) darauf verwiesen, daß „eifern" im hebräischen keine negative Bedeutung hat, sondern im positiven Sinn Ausdruck für leidenschaftliche Liebe sein kann. Daß JHWH keinen anderen Gott neben sich dulden kann, folgt notwendig aus der Tatsache seiner Einheit und Einzigkeit. Wer den Gottesglauben ernst nimmt, muß mit innerer Notwendigkeit gegen alles antreten, was diesen Glauben in Frage stellt. Die Methoden des Kampfes „für den *Einen* Gott und wider die Götter" mögen sich ändern. Zeiten unerbittlichen Ausrottungskampfes können von Zeiten friedlichen Dialoges abgelöst werden (NB.: Auch innerhalb der alttestamentlichen Geschichte! Vgl. Weisheitsbücher mit Übernahme ägyptischen und hellenistischen Kulturgutes), aber am Beginn des mosaischen Monotheismus steht nun einmal die Vernichtungsansage (h ä r ä m) gegen die heidnischen Götter und die heidnischen Völker.

2) Die Verbote:

„Du sollst nicht einen anderen Gott anbeten" (Vs 14) entspricht dem I. Verbot des Bundesschluß-Dekalogs, doch mit dem Unterschied, daß hier Gott (El) in der Einzahl, dort in der Mehrzahl Götter (Elohîm) verwendet wird. – „Du sollst dir nicht ein Götter-Gußbild machen!" entspricht dem II. Verbot „Du sollst dir kein Götzenbild machen!". Der Unterschied liegt in der Art der Herstellung, hier Gußbild (m a s s e k a h), dort „ein aus Steinen gehauenes, aus Ton geformtes, oder aus Holz geschnitztes Götterbild" (p ä s ä l). – Die Begründung: „denn dein Gott JHWH ist ein eifernder Gott" (19,5b) wird hier anders formuliert, wobei auffällt, daß q a n n a ' „Eiferer", zweimal gesetzt und dadurch in auffallender Weise betont wird. – Die Neuausgabe der zwei Verbote mit ihren Warnrufen wirken fast wie ein Kommentar

zum Bundesschluß-Dekalog. Oder ist der Bundesschluß-Dekalog, der doch P zuge-
schrieben wird, eine auf das Wesentliche geraffte Kurzfassung des neuen Dekalogs,
der doch der Quelle J zugeordnet wird?!

C. GEBOTSTAFEL (Ex 34,18–24)

Vss	Gebote	Wörter	
(18)	1. Du sollst das Fest der ungesäuerten Brote wahren!		
	7 Tage sollst du ungesäuertes Brot essen,		
	was ich dir für die Zeit des Monats Abîb geboten;	13	
	denn im Monat Abîb bist du aus Ägypten gezogen.		5
(19)	2. Mir gehört jeder Durchbruch des Mutterschoßes!		
	Von deinem ganzen Vieh weihe (?)		
	den Durchbruch von Rind und Schaf;		
(20)	doch den Durchbruch des Esels sollst du		
	mit einem Schafe auslösen;		
	Wenn du nicht auslösest, zerbrich ihm das Genick!		
	Du sollst jeden Erstgeborenen deiner Söhne auslösen!		
	und sie sollen vor mir		
	nicht mit leeren Händen erscheinen.	26	
(21)	3. Sechs Tage sollst du dich plagen		
	und am siebenten Tage ruhen,		
	ruhen vom Pflügen und Ernten.	9	
(22)	4. Mach dir das Fest der Wochen,		
	der Erstlinge der Weizenernte,		
	und das Fest der Lese zur Wende des Jahres.	11	
(23)	5. 3mal im Jahre soll deine Mannschaft		
	vor dem Herrn (Gott) JHWH, Israels Gott, erscheinen!	12	
(24)	*Denn* ich vertreibe die Völker vor dir,		
	und mach deine Gebiete weit,		
	so daß keiner dein Land begehrt,		
	wenn du dreimal im Jahr hinaufziehst		
	das Antlitz deines Gottes JHWH zu schauen		21

$$97 = 71 \ + \ 26$$

Verbot/Gebot (Ex 34,25—26)

Vss	Ver-/Gebot	Wörter
(25)	III. *Du sollst das Blut meines Opfers nicht über Gesäuertem vergießen, und vom Opfer des Pesaḥfestes bleibe nichts bis zum Morgen!*	12
(26)	6. Den Anfang der Erstlinge deines Ackers sollst du zum Haus deines Gottes JHWH bringen!	+ 7
	IV. Du sollst nicht das Böcklein in der Milch seiner Mutter kochen!	5
		24

ZUR STRUKTUR

Die Vss 18—24 bringen zusammenhängend 5 positive Gebote, dann folgen II Verbote Vss 25.26c), zwischen die nochmals 1 Gebot eingeschaltet wurde. Im Text liegt also tatsächlich das Modell der „Zehnheit der Worte" vor, geschrieben auf zwei Tafeln. Die 6 Gebote richten sich genau so wie die IV Verbote an ein Du! Das 1. und das 5. Gebot bringen je eine Begründung, eingeleitet mit kî, „denn". Mit Aushebung dieser Begründungen erhalten wir folgenden Wortbestand:

$$
\begin{array}{ll}
\text{1. Maṣṣôt (18)} & 13 + 5 \\
\text{2. Erstgeburt 19—20)} & 26 \\
\text{3. Sabbat (21)} & 9 \\
\text{4. Wochen- und Lesefest (22)} & 11 \\
\text{5. Wallfahrten (23—24)} & 12 + 21 \\
\text{6. Pesaḥ (26ab)} & 7 \\
\hline
& 104 = 78 + 26 = \\
(3 \times 26) + (1 \times 26) = & 4 \times 26
\end{array}
$$

Daraus folgt, daß die Gebotstafel 4mal mit dem Zahlenwert des Namens JHWH (26) versiegelt wurde. Man könnte daher sagen, daß durch Einhalten der Gebote JHWH im Volk gegenwärtig wird! — Fassen wir gleich die Verbotstafel zusammen:

$$
\begin{array}{ll}
\text{I. Kein anderer Gott (12—14)} & \left. 26 \left\{ \begin{array}{l} 16 + 21 \\ 10 + 21 \end{array} \right\} 42 \right. \\
\text{II. Kein Gußbild (15—17)} & \\
\text{III. Pesaḥ (25)} & 17 \left\{ \begin{array}{l} 12 \\ 5 \end{array} \right. \\
\text{IV. Böcklein (26b)} & \\
\hline
& 43 + 42 = 85
\end{array}
$$

Daß die Verbote I und II mit dem Gottesnamen JHWH (26) und dem doppelten ÄHJH versiegelt sind, haben wir schon vermerkt. Die nachgetragenen Verbote III und IV weisen als drittes Siegel den kleinen JHWH-Namen (= 17) auf.

ergo: Es liegt zwar eine Zehnheit von „Worten" vor, die aber total anders geordnet ist als beim Bundesschluß-Dekalog. Dort trat die Zehnheit in den IV + 6 Verboten zutage, die durch II positive Gebote getrennt wurden; hier aber haben wir die Aufteilung in IV Verbote + 6 Gebote! Die Zehnzahl wird festgehalten, Anordnung und Inhalt ist aber verschieden. Daher der Gesamtaufriß:

Präambel: VII + 42
Verbote: 43 + 42
Gebote: 78 + 26
VII + 121 + 110 = VII + 231

Ist es nun berechtigt, in der Präambel den Satz „Merk dir wohl, was ich dir heute gebiete" (... a n o k î m^{e}ṣaww^{e}ka hajjôm) mit VII Wörtern eigens auszuheben? Dies ist doch der einzige Satz mit dem Aufruf zur Gebotsbefolgung! Nun wurde gerade mit dem Wort „Gebot" (m iṣwah) der Inhalt der steinernen Tafeln zusammengefaßt: „Steige hinauf ... ich gebe dir die steinernen Tafeln, Gesetz und Gebot" (tôrah + miṣwah, 24,12). – Ohne diesen Mahnruf zeigt der Text 231 Wörter, also die Zahl der „Hervorgänge des Wortes", auf die wir schon beim brennenden Dornbusch gestoßen sind, dort in der Aufgliederung des Buchstabenbestandes in 22 + 231, hier in der Aufgliederung des Wortbestandes in VII + 231. Man kann sich des Eindruckes nicht erwehren, daß auch in der Textform der Zweitfassung des Dekalogs dieselbe Mystik der „Hervorgänge des Wortes" zu Grunde liegt, wie dies beim brennenden Dornbusch der Fall ist. Vom neutestamentlichen Standpunkt aus könnte man es wagen zu formulieren: Das Wort Gottes ist im Gesetz Fleisch geworden!, oder anders: Durch die Erfüllung der Gebote wird Gott gegenwärtig und sein Reich aufgerichtet.

NB.: Wir begnügen uns mit diesem Gesamtaufriß. Um die weiteren Feinheiten der Architektur des Textes kennen zu lernen wären noch zusätzliche Arbeitsschritte notwendig, etwa: wieviele Buchstaben bringt der Text (nicht nach den Druckausgaben, sondern nach der Handschrift CodLen)? Wieviele Hauptsätze und wieviele Nebensätze liegen vor? Wieviele und welcher Art werden die Verba, die doch das Baugerüst bilden, verwendet usw.?

ERKLÄRUNG

Es fällt auf, daß weder in den Geboten noch in den Verboten etwas aufscheint, das den „Menschenrechten" der II. Tafel der Erstausgabe des Dekalogs entsprechen würde. Der erneuerte Dekalog bringt nur sakrales „Gottesrecht", daher durchwegs Gebote, die den Kult betreffen. Daß JHWH Herr und König seines Volkes ist, wird in der Feier der Festtage nach außen kund. Das heilige Jahr hat seine drei Höhepunkte in den drei Wallfahrtsfesten. Daher das allgemein formulierte 5. Gebot, 3mal im Jahre vor JHWH zu erscheinen (Vs 23); dann die näheren Bestimmungen für das erste Pilgerfest Ostern (maṣṣôt und pesaḥ, (Vss 24,25). Dagegen werden das 2. und 3. Wallfahrtsfest, also Wochenfest (Pfingsten) und Lesefest (Laubhüttenfest) unter einem einzigen Verbum zusammengefaßt (Vs 22). – Zu diesen Jahresfesten kommt der Sabbat (Vs 21), der den Grundrhythmus des religiösen Lebens bildet. – Vom Festrhythmus unabhängig ist das Gebot, jeweils die Erstlinge von Mensch und Tier (Vss 19–20) sowie die Erstlinge des Ackerbodens (Vs 22 ab) darzubringen.

All diese Gebote, mit Ausnahme des Sabbatgebotes, wachsen sozusagen aus dem „Boden" (a d a m a h), d. i. aus dem Land, „das der Herr dein Gott dir gibt". Da das „Land" eine Gabe JHWHs ist, wird der Gläubige Israelit verpflichtet, diesen seinen

Gott im Rhythmus der Natur, der auch der Rhythmus der Pilgerfeste ist, als Geber aller guten Gaben anzuerkennen. Man wäre versucht, diese Gebote als Norm einer Bauernreligion zu bezeichnen. Die Naturgebundenheit kann sicher nicht weggeleugnet werden. Auch die Kanaanäer hatten ihren Zyklus von Naturfesten, die denen Israels sehr ähnlich sind. Aber gerade beim Vergleich mit Kanaan wird auch der Unterschied zum biblischen Dekalog sichtbar. Der einzige Unterschied liegt eigentlich nur im Gottesglauben. Wenn der eingewanderte Israelit auch Bauer geworden war, so ist geradezu jede Wurzel des Ackerlandes und des Weinberges an JHWH und nicht an die Mächte der Fruchtbarkeitsgötter gebunden. JHWH ist aber Gott der Offenbarung. Wenn also auch die üblichen Naturfeste gefeiert werden, so übersteigen diese Feste bereits den Rahmen der Natur; sie werden zugleich Bekenntnistage der Übernatur. Insofern verwirklicht sich auch in den Festen die „Menschwerdung" Gottes. Offenbarung vollzieht sich nicht im luftleeren Raum, sondern in der vorgegebenen Wirklichkeit des Menschen, hier des erdgebundenen Menschen des „gelobten Landes".

Die Verbote III. und IV. bedürfen noch einiger erklärender Hinweise, da sie schwer verständlich sind. Vs 25 wird in der Echterbibel wie folgt übersetzt: „Du sollst das Blut meiner Schlachtopfer nicht mit Gesäuertem darbringen". Dazu ist zu sagen, daß im Text nicht Mehrzahl „meine Schlachtopfer" sondern Einzahl „mein Schlachtopfer" steht; ferner bezeichnet das Verbum š a ḥ a t nicht „darbringen", sondern „schächten", d. i. durchschneiden des Halses, damit das Blut ausfließen kann. Das Verbot bezieht sich demnach in keiner Weise auf einen Opferritus (Gesäuertes galt als Unrein und konnte nicht geopfert werden), es liegt vielmehr eine Vorschrift für die Schlachtung des Osterlammes vor, daher auch „mein Opfer" genannt. Das Osterlamm darf erst geschlachtet werden, wenn aller Sauerteig entfernt wurde. Wenn weiters verboten wird, vom Osterlamm bis zum Morgen etwas übrig zu lassen, wird dadurch Anfang und Ende der Oster/pesaḥ-Zeit angegeben: nach Entfernung des Sauerteiges bis zum Morgen! Daher ist auch die Übersetzung der Einheitsbibel mißverständlich: „Beim Schlachten sollst du das Blut meines Opfers nicht über gesäuertes Brot fließen lassen, und vom Schlachttier des Paschafestes darf nichts bis zum Morgen liegen bleiben!"

Was soll nun das IV. Verbot: „Du sollst nicht das Böcklein in der Milch seiner Mutter kochen!" (Vs 26c, und wortgleich 23,19b)? – Diesen Satz versteht man wohl nur, wenn man die Volkskunde zu Rate zieht. Schon in einem ugaritischen Gedicht heißt es, daß man ein Böcklein in Milch zubereitete (EB 252, zu Vs 26). Es scheint sich um uraltes Brauchtum zu handeln. – [Auf meinen Wanderfahrten durch Jordanien nahm ich in Ma'an öfters an einem Lammessen teil, das nach altem Beduinenbrauch zubereitet wurde. Das Lamm wurde als ganzes gekocht; damit das Fleisch den typischen Geruch verliere und zart werde, gab man einen faustgroßen Ballen getrockneter Milch in das kochende Wasser (NB.: keine moderne, sondern nach alter Art gewonnene Trockenmilch!)] – Warum wird das Kochen des Lammes in der Milch seiner Mutter verboten? Empfand man dies als ungebührliche Grausamkeit, oder wird damit ein altheidnischer Opferbrauch verboten? – was wahrscheinlich sein dürfte; denn alle anderen Verbote und Gebote beziehen sich doch auf den Kult. Möglicherweise wird hier ein mit dem Frühlingsfest der Hirten (pesaḥ) in Zusammenhang stehender heidnischer Brauch mit dem Bann belegt, wobei ein noch säugendes Muttertier (Ziege oder Schaf) zusammen mit dem Jungtier geschlachtet und verspeist wurde.

SCHLUSSFOLGERUNG

Der jetzt vorliegende Text berichtet, daß „Moseh auf die zwei Tafeln die Worte des Bundes, die X Worte schrieb" (34,28). Unsere Untersuchung hat ergeben, daß diese X Worte tatsächlich im Text klar und unmißverständlich ausgeprägt sind, und zwar in der klassischen Teilung von IV Verboten zu 6 Geboten. Es sind apodiktische Sätze, die sich an ein Du richten. Die 3 Vernichtungsbefehle (Vs 13) ergehen an ein Ihr, und gehören daher nicht zu den eigentlichen Worten.

Erste Tafel	Zweite Tafel
Präambel (34,10–11)	1.–5. Gebot (34,18–24)
I. und II. Verbot (12–17)	III. Verbot (Vs 25)
	6. Gebot (Vs 26a)
	IV. Verbot (Vs 26b)

Diese Teilung erweist sich auch vom Inhalt her als berechtigt; denn die I. Tafel ist *Kampfansage* gegen die Heidnischen Götter und Kulte (bis zur Ausrottung), die II. dagegen *Verkündigung* der neuen Gottes- und Festordnung. Vom Inhalt her wird nun auch verständlich, warum die Verbote III und IV auf der II. Tafel aufscheinen: da sie sich auf den Festritus beziehen.

Einhellig wird dieses Tafelgesetz dem Jahwisten zugeordnet, wobei aber, wie schon erwähnt, quellenhaftes und nicht-quellenhaftes Gut unterschieden wird. Demnach herrscht auch in der Zählung der X Gebote keine Einheitlichkeit (vgl. KAUTZSCH I, 154). Wenn man aber tatsächlich den Jahwisten als Verfasser annimmt, hieße dies, daß bereits in der Blütezeit der davidisch-salomonischen Literatur die Logotechnik bekannt gewesen sein müsse. Dabei müßte man annehmen, daß der ganze Textabschnitt, wie er jetzt vorliegt, aus dieser Zeit stammt. Doch dem widerspricht die Textkritik, die doch annimmt, daß mehrere Hände an der Arbeit waren. Daher wird man wieder in jene Literaturepoche verwiesen, in der der Bibeltext seine jetzige Endgestalt erhielt, also in die Zeit nach der Zerstörung Jerusalems. Daher wird man wohl sagen müssen, daß der jetzige Text aus der Rückperspektive geformt wurde. Inhaltlich liegt aber alttestamentliches Urgestein vor; denn diese X Worte sprechen tatsächlich das *Grundgesetz Israels* aus, das sich auf die zwei Fragen der christlichen Taufe zurückführen ließe: „Widersagst du dem Teufel (den Göttern)?" (I. Tafel), und „Glaubst du an den einen Gott?" (II. Tafel). Beide Tafeln können daher als das unterscheidende Zeichen *(signum distinctivum)* Israels genannt werden. Durch sie wurde Israel nach außen sichtbar von der heidnischen Umwelt ausgesondert und zugleich als Eigentumsvolk JHWHs (s e g u l l a h) erkennbar.

Zehntes Kapitel
DER „GEHÖRNTE" MOSEH (Ex 34,29–35)

Nach vierzig Tagen Fasten und Beten waren die zerbrochenen Tafeln durch neue ersetzt und nochmals mit den Worten des Bundes, den ZEHN Worten, beschrieben worden (34,27–28). Nun würde man erwarten, daß auf Grund dieser neuen Tafeln auch der Bund neu geschlossen würde. Aber es folgt kein Hinweis auf einen solchen zweiten Bundesschluß am Sinai. Der Bund war einmalig im Zeichen des Blutes geschlossen worden, und wurde in dieser Form nicht mehr erneuert; er galt wie die anderen b^{e}rît als ewiger Bund.

Statt des zu erwartenden Bundesschluß-Berichtes folgt der sogenannte Zwischenbericht über den „gehörnten" Moses. Während der vierzig Tage des Sprechens mit Gott auf dem Berg war auch das Wesen Moseh's verändert worden. Er selbst merkte beim Abstieg vom Berg nichts von dieser Wesens-Veränderung. Was war geschehen?

Wir bringen zunächst den Text in der schon geläufigen Gliederung in SFü, die wir der Reihe nach durchzählen. Da den *Infinitivsätzen* im Bauplan eine besondere Rolle zukommt, werden diese im Schriftbild etwas eingerückt und eigens durchgezählt.

Vss	SFü

(29) 1. Es geschah
    I. Beim Hinabsteigen des Moseh vom Berg Sinai
    2. Da (waren) die Tafeln der Begegnung in Moseh's Hand
    II. Bei seinem Herabsteigen vom Berg
    3. Und Moseh wußte nicht
    4. Daß die Haut seines Angesichts strahlte
    III. Von seinem Sprechen mit Ihm

(30) 5. Da schauten Aharon und alle Söhne Israels auf Moseh
    6. Und siehe, die Haut seines Angesichts strahlte
    7. Und sie fürchteten sich
    IV. Vor dem Hineingehen zu ihm

(31) 8. Da rief ihnen Moseh zu
    9. Und Aharon und alle Fürsten der Gemeinde wandten sich zu ihm
    10. Und Moseh sprach zu ihnen

(32) 11. Hierauf näherten sich alle Söhne Israels
    12. Und er gebot ihnen alles
    13. Was JHWH mit ihm auf dem Berg Sinai gesprochen

(33) 14. Als Moseh aufgehört hatte
    V. Mit ihnen zu reden
    15. Gab er die Hülle auf sein Angesicht

(34)   *VI.* Und beim Hineingehen
    VII. Um mit Ihm zu sprechen
    16. Entfernte er die Hülle
    VIII. Bis zu seinem Herausgehen

Vss SFü
_____

17. Und kam er heraus
18. So sprach er zu Israels Söhnen
19. Was ihm geboten worden war

(35) 20. Und Israels Söhne schauten auf das Angesicht Moseh's
21. Denn die Gesichtshaut Moseh's strahlte
22. Da legte Moseh wieder die Hülle auf sein Angesicht
IX. Bis zu seinem Hineingehen
X. Um mit ihm zu sprechen

_____

22 + X = 32 SFü

ZUR STRUKTUR

Der Bericht über den „gehörnten" Moseh (Ex 34,29–35) wird im Kontext klar als selbständige literarische Einheit abgegrenzt: denn die vorausgehenden Vss 34,27–28 spielen noch auf dem Berg Sinai, und in den nachfolgenden ab 35,1 steht Moseh bereits vor der versammelten Gemeinde. Dazwischen wird der Bericht über den vom Berg herunterkommenden und „gehörnten" Moseh eingebaut. Es liegt also eine Einheit von Ort, Zeit und Thema vor. Es ist daher zu vermuten, daß dieser Textabschnitt auch nach einem einheitlichen Bauplan durchkomponiert wurde. Aber wie ihn finden?

Wir haben den Text bereits nach SFü aufgegliedert. Dabei trat die Gesamtsumme von 32 SFü in Sicht. Da weiters X Infinitivsätze klar abzugrenzen sind, gibt dies 22 + X, also die Gliederung des Modells der „32 wunderbaren Wege der Weisheit". Sind aber auch die Teilwerte des Alphabet-Modells (3 + 7 + 12) an der Satzstruktur erkennbar? Die Kraft der Sprache liegt im Verbum. Über das Handeln des Moseh berichten *10* Verba; 3 davon beziehen sich auf die „Hülle", so daß die Gliederung in 3 + 7 vorliegt:

3. Und Moseh wußte nicht
8. Da rief ihnen Moseh zu
10. Und Moseh sprach zu ihnen
12. Und er gebot ihnen alles
14. Als Moseh aufgehört hatte ... 15. Gab er die Hülle auf sein Angesicht
16. Entfernte er die Hülle
17. Und kam er heraus
18. So sprach er zu Israels Söhnen 22. Da legte Moseh wieder die
Hülle auf sein Angesicht

_____

7 SFü   +   3 SFü   =   X

Somit verbleiben noch *12* SFü, die nach dem kosmischen Modell Platos in 3 + 4 + 5 aufgegliedert werden können; denn *3*mal wird von der „Haut seines Angesichtes" berichtet, *4* SFü beziehen sich auf Gesetz, und *5* SFü stehen im Plural.

3 SFü: Die Haut seines Angesichtes strahlte (4. 6. 21.)
4 SFü: 1. Es geschah,
2. Da (waren) die Tafeln der Begegnung in Moseh's Hand
13. Was JHWH mit ihm auf dem Berg gesprochen
19. Was ihm geboten worden war

5 SFü: 5. Da schauten Aharon und alle Söhne Israels auf Moseh
        7. Und sie fürchteten sich
        9. Und Aharon und alle Fürsten der Gemeinde wandten sich zu ihm
     11. Hierauf näherten sich alle Söhne Israels
    20. Und Israels Söhne schauten auf das Angesicht Moseh's

Klarer könnte das Modell der „32 wunderbaren Wege der Weisheit" gar nicht durchkomponiert sein. Die Kriterien für die Teilwerte sind in der Struktur der Sätze vorgegeben.

Die HEXATEUCH-SYNOPSE ordnet den ganzen Abschnitt der Quelle P zu; doch M. NOTH (ATD 5,220) meint: „Trotz einiger Elemente priesterlicher Sprache, die aber leicht als Zusätze ausgeschieden werden können („Aaron", „alle Sprecher in der Gemeinde", „die Tafeln des Zeugnisses"), macht das Stück im ganzen nicht den Eindruck, aus P zu stammen. Aber auch bei J ist es nicht unterzubringen ... Es ist daher wahrscheinlich, daß es sich um eine (mit 33,7–11 vergleichbar) *Sonderüberlieferung* handelt, die vielleicht mit einigen Bemerkungen von J ... verquickt wurde." – Unsere Strukturuntersuchung hat aber gezeigt, daß der vorliegende Text nicht wie ein zufällig gewordenes Konglomerat aus verschiedenen Quellen zusammengefügt wurde, sondern als ein bewußt geplanter, einheitlich geformter Guß wirkt.

ERKLÄRUNG

Man mag unsere Strukturuntersuchung als geistreiche Spielerei abtun; doch verschließt man sich dadurch den Zugang zum „Sitz im Leben" des Textes. Durch das schlichte Gewand einer Erzählung werden die Tiefenschichten der Symbolik in geradezu geballter Form sichtbar: Buchstaben – „Wege der Weisheit" – Namen Gottes – Sonnenjahr – Epochen!

In der Handschrift CodLen finden sich am Schluß von Vs 32 zwei auffallende Punkte; dadurch wird die Erzählung in zwei Abschnitte gegliedert: a) das strahlende Antlitz des Moseh (q a r a n, Vss 29–32), und b) das verhüllte Antlitz des Moseh (m a s w ä h, Vss 33–35). Die beiden hebräischen Wörter kommen nur hier vor. Insofern kann man nach NOTH tatsächlich von einer „Sonderüberlieferung" sprechen. Worin besteht nun diese Besonderheit?

1) Das strahlende Antlitz des Moseh (Ex 34,29–32):

Dieser Text gab den Anlaß, Moseh mit „Hörnern" darzustellen (vgl. den „gehörnten" Moseh von Michelangelo). Woher kommen diese Hörner? Aus der lateinischen Vulgata-Übersetzung! Das zweimalige q a r a n ^{c}ô r p a n a w übersetzt Hieronymus einmal mit q u o d c o r n u t a e s s e t f a c i e s s u a (und Moseh wußte nicht, d a ß s e i n A n g e s i c h t g e h ö r n t w a r, Vs 29 Schluß), das anderemal mit v i d e n t e s ... c o r n u t a m M o y s i f a c i e m (als sie das gehörnte Antlitz des Moseh sahen, Vs 30 b). Mit der Übersetzung c o r n u t a hat Hieronymus den Anklang an das hebräische Wort q a r a n bewahrt und das nur hier vorkommende Wort q a r a n, mit Rückgriff auf das häufiger vorkommende Substantiv q ä r ä n = Horn, cornu, mit „gehörnt" (cornuta) übersetzt. Doch das hebräische Wort ^{c}ô r, „Haut", ließ er unübersetzt. Ein „Gehörnt-Sein" kann man tatsächlich von der Haut nicht aussagen.

Sicher bezeichnet q ä r ä n zwar die Hörner eines Rindes (Ps 69,31), aber gleicherweise auch die „Strahlen der Sonne" oder die „leuchtenden Blitze" (Hiob 3,4). Das Zeitwort q a r a n bedeutet demnach „strahlen" oder „strahlend sein". Der Sinn des Satzes wird dadurch verständlich: „Moseh wußte nicht, daß die Haut seines Angesichts durch das Sprechen mit J(HWH) strahlend geworden war" (Vs 29). Und eben deshalb wagten Aaron und die Israeliten es nicht, zu Moseh hinzugehen (Vs 30).

Der Lichtglanz in Moseh's Antlitz ist Wiederschein oder Abglanz des Antlitzes Gottes selbst: „Denn JHWH sprach zu Moseh Antlitz gegen Antlitz (p a n î m ä l - p a n î m), wie ein Mann zu seinem Freund spricht" (33,11). Der Bericht über das strahlende Antlitz Moseh's weist also zurück auf die Gottesbegegnung im Zelt (33,7—11) und auf die Begegnung auf dem Berg (34,1—26). Nach 40tägigem Fasten war das Antlitz des Moseh ganz durchgeistigt und verklärt. Als Grund der Verklärung wird das Sprechen mit Gott, also das Wort Gottes, angegeben. Zwischen dem Sprechen im Zelt und dem Sprechen auf dem Berg steht aber der Bericht über den Vorübergang JHWHs, der doch zeigt, daß man nicht das „Antlitz" (p a n î m) sondern nur die „Rückseite" (a ḥ o r a j) Gottes sehen könne. Liegt hier nicht ein Widerspruch vor: einerseits „Antlitz zu Antlitz sprechen", andererseits „das Antlitz doch nicht schauen"?

2) Das verhüllte Antlitz des Moseh (34,33—35):

Nachdem Moseh alle Worte JHWHs dem Aaron und den Israeliten verkündet hatte, legte er seine m a s w ä h auf sein Angesicht. Dieses Wort kommt nur hier vor. Es bedeutet einfach „Bedeckung". Manche Erklärer meinen (NOTH, ATD 5, 220), es handle sich um eine Maske; denn P r i e s t e r - M a s k e n seien in der Umwelt des AT wohl bekannt gewesen (Ägypten); mit ihnen nahm der Sprecher „das Gesicht" seiner Gottheit an und identifizierte sich dadurch mit dieser. Hätte Moseh eine Göttermaske genommen, würde dies dem Grundgesetz des Dekalogs widersprochen haben, wonach man von Gott keine Abbildung machen dürfe. Daher kommt „Maske" wohl überhaupt nicht in Betracht.

Denn der Text sagt doch in keiner Weise, daß Moseh mit verhülltem Angesicht zum Volk gesprochen hätte. Als er vom Berg mit strahlendem Angesicht herabkam, und Aaron und die Israeliten es nicht wagten, sich ihm zu nähern, rief er sie doch zu sich hin und teilte ihnen alle Worte und Gebote mit, die er von JHWH auf dem Berg Sinai erhalten hatte. Erst als er „seine Rede mit ihnen vollendet hatte"(Vs 33), gab er die m a s w ä h über sein Gesicht. Hier von einer „Priestermaske" zu sprechen, heißt den Text willkürlich nach einem Wunschdenken zu verdrehen. Moseh verkündet doch strahlenden Antlitzes die Worte Gottes. Erst nach der Verkündigung verhüllte er sein Gesicht.

Man möchte erwarten, daß sich Moseh verhüllte, wenn er „zu Ihm hineinging"; denn bloßen Hauptes vor jemand erscheinen, galt als ehrfurchtslos (NB.: Bedecken des Hauptes auch heute beim Betreten einer Synagoge und beim Lesen der Bibel). Daß Moseh aber unverhüllt vor Gott hintreten durfte, könnte man als Zeichen seiner besonderen Auserwählung deuten. Das Wegnehmen der Verhüllung wäre bildhafte Umschreibung des Satzes: „JHWH redete mit Moseh Antlitz gegen Antlitz, so wie einer mit seinem Freund redet" (33,11). Das Ziel der Erzählung wäre demnach, Moseh als Freund Gottes anschaulich darzustellen. Das strahlende Licht auf seinem Angesicht ist Abglanz des Lichtes Gottes. Wenn Moseh zu Gott hineingeht, und wenn er von Gott kommend das Wort Gottes verkündet, ist keine Hülle auf seinem

Gesicht. Sobald er aber die Worte verkündet hat, legt er die Hülle auf sein Gesicht; denn Gott und sein Wort allein ist wichtig, nicht aber der Mensch Moseh.

NB.: Im spätjüdischen Schrifttum ist das Theologumenon von einer *zweifachen Torah* nachweisbar: die eigentliche, vor Gott aufliegende Torah war mit weißem Feuer geschrieben, die für Menschen lesbare dagegen mit schwarzem Feuer. Die ursprüngliche Torah bestand nur aus dem Namen Gottes; durch die Übermittelung an den Menschen wurde aber der NAME (das Antlitz Gottes) verhüllt; man liest daher nur noch Erzählungen, hinter denen aber der NAME Gottes selbst verborgen steht. — Ob nicht schon in der Erzählung vom strahlenden und verhüllten Antlitz des Moseh der Doppelaspekt der Torah gemeint ist!?

ZUSAMMENFASSUNG UND VORAUSBLICK

Wir haben unseren Untersuchungen den Titel „*Der göttliche Sprachvorgang in Schöpfung und Geschichte*" gegeben. Die Ergebnisse haben aufgezeigt, daß die Bezeichnung *Sprachvorgang* nicht willkürlich an den Text herangetragen wurde; denn das WORT ist es, das die Welt-Schöpfung „am Anfang", so wie auch den Verlauf der Geschichte durch alle Zeiten bestimmt. Die Weltschöpfung haben wir — eine Bezeichnung des Irenäus von Lyon aufgreifend — als „Aussprache Gottes" bezeichnet. Nach Targum Neophyti wurde der Mensch zu einem „sprechenden Lebewesen", aber nicht bloß, damit der Mensch mit dem Menschen rede, sondern vielmehr, damit er das Gespräch mit Gott aufnehme. Der Dialog mit Gott begann am Baum der Erkenntnis, den wir als Baum der Entscheidung für oder wider Gott gedeutet haben. Das Sprechen mit Gott vollzieht sich im Gewissen, ist also ein personaler Vorgang. Nach Targum Neophyti wird der Baum der Erkenntnis bereits mit der Tôrah gleichgesetzt. Die Tôrah selbst findet ihre kürzeste Zusammenfassung in den „Zehn Worten", im Dekalog. Das Befolgen der Tôrah ist daher nichts anderes als Antwort auf das Wort Gottes. Da also der Mensch von seiner Bestimmung her als ANTWORT auf das WORT geschaffen wurde, kann er sich nur durch Hinhören auf das Wort und durch Verwirklichen des Wortes Gottes entfalten. Die Verweigerung der Antwort durch den Menschen führt zu seinem Verfall, zu Untergang und Tod.

Doch auch wenn der Mensch an das *Ende* gekommen ist, bricht Gott den Dialog nicht ab. Am Ende des Menschenweges weist Gott in eine neue, mögliche Zukunft. Die verschiedenen *Bundesschlüsse* sind daher nichts anderes als ein je neuer göttlicher Sprachvorgang. Das neue Wort bricht aus der Spontaneität Gottes hervor. Diese neuen Bundesangebote sind jeweils, wie der Paradiesesbaum, je ein Baum der Erkenntnis und Entscheidung. Wenn der Mensch durch Glauben das angebotene Wort Gott annimmt, öffnet sich ihm die Möglichkeit zu einem neuen Anfang, der einer Neuschöpfung gleichkommt. Somit gründen sowohl der Bund mit Abraham als auch der Bund am Sinai auf das offenbar gewordene Wort Gottes.

Bei der Untersuchung des Namens JHWH sind wir zu der Erkenntnis gekommen, daß es sich, grammatikalisch gesehen, um einen Ingressiv handelt: nicht den ewig SEIENDEN Gott bezeichnet der Name JHWH, sondern den, der jeweils *neu DA IST*, gegenwärtig wird, und sein Wort je neu in die Zeit hineinspricht, also den sich in der Geschichte offenbarenden und die Geschichte bestimmenden Gott.

Der göttliche Sprachvorgang hörte mit dem Sinai-Bund nicht auf. Die „Zehn Worte", die unter Blitz, Donner und Feuer geoffenbart wurden, sind zugleich Feuerzeichen für den am Sinai beginnenden göttlichen Sprachvorgang mit dem Israel der Geschichte. Das Wort Gottes wurde Israel zum Fall und zur Auferstehung. Die Propheten könnten als „Baum der Erkenntnis" bezeichnet werden; im Hören auf ihre Worte hätte Israel den Weg zum Heil gefunden, durch Nicht-Hören ging es aber dem Untergang entgegen.

Die biblische Geschichte wird vielfach als *Heilsgeschichte* zusammengefaßt. Wird nun der Entwurf auf das Heil hin im göttlichen Sprachvorgang erkennbar? Wir haben schon erarbeitet, daß Gott, auch wenn der Mensch bereits an das Ende gelangt ist, nicht aufhört, zu ihm zu sprechen, sondern jeweils durch ein neues Wort die Möglichkeit anbietet, aus dem Unheil heraus den Weg zum Heil zu finden. Gott ist es also, der durch sein je neues Da-Sein und sein Gegenwärtig-Werden das Heil schafft.

Wenn also Weltschöpfung und Geschichte ein göttlicher Sprachvorgang sind, und wenn dabei offenbar wird, daß Gott zu einem je neuen Gegenwärtig-Werden bereit ist, dann öffnet sich die einzig und allein Gott zustehende Möglichkeit dafür, daß das Wort Gottes selbst Menschengestalt annehmen und Fleisch werden könnte. Dem göttlichen Sprachvorgang im Alten Testament schließt sich daher der göttliche Sprachvorgang im Neuen Testament bruchlos an. Wenn also Christus der Logos, das Wort Gottes, ist, kann er auch „Baum der Erkenntnis" genannt werden, an dem sich der göttliche Sprachvorgang in der weiteren Geschichte der Menschheit entscheidet.

Weltschöpfung und Geschichte könnten daher am besten mit dem einen Satz zusammengefaßt werden: „Und das Wort ist Fleisch geworden".

ANHANG

Begegnungszelt und Wohnstatt Gottes
in der Wüste Sinai

Zunächst müssen einige *Vorfragen* geklärt werden.

Es scheint eine doppelte Überlieferung über das „Zelt" vorzuliegen. Schon vor der Errichtung der „Wohnstatt Gottes" (m i š k a n) hatten die Israeliten in der Wüste Sinai ein sakrales Zelt, das den Namen 'o h ä l - m o ᶜ e d, „Begegnungszelt", führte. Hier sprach JHWH „von Angesicht zu Angesicht" (Ex 33,1) oder „von Mund zu Mund" (Num 12,8) mit Moseh. Jeder, der „JHWH befragen" wollte (Ex 33,7), begab sich zum Begegnungszelt, wo Moseh im Namen JHWHs die Auskünfte erteilte. Das Begegnungszelt ist daher zugleich das Zelt der Zusammenkunft von JHWH einerseits und Moseh-Israel andererseits (Ex 29,42; 30,36).

Das heilige Zelt ('o h ä l) stand ursprünglich mitten im Lager Israels. Erst nach dem Abfall zum goldenen Kalb „nahm Moseh das Zelt und schlug es draußen auf, fern von dem Lager, und nannte es Begegnungszelt ('o h ä l - m o ᶜ e d). Und wer JHWH befragen wollte, mußte zu dem Begegnungszelt vor dem Lager hinausgehen. Und wenn Moseh zum Zelt hinausging, stand alles Volk auf und jeder trat in die Türe seines Zeltes, und sie schauten Moseh nach, bis er zum Zelt kam. Und wenn Moseh zum Zelt kam, stieg die Wolkensäule herab und stand an der Tür des Zeltes, und ER redete mit Moseh. Und alles Volk sah die Wolkensäule in der Tür des Zeltes stehen, und alles Volk stand auf und warf sich nieder, ein jeder vor der Tür seines Zeltes, und JHWH redete mit Moseh von Angesicht zu Angesicht, wie einer zu seinem Freund redet. Dann kehrte er (Moseh) in das Lager zurück; doch sein Diener Jehôšûaᶜ bin-Nûn, der Knabe, wich nicht vom Zelt" (Ex 33,7–11).

Daß nun das wandernde Israel in der Wüste ein solches sakrales Zelt gehabt habe, überrascht insofern nicht, als auch die altarabischen Beduinenstämme jeweils ein heiliges Zelt mit sich führten (ausführlicher R. DE VAUX: *Das AT und seine Lebensordnungen* II (1962), 116 f).

Doch zu diesem „Zelt" ('o h ä l) kommt nun als Neues die „Wohnstatt" (m i š k a n) Gottes. Der auffallendste Unterschied zwischen beiden liegt darin, daß JHWH nur zu gewissen Zeitpunkten an die Tür des „Zeltes" herabstieg, während er aber im m i š k a n dauernd gegenwärtig war. Bei der Einweihung der „Wohnstatt Gottes" am 1. Tag des I. Monats des 2. Jahres des Auszuges (Ex 40,17) nahm JHWH von seiner Wohnung Besitz. Die Wolke bleibt nun dauernd mit der „Wohnstatt" verbunden. Sie entspricht der Wolken- und Feuer-Säule beim Auszug aus Ägypten; daher übernimmt sie von nun an die Führung auf dem Zug durch die Wüste. Wenn sie sich von der „Wohnstatt" erhebt, brechen auch die Israeliten ihr Lager ab und wandern mit JHWH bis zum nächsten Lager (Ex 40,36 ff; Num 9,15–23). JHWH hat also mitten unter seinem Volk seine Wohnung aufgeschlagen (Num 2,2.17; Ex 25,8). Weil nun JHWH selbst inmitten seines Volkes wohnt, muß Israel „ein heiliges Volk" sein (Num 5,3).

Für den Bau der „Wohnstatt" (m i š k a n) hatte Moseh immerhin 9 Monate Zeit; denn nach altjüdischer Überlieferung fand die Offenbarung der Torah am Pfingstfest, im III. Monat, statt. Die Einweihung wird auf den I. Monat des nachfolgenden Jahres datiert. Der Bauplan wurde zielbewußt vorbereitet. Zuerst schaute Moseh auf dem Berg das Modell (t a b n î t), das ihm von JHWH gezeigt wurde (Ex 25–31); nach diesem geschauten Plan führte er dann den Bau durch (Ex 35–40). Moseh schaute also die zu errichtende „Wohnstatt" nicht bloß in groben Umrissen, sondern nach genauen, teilweise in Zahlen ausgedrückten „Bauanweisungen"! Hierfür verwendet der hebräische Text das Wort t a b n î t, abgeleitet vom Verbum b a n a h, „bauen"; daher mit „Bauplan" oder „Modell" zu übersetzen (Ex 25,9.40).

Wenn man jedoch beginnt, die Pläne nach den Angaben nachzuzeichnen, stößt man auf große Schwierigkeiten. Meist wird angenommen, die Zahlenangaben seien unvollständig, in der Wüste Sinai habe man unmöglich einen solchen Bau mit all den kostbaren Geräten aufführen können. Der Text über die Planung und über die Ausführung des Baues wird allgemein der Quelle P, d. i. der Priesterschrift zugeordnet, die in das babylonische Exil, also in die Zeit des Propheten Ezechiel weist. Nun hat Ezechiel einen grandiosen Bauplan für den neuen Tempel in Jerusalem entworfen (Ez 40–47). Analoges könnte ja auch für den Bauplan der „Wohnstatt Gottes" am Sinai gelten. Daher sagt R. DE VAUX: „In dieser Beschreibung ist offensichtlich ein Großteil Ideal" (l.c. 116). – BEER/GALLING meint sogar, die „Stiftshütte" sei nur ein „Produkt der Phantasie" (Reallex 135). Was soll man dazu sagen?

Jedenfalls hat Moseh am Sinai den neuen Bund (zw. JHWH und Israel) geschlossen, und dabei auch den Kult neu geordnet. Das Begegnungszelt war aber nicht für Kulthandlungen, sondern für die Befragung JHWHs da. Daher war die Errichtung einer neuen „Wohnstatt Gottes" mit dem dazugehörenden Opferkult eine Selbstverständlichkeit. Nicht so selbstverständlich dürfte es aber sein, daß die „Wohnstatt" am Sinai schon so prunkvoll ausgestattet gewesen sein soll, wie es die Priesterschrift schildert. Ist etwa tatsächlich das Gotteshaus in der Wüste im Laufe von mehr als 500 Jahren – Moseh um 1200 v. Chr., Priesterschrift um 500 v. Chr. – in das Licht der Verklärung gehoben worden? Wenn man fragt, worin diese „Verklärung" bestanden haben soll, wird man auf die Zahlen des Bauplanes verwiesen. Zahlen sprechen ihre eigene, oft klarere Sprache als bloße Worte. Zur Analogie verweisen wir auf den Sintflut-Bericht. Wie wir dort ausgeführt haben (Seite 111), wurde die Flut in den Raster eines ganzen Jahres eingebaut, um so die Allgemeinheit der Sünde und des Gerichtes Gottes auszudrücken. Sollte etwa durch die Zahlenangaben für den Bau des m i š k a n der irdische/geschichtliche Rahmen gesprengt werden? Es könnte sein, daß auch hier kosmische Maße vorkommen, die aufzeigen sollten, daß die eigentliche Wohnstatt Gottes der ganze Kosmos sei.

Im folgenden beschränken wir uns auf den Bauplan des m i š k a n, näherhin auf die Holzstruktur und die vier darübergebreiteten Zeltplanen. Als erstes bringen wir den Text für die Holzkonstruktion, also für die festgefügten Bauelemente.

EXODUS 26,15–30 (= 36,20–34)

Vss	HS		HS
(15)	1. Und mache Bretter für die Wohnung		
	Aus Akazienholz, stehend,		
(16)	2. 10 Ellen die Länge des Brettes		
	3. Und 1 1/2 Ellen die Breite des einzelnen Brettes		5
(17)	4. 2 Hände (Zapfen) für die einzelnen Bretter		
	Eine neben die andere eingefügt		
	5. So sollst du es mit allen Brettern der Wohnung machen		
(18)	6. Und mach die Bretter der Wohnung (so):		
	7. 20 Bretter an die *Südseite* Teman-wärts		
(19)	8. 40 Sockel aus Silber mache unter die 20 Bretter		5
	9. 2 Sockel unter dem einen Brett für die 2 Zapfen		
	10. 2 Sockel unter dem anderen Brett für seine 2 Zapfen		
(20)	11. Und für die zweite Seite der Wohnung, nach *Norden*		
	20 Bretter		
(21)	Und 40 Sockel aus Silber		3
	12. 2 Sockel unter dem einen Brett		
	13. Und 2 Sockel unter dem anderen Brett		
(22)	14. Und für die *Rückseite* der Wohnung *meerwärts*		
	Mache 6 Bretter		
(23)	15. Und 2 Bretter mache an den Schnittpunkten der Wohnung		
	An der Rückseite		
(24)	16. Und sie seien Zwillinge von unten her		
	17. Und zugleich seien sie vollständig auf sein Haupt hin		
	Zu einem einzigen Ring		10
	18. So soll es für die zwei sein		
	19. Für die zwei Schnittpunkte sollen sie sein		
(25)	20. Es sollen 8 Bretter sein		
	21. Und ihre Sockel aus Silber sollen 16 Sockel sein		
	22. 2 Sockel unter dem einen Brett		
	23. Und 2 Sockel unter dem anderen Brett.		
(26)	24. Und mache *Riegel* (Querlatten) aus Akazienholz		
	25. 5 für die Bretter der einen Seite der Wohnung		
(27)	26. Und 5 Riegel für die Bretter der anderen Seite der Wohnung		
	27. Und 5 Riegel für die Bretter der Seite der Wohnung westwärts		5
(28)	28. Und der mittlere Riegel in der Mitte der Bretter		
	Sei ein Verriegler vom einen Ende zum anderen		
(29)	29. Und verschale die Bretter mit *Gold*		
	30. Und ihre Ringe mache aus Gold als Häuser für die Riegel		
(30)	31. Und die Riegel verschale mit Gold		4
	32. Und stelle die Wohnung auf nach dem Entwurf		
	Den du auf dem Berg erschaut hast.		

NB.: Wir vermerken nur, daß der Abschnitt über die festen Bauelemente genau 32 HS bringt, und somit auf das Modell der „32 wunderbaren Wege der Weisheit" weist.

I. Die Holzkonstruktion

Der Text bezeichnet den Zentralbau mit dem Wort m i š k a n , das gewöhnlich mit „Zelt" übersetzt wird. Es handelt sich aber um ein Zelt ganz eigener Art: es ist nicht aus Zeltplanen und Stangen gefügt; das tragende Element sind 3 Mauern aus Holzbrettern, über die dann die Zeltplanen gespannt wurden. Sowohl für den Holzbau als auch für die Zeltplanen bringt der Text genaue Zahlenangaben, die sich zu einer klar überschaubaren Skizze zusammenfassen lassen.

1) Die Bretter oder Säulen (Ex 26,15–30; 36,20–34):

Das Grundelement des Baues sind die q ^{e} r a š î m , was mit „Balken, Bohlen" oder einfach „Bretter"·übersetzt wird, aus Akazienholz in der Länge von 10 Ellen und einer Breite von 1 1/2 Ellen. Die Dicke wird leider nicht angegeben. Man möchte meinen, daß diese Balken/Bretter wie bei alten Blockhäusern horizontal übereinandergelegt wurden; sie werden aber „aufrechtstehend" (^{c} o m ^{e} d î m) , also „Steher" genannt. Manche denken an ein Rahmengerüst – aber auch das stimmt wohl nicht. Vielmehr sind die stehenden Bretter aufgerichtet aneinander gereiht, sodaß sie eine festgefügte Mauer aus Holz bilden. Philo hat in seinem Buch *Vita Mosis* II (III), 78 ff, die Angaben der Bibel aufgenommen und genau präzisiert: „Er ließ zwischen ihnen keinen Raum, sondern fügte sie dicht aneinander und verband sie miteinander, damit das Ganze wie eine Mauer erscheine." – Diese Mauer umschloß die Nord-, Süd- und Westseite, ließ aber die Ostseite offen. Dementsprechend kommen auf die Süd- und die Nordseite je 20, auf die Westseite 8 q ^{e} r a š î m , was 48 „Steher" ergeben würde. Da aber an der Westseite die beiden Eckbretter eigens ausgehoben werden (26,23), und daher nach Philo „nicht in Erscheinung treten", also „unsichtbar" *(aphaneis)* bleiben, müßten 46 sichtbare Bretter gezählt werden. Die drei Verse über diese Eckbretter (Ex 26,23–25) bringen für die Übersetzung und Deutung so viele Probleme als Wörter vorhanden sind. Wir können darauf hier nicht näher eingehen, stellen aber eines fest: daß den beiden Eckbrettern an der Westseite im Baugefüge eine besondere Ausnahmestellung zugeordnet wird.

Zu den 46 „sichtbaren", stehenden Brettern kommen noch die 4 Säulen (^{c} a m m û d î m) für den Vorhang zum Allerheiligsten (26,32) und die 5 Säulen (^{c} ammûdîm) für den äußeren Eingang (26, 37). Im ganzen gibt dies (20 + 6 + 20) + 4 + 5 = 55 festgefügte Bauglieder. Aus dieser Tatsache folgert Philo: „So hatte das Zelt (m i š k a n) ohne die beiden Nicht-Sichtbaren in den Ecken insgesamt 55 sichtbare Säulen, d. i. die Summe der Zahlen von 1 bis zur Zahl der höchsten Vollkommenheit, der Zehn" (*Vita Mosis* II (III), 79). – Die Zahl 10 und noch mehr die Zahl 55 erhält ihren Charakter der „Allvollkommenheit" *(panteleia)* dadurch, daß sie nichts anderes ist als die Entfaltung der den Kosmos gestaltenden und tragenden Zahl Vier: „Denn alles ist in der Vierheit enthalten: 1. Punkt – 2. Linie – 3. Fläche – 4. feste Körper, die Maße für das ganze All" (l.c. 115).

Das Urbild für den Plan der festgefügten „Steher" ist also in der Struktur des Kosmos vorgegeben. Das Bauen des Zeltes war demnach ein Nachformen des Kosmos, das Wohnen Gottes im m i š k a n ein Nachbild des *Wohnens Gottes* über der *Vierheit des Kosmos*, ja geradezu eine Nachformung des vierbuchstabigen Gottesnamens JHWH.

Da die Zahlen von 1 bis 4 „die besten Akkorde der Musik bilden: die Quart in dem Tonverhältnis 4 : 3, die Quint in dem von 3 : 2, die Oktav in dem von 2 : 1 und die doppelte Oktav in dem von 4 : 1" (l.c. 115), wird ein Bauwerk, das nach diesen Maßen entworfen wurde, zugleich zu einem klingenden Organon, das Gottes Lob verkündet. Der m i š k a n könnte daher als klingendes Musikinstrument in der Vierheit des Kosmos bezeichnet werden.

2) Die Fußgestelle:

Die hölzernen „Steher" wurden nicht unmittelbar im Boden versenkt, sondern vielmehr auf silbernen, bzw. kupfernen Sockeln (’ä d ä n , pl. ’ᵃ d a n î m) mit ihren Holzzapfen verankert. In welcher Art diese Sockel geformt waren, wird nicht gesagt; jedenfalls hatten die einzelnen ein Gewicht von einem k i k k a r = Talent, ungefähr 34 kg (Ex 38,27). Die Steher der Holzwände hatten je zwei Sockel, also 40 auf der Süd- und 40 auf der Nordseite, und 16 auf der Westseite; weiters je ein Sockel für die 4 Säulen vor dem Vorhang (36,24.26.30.46). Dies gibt zusammen 100 Sockel, und zwar aus Silber. Dazu kommen noch die 5 Sockel für die Säulen am Eingang, diesmal aus Kupfer (36,38). Die Gesamtzahl der Sockel ergibt demnach 105. – Mathematisch gesehen, ist die Zahl 105 die Summe der arithmetischen Reihe von 1–14.

3) Die Riegel (bᵉriḥim):

Um stehen zu können, brauchten die „Steher" eine feste Verriegelung untereinander. Das hebräische Wort kann auch Riegel an Türen und Toren bezeichnen. In der Einheitsübersetzung wird es mit „Querlatte" verdeutlicht. Den Reifen eines Fasses vergleichbar, werden 5 Reihen solcher Querlatten um die ganze Holzwand herumgelegt, also 5 auf jeder der drei Seiten. Die mittlere Querlatte sollte in die Mitte der Bretter zu liegen kommen. Diese Querlatten wurden von Goldringen (36,34) gehalten, von wievielen, wird nicht angegeben. – Wenn wir nun die feststehenden Bauteile zusammenfassen, erhalten wir:

	„Steher		Sockel		Riegel		Bauteile
Südwand	20	+	40	+	5	=	65
Nordwand	20	+	40	+	5	=	65
Westwand	8	+	16	+	5	=	29
Vorhang	4	+	4	–		=	8
Eingang	5	+	5	–		=	10
	57	+	105	+	15	=	177

Die Gesamtsumme: 177 Bauteile, könnte als Hinweis auf ein halbes Mondjahr (354 : 2 = 177) verstanden werden.

Aufgrund dieser im Text vorgegebenen Zahlenangaben legt sich die Vermutung nahe, daß die Zahlen für die festen Bauteile der Wohnung so ausgewählt und geplant wurden, daß sie in ihrer Gesamtheit eine neue Aussage bringen: das Bauwerk aus festgefügten Elementen weist auf den sich ändernden, aber trotzdem festgefügten Wandel der Zeit, wie er im Kalender erfaßt wird. Der Hinweis auf Zeitenlauf und Himmelskreis verstärkt sich noch, wenn wir die Angaben der Maße in Ellen zusammenrechnen.

4) Maßangaben:

Bisher haben wir nur die Zahlenangaben für die einzelnen Bauelemente erfaßt. Nun aber bringt Ex 26,15—16 Angaben in Ellen:

> „Und mache q^{e}rašîm für die Wohnung
> Aus Akazienholz, stehend
> 10 Ellen die Länge (Höhe) des qäräš
> Und 1 1/2 Ellen die Breite ..." (Ausführung Ex 36,20—21)

Die Dicke oder Tiefe wird leider nicht angegeben. Da die „Steher" dicht aneinander anschlossen, ohne Zwischenraum, braucht man nur die Breite der 48 „Steher" zusammenzurechnen, und erhält so die gesamte Länge der Holzwand:

Südseite: 20 Steher à 1 1/2 Ellen = 30 Ellen
Nordseite: 20 Steher à 1 1/2 Ellen = 30 Ellen
Westseite: 8 Steher à 1 1/2 Ellen = 12 Ellen
_____
              48 Steher à 1 1/2 Ellen = 72 Ellen

An der Tatsache , daß der Umfang der Holzwand 72 Ellen mißt, ist nicht zu rütteln. Damit stoßen wir wieder auf eine vielverwendete Symbolzahl, die auf die Einteilung des Himmelskreises weist (5 x 72 = 360°). Die durch die Steher abgegrenzte Fläche beträgt demnach 30 x 12 = 360 E². Die Grundfläche des m i š k a n entspricht also dem Himmelskreis mit seinen 360°. Da die Höhe mit 10 Ellen angegeben ist, umfaßt der m i š k a n einen Raum von 30 x 12 x 10 = 3.600 Ellen³, also nochmals die Betonung der Grade/der Zahl des Himmelskreises.

Ergo:

Das Grundmaß all dieser oben gewonnenen Werte ist die Zahl 12, die Zahl der Monate, Tierkreiszeichen, Stämme Israels usw., einfachhin das Maß des Himmelskreises. Moseh schaute doch zuerst das Baumodell = t a b n î t , als er auf dem Berg war, und baute dem entsprechend das Heiligtum. Der irdische Bau ist demnach Abbild des himmlischen Urbildes. Das von Moseh geschaute Urbild war keineswegs eine Vision; er brauchte nur zum Himmel aufzublicken! Der m i š k a n ist demnach ein Kosmos im Kleinen.

Nun ist es doch bemerkenswert, daß Moseh den Auftrag erhielt, das Heiligtum am 1. Tag des I. Monats einzuweihen. Dadurch wurde unmißverständlich die Verbindung des m i š k a n mit Jahresbeginn, Zeitenlauf und Kosmos hergestellt. Man könnte den m i š k a n geradezu als Neujahrstempel bezeichnen. Der Zeitraum vom Auszug aus Ägypten bis zu seiner Errichtung umspannte genau ein ganzes Jahr.

Der babylonische Turm, der den Namen e - t e m e n - a n - k i , „Haus der Grundfesten von Himmel und Erde", trug, könnte als Vergleich beigezogen werden. Hier wurde doch auch ein Neujahrsfest (a k i t u) gefeiert. Das Grundmaß des Turmes betrug 4 x 90 = 360 E² (E. UNGER: *Babylon, die hl. Stadt der Babylonier.* (1931) Maßangaben S. 195). Ferner hatten die Brahmanen jedes Jahr den Neujahrsaltar aus 360 Ziegeln zu bauen. Diese religionsgeschichtlichen Hinweise können immerhin zeigen, daß die Art des Heiligtumes am Sinai keineswegs ein isoliertes Phänomen darstellt, vielmehr treten Verbindungen in Sicht, die bislang zu wenig beachtet wurden. — Das Heiligtum auf Erden muß Abbild des Himmels sein — dies sowohl in den kosmischen Ausmaßen — daher das Modell der Allvollkommenheit in der Zahl der 55 Steher — wie auch bei den Maßen für den Zeitenablauf und den Himmelskreis, ausgedrückt in den 360 E² Flächenmaß und den 3.600 E³ Raummaß.

II. Die Zeltdecken

Über die aus Brettern aufgerichtete Holzwand in Rechteck-Form wurden in vierfacher Lage Decken gebreitet. Daß diese durch Pflöcke und Stricke am Boden verankert wurden, wird nicht im Text des Bauplanes selbst, sondern im Spendenaufruf (Ex 35,18) und bei den Transportanweisungen (Num 4,32) erwähnt. Für die unterste und kostbarste Decke aus Byssus und die darübergelegte aus Ziegenhaaren werden genaue Maße angegeben.

1) Die innerste Decke aus Byssus

(Bauplan Ex 26,1−6; Ausführung Ex 36,8−13):
Für die Herstellung der innersten Decke wurden die Künstler zur Mitarbeit aufgerufen (36,8). Diese innere Decke war ja für das Auge sichtbar und bestimmte das Aussehen des Innenraumes: „(Für die Bedeckung) des m i š k a n sollst du 10 Zeltbahnen herstellen, aus gezwirntem Byssus, blauem und rotem Purpur und Karmesin, mit Keruben darauf". Dann folgen die Angaben für die Maße: eine Zeltbahn soll 28 Ellen lang und 4 Ellen breit sein; je 5 Zeltbahnen wurden mittels 100 Schleifen und 50 Haken zu je einem Großstück zusammengefaßt und beide dann über die aufgerichtete Holzwand nebeneinander gelegt. Die beiden Großstücke geben daher eine gemeinsame Länge von 10 x 4 = 40 Ellen. Der m i š k a n hatte aber eine Länge von bloß 30 Ellen; die Decke hatte demnach eine Überlänge von 10 Ellen. Ob nun je 5 Ellen im Westen und je 5 Ellen im Osten, oder alle 10 Ellen im Westen überhingen, wird nicht gesagt. Mit Sicherheit kann man aber die Fläche der Groß-Decke errechnen: $28 \times 40 = 1120 \, E^2$. Soll dies ein Hinweis auf den doppelten Gottesnamen JHWH-Elohîm (26 + 86 = 112) sein?

2) Die Decke aus Ziegenhaaren

(Bauplan: Ex 26,7−13; Ausführung 36,14−18):
Statt 10 werden hier 11 Bahnen benötigt. Das Maß der einzelnen Bahnen ist: 30 Ellen lang und 4 Ellen breit. 5 Bahnen wurden zum einen, und 6 Bahnen zum anderen Großstück durch 100 Schleifen und 50 Haken zusammengefügt und so nebeneinander auf die erste Decke gelegt. Diese beiden Großstücke geben daher zusammen eine Länge von 11 x 4 = 44 Ellen. Da der m i š k a n 30 Ellen Länge maß, hatte die Ziegenhaar-Decke einen Längenüberschuß von 14 Ellen. Hier wird nun eigens angeführt, daß die Hälfte des Überschusses, also 7 Ellen an der Westseite herabhängen sollen (26,12); das gleiche müßte auch für die Ostseite gelten, was aber nicht eigens angeführt ist. Mit Sicherheit kann man auch hier wieder das Flächenmaß errechnen: $30 \times 44 = 1320 \, E^2$. Diese Summe läßt sich in 12 x 110 aufschlüsseln, und weiterhin in 24 x 55. Auf die Zahl 55 stießen wir schon bei der Holzkonstruktion. Ist also die Tetraktys auch der Richtwert für die Decke aus Ziegenhaaren?!
Für die beiden Decken aus Widderfellen und Tachaschleder sind keine Maße angegeben. Ob diese vielleicht nur bei Schlechtwetter verwendet wurden, wird nirgends gesagt. Für die Symbolik ist aber die Tatsache wichtig, daß über die Holzkonstruktion, die selbst schon nach der Vierheit des Kosmos ausgerichtet war, nun genau 4 Decken gebreitet werden. Wird damit die kosmische Vierheit nochmals betont?! Die Priesterfamilie Merari, die mit dem Transport des m i š k a n betraut war, hatte 4 Wagen und 8 Rinder zur Verfügung. Dadurch wird die Vierheit nochmals hervorgehoben (Num 7,8).

Wir vermuten daher, daß der Verfasser der Priesterschrift tatsächlich die von Moseh in der Wüste errichtete Gotteswohnung schildern wollte. Er begnügte sich aber nicht mit irdischen Maßen, sondern wählte vielmehr einen kosmischen Bauplan, um dadurch zu zeigen, daß Gott sich nicht in einem von Menschen erbauten Tempel einschließen lasse; denn Sein Thron ist der Himmel über dem gesamten Kosmos. Man könnte daraus schließen, daß die Zahlen keine rein bautechnische sondern eine theologische Funktion haben, ähnlich wie die Zahlen im Sintflutbericht. [Siehe *Anm.*!]

Anm.: Um aufzuzeigen, wie stark die Rekonstruktionsversuche voneinander abweichen, verweisen wir auf die Abbildungen in zwei Lexika: *Biblisch-historisches Handwörterbuch,* hgg. von Bo REICKE und L. ROST, unter dem Stichwort „Stiftshütte", III. Bd (1966), S. 1874 – und *Encyclopaedia Judaica,* unter dem Stichwort „Tabernacle", 15. Bd (1971), S. 679.

Register der logotechnischen Bauplanzahlen in Auswahl

(Abkürzung ZW = Zahlenwert)

Literatur

Neuere Studien mit logotechnischen Textanalysen

Karl PRENNER: MUHAMMAD UND MUSA. Strukturanalytische und theologiegeschichtliche Untersuchungen zu den mekkanischen Musa-Perikopen des Qur'an. – Christlich-Islamisches Schrifttum, Altenberg 1986, 408 Seiten.

C. J. LABUSCHAGNE: The Pattern of the divine Speech Formula in the Pentateuch. – VT 32 (1982), 268–286.

–,   On the structural use of Numbers as a Composition Technique. – Journal of Northwest Semitic Languages XII (1985), 87–99.

–,   Some significant Composition Techniques in Deuteronomy. Signa-scripta-vocis, Fs. J. H. Hospers, Groningen 1986, 121–129.

–,   Neue Wege und Perspektiven in der Pentateuchforschung. VT XXXVI (1986), 146–162.

–,   in Vorbereitung: ein Kommentar zum Buch Deuteronomium mit logotechnischen Textanalysen. Groningen

Zahlen als Grundlage für Textanalysen

M. J. J. MENKEN: Numerical literary Techniques in John. The fourth Evangelist's Use of Numbers of Words and Syllables. Supplement NT, Vol. IV, 1985, Leiden/Brill.

J. SMIT SIBINGER: Zur Kompositionstechnik des Lukas in Lk 15 : 11–32. FS. für Jürgen C. H. Lebram „Tradition and Re-interpretation in Jewish and early Christian Literature". Leiden 1986, 97–113.

DUANE L. CHRISTENSEN: A metrical Analysis. Journal of Biblical Literatur. Vol. 105 (1985), 217–231.